**Chunjae
Maketh
Chunjae**

▼

저자	최용준, 해법수학연구회
편집개발	박유영, 조영옥, 민지영, 정광혜, 원진희,
	민경아, 김주리, 김근희, 서진원, 마영희
디자인총괄	김희정
표지디자인	윤순미, 장미
내지디자인	박희춘, 우혜림
제작	황성진, 조규영

발행일	2021년 4월 15일 초판 2021년 4월 15일 1쇄
발행인	(주)천재교육
주소	서울시 금천구 가산로9길 54
신고번호	제2001-000018호
고객센터	1577-0902
교재 내용문의	(02)3282-1721

중 3-2

시작은

하루
수학

하루 수학의 구성과 특징

시작하며

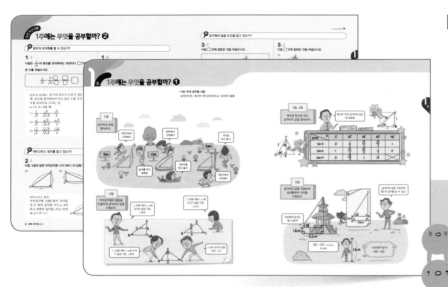

이번 주에는 무엇을 공부할까? ❶, ❷

- 한 주에 공부할 내용을 삽화로 재미있게 구성하였습니다.
- 한 주의 공부를 시작하기 전에 꼭 알아야 할 이전 학년 내용을 짚고 넘어갈 수 있도록 구성하였습니다.

1일 공부를 하기 전에 잠깐 시간을 내서 공부해봐.

한 주를 마무리하며

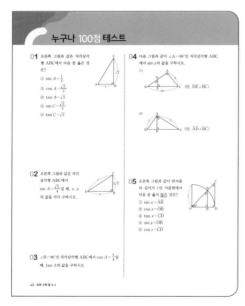

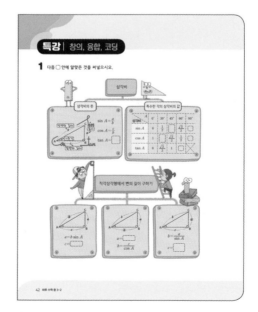

누구나 100점 테스트

한 주를 마무리하며 한 주 동안 공부한 개념을 얼마나 잘 이해했는지 테스트할 수 있도록 하였습니다.

특강 창의, 융합, 코딩

창의, 융합, 코딩 문제를 풀면서 한 주 동안 공부한 내용이 어떻게 이용되는지 알고 문제 해결력을 기를 수 있도록 하였습니다.

5일 동안

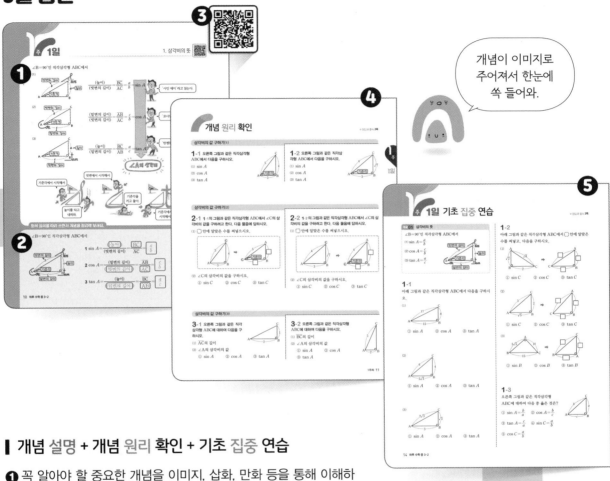

개념이 이미지로 주어져서 한눈에 쏙 들어와.

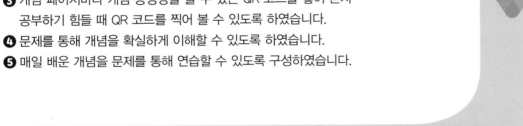

▌ 개념 설명 + 개념 원리 확인 + 기초 집중 연습

❶ 꼭 알아야 할 중요한 개념을 이미지, 삽화, 만화 등을 통해 이해하기 쉽게 구성하였습니다.

❷ 개념을 한번 더 따라쓰면서 개념을 정리할 수 있도록 하였습니다.

❸ 개념 페이지마다 개념 동영상을 볼 수 있는 QR 코드를 넣어 혼자 공부하기 힘들 때 QR 코드를 찍어 볼 수 있도록 하였습니다.

❹ 문제를 통해 개념을 확실하게 이해할 수 있도록 하였습니다.

❺ 매일 배운 개념을 문제를 통해 연습할 수 있도록 구성하였습니다.

하루 수학의 차례 중 3-2

1주

2주

1주에는 무엇을 공부할까? ❶

• 이번 주에 공부할 내용
삼각비의 뜻 / 특수한 각의 삼각비의 값 / 삼각비의 활용

3일, 4일

예각과 특수한 각의 삼각비의 값을 알아보자.

특수한 각의 삼각비의 값은 꼭 외워둬.

삼각비 \ A	0°	30°	45°	60°	90°
Sin A	0	$\dfrac{1}{2}$	$\dfrac{\sqrt{2}}{2}$	$\dfrac{\sqrt{3}}{2}$	1
Cos A	1	$\dfrac{\sqrt{3}}{2}$	$\dfrac{\sqrt{2}}{2}$	$\dfrac{1}{2}$	0
tan A	0	$\dfrac{\sqrt{3}}{3}$	1	$\sqrt{3}$	

5일

삼각비의 값을 이용하여 실생활에서 거리를 구해보자.

삼각비의 값을 이용하면 $\overline{BC}$의 길이를 알 수 있군.

다보탑의 높이는 몇 m일까?

$\overline{BE}=\overline{AD}=1.6\,m$ 이니까

(다보탑의 높이) $=\overline{BC}+\overline{BE}$

1주에는 무엇을 공부할까? ❷

🔍 분모의 유리화를 할 수 있는가?

1-1

다음은 $\dfrac{3}{\sqrt{6}}$ 의 분모를 유리화하는 과정이다. ☐ 안에 알맞은 수를 써넣으시오.

$$\frac{3}{\sqrt{6}}=\frac{3\times\boxed{}}{\sqrt{6}\times\boxed{}}=\frac{\boxed{}}{\boxed{}}=\boxed{}$$

· 분모의 유리화 : 분수의 분모가 근호가 있는 무리수일 때, 분모와 분자에 0이 아닌 같은 수를 각각 곱하여 분모를 유리수로 고치는 것

· $a>0$, $b>0$일 때

(1) $\dfrac{1}{\sqrt{b}}=\dfrac{\sqrt{b}}{\sqrt{b}\sqrt{b}}=\dfrac{\sqrt{b}}{b}$

(2) $\dfrac{a}{\sqrt{b}}=\dfrac{a\sqrt{b}}{\sqrt{b}\sqrt{b}}=\dfrac{a\sqrt{b}}{b}$

(3) $\dfrac{\sqrt{a}}{\sqrt{b}}=\dfrac{\sqrt{a}\sqrt{b}}{\sqrt{b}\sqrt{b}}=\dfrac{\sqrt{ab}}{b}$

1-2

다음 수의 분모를 유리화하시오.

(1) $\dfrac{2}{\sqrt{7}}$

(2) $\dfrac{1}{\sqrt{12}}$

(3) $\dfrac{4}{\sqrt{18}}$

(4) $\dfrac{\sqrt{3}}{\sqrt{50}}$

🔍 피타고라스 정리를 알고 있는가?

2-1

다음 그림과 같은 직각삼각형 ABC에서 x의 값을 구하시오.

(1)
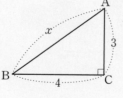

(2)
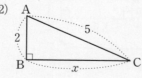

· 피타고라스 정리

직각삼각형 ABC에서 직각을 낀 두 변의 길이를 각각 a, b라 하고 빗변의 길이를 c라고 하면

➡ $a^2+b^2=c^2$

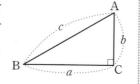

2-2

다음 그림과 같은 직각삼각형 ABC에서 x의 값을 구하시오.

(1)
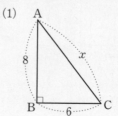

(2)
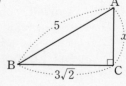

삼각형의 닮음 조건을 알고 있는가?

3-1

다음 ☐ 안에 알맞은 것을 써넣으시오.

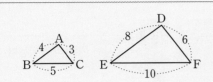

➡ $\overline{AB} : \overline{DE} = \overline{BC} : \overline{EF} = \overline{CA} : \overline{FD} = 1 : \boxed{}$

∴ △ABC∽△DEF (☐ 닮음)

- 삼각형의 닮음 조건
  (1) 세 쌍의 대응하는 변의 길이의 비가 같을 때
     ➡ SSS 닮음
  (2) 두 쌍의 대응하는 변의 길이의 비가 같고, 그 끼인 각의 크기가 같을 때 ➡ SAS 닮음
  (3) 두 쌍의 대응하는 각의 크기가 각각 같을 때
     ➡ AA 닮음

3-2

다음 ☐ 안에 알맞은 것을 써넣으시오.

(1)

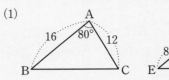

➡ $\overline{AB} : \overline{DE} = \overline{AC} : \overline{DF} = \boxed{} : 1$

$\angle A = \angle\boxed{} = 80°$

∴ △ABC∽△☐ (☐ 닮음)

(2)

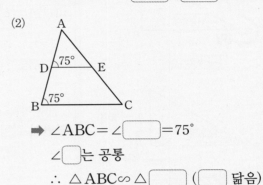

➡ $\angle ABC = \angle\boxed{} = 75°$

$\angle\boxed{}$ 는 공통

∴ △ABC∽△☐ (☐ 닮음)

직각삼각형의 닮음을 알고 있는가?

4-1

다음 그림과 같이 ∠A=90°인 직각삼각형 ABC에서 $\overline{AH} \perp \overline{BC}$일 때, ☐ 안에 알맞은 수를 써넣으시오.

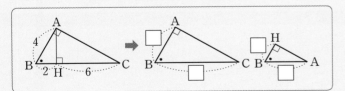

- **직각삼각형의 닮음**
  ∠A=90°인 직각삼각형 ABC의 꼭짓점 A에서 빗변 BC에 내린 수선의 발을 H라고 하면 다음이 성립한다.

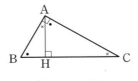

  ➡ △ABC∽△HBA∽△HAC (AA 닮음)

4-2

다음 그림과 같이 ∠A=90°인 직각삼각형 ABC에서 $\overline{AH} \perp \overline{BC}$일 때, ☐ 안에 알맞은 수를 써넣으시오.

(1)

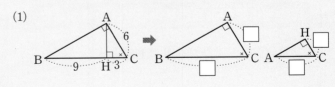

(2)

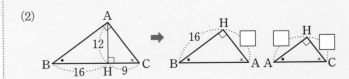

∠B＝90°인 직각삼각형 ABC에서

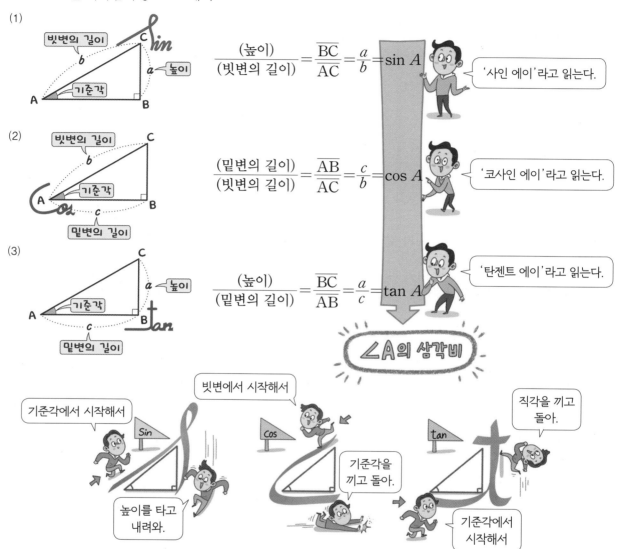

(1)

$$\frac{(높이)}{(빗변의\ 길이)} = \frac{\overline{BC}}{\overline{AC}} = \frac{a}{b} = \sin A$$

'사인 에이'라고 읽는다.

(2)

$$\frac{(밑변의\ 길이)}{(빗변의\ 길이)} = \frac{\overline{AB}}{\overline{AC}} = \frac{c}{b} = \cos A$$

'코사인 에이'라고 읽는다.

(3)

$$\frac{(높이)}{(밑변의\ 길이)} = \frac{\overline{BC}}{\overline{AB}} = \frac{a}{c} = \tan A$$

'탄젠트 에이'라고 읽는다.

∠A의 삼각비

기준각에서 시작해서

높이를 타고 내려와.

빗변에서 시작해서

기준각을 끼고 돌아.

직각을 끼고 돌아.

기준각에서 시작해서

회색 글씨를 따라 쓰면서 개념을 정리해 보세요.

❖ ∠B＝90°인 직각삼각형 ABC에서

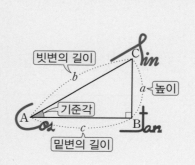

1 $\sin A = \dfrac{(높이)}{(빗변의\ 길이)} = \dfrac{\overline{BC}}{\overline{AC}} = \dfrac{a}{b}$

2 $\cos A = \dfrac{(밑변의\ 길이)}{(빗변의\ 길이)} = \dfrac{\overline{AB}}{\overline{AC}} = \dfrac{c}{b}$

3 $\tan A = \dfrac{(높이)}{(밑변의\ 길이)} = \dfrac{\overline{BC}}{\overline{AB}} = \dfrac{a}{c}$

개념 원리 확인

○ 정답과 풀이 2쪽

삼각비의 값 구하기(1)

1-1 오른쪽 그림과 같은 직각삼각형 ABC에서 다음을 구하시오.

(1) sin A

(2) cos A

(3) tan A

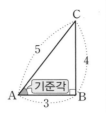

1-2 오른쪽 그림과 같은 직각삼각형 ABC에서 다음을 구하시오.

(1) sin A

(2) cos A

(3) tan A

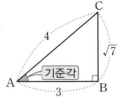

삼각비의 값 구하기(2)

2-1 **1-1**의 그림과 같은 직각삼각형 ABC에서 ∠C의 삼각비의 값을 구하려고 한다. 다음 물음에 답하시오.

(1) ☐ 안에 알맞은 수를 써넣으시오.

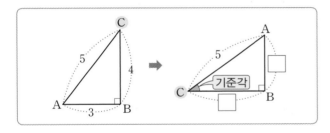

(2) ∠C의 삼각비의 값을 구하시오.

① sin C   ② cos C   ③ tan C

2-2 **1-2**의 그림과 같은 직각삼각형 ABC에서 ∠C의 삼각비의 값을 구하려고 한다. 다음 물음에 답하시오.

(1) ☐ 안에 알맞은 수를 써넣으시오.

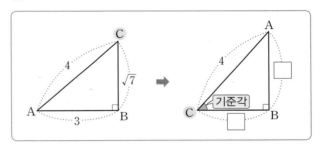

(2) ∠C의 삼각비의 값을 구하시오.

① sin C   ② cos C   ③ tan C

삼각비의 값 구하기(3)

3-1 오른쪽 그림과 같은 직각삼각형 ABC에 대하여 다음을 구하시오.

(1) $\overline{AC}$의 길이

(2) ∠A의 삼각비의 값

① sin A   ② cos A   ③ tan A

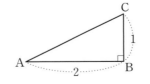

3-2 오른쪽 그림과 같은 직각삼각형 ABC에 대하여 다음을 구하시오.

(1) $\overline{BC}$의 길이

(2) ∠A의 삼각비의 값

① sin A   ② cos A

③ tan A

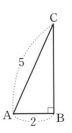

오른쪽 그림과 같은 직각삼각형 ABC에서 $\cos A = \dfrac{2}{3}$일 때, x, y의 값을 각각 구하시오.

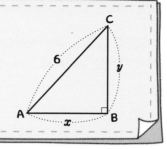

주어진 삼각비의 값을 이용하여 x의 값 구하기

$\cos A = \dfrac{x}{6} = \dfrac{2}{3}$이므로

$x = 4$

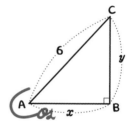

피타고라스 정리를 이용하여 y의 값 구하기

피타고라스 정리에 의해

$y = \sqrt{6^2 - 4^2} = \sqrt{20} = 2\sqrt{5}$

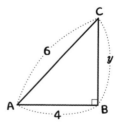

회색 글씨를 따라 쓰면서 개념을 정리해 보세요.

❖ 직각삼각형에서 한 삼각비의 값과 한 변의 길이가 주어질 때, 나머지 두 변의 길이를 구하는 순서

① ⌈주어진 삼각비의 값을 이용⌋하여 한 변의 길이를 구한다.

② ⌈피타고라스 정리를 이용⌋하여 나머지 한 변의 길이를 구한다.

개념 원리 확인

삼각비의 값이 주어질 때, 변의 길이 구하기

4-1 다음 그림과 같이 한 변의 길이와 삼각비의 값이 주어진 직각삼각형 ABC에서 x, y의 값을 각각 구하려고 한다. ☐ 안에 알맞은 수를 써넣으시오.

(1) $\sin A = \dfrac{3}{5}$

① x의 값 구하기

➡ $\sin A = \dfrac{x}{\boxed{}} = \dfrac{3}{5}$

이므로 $x = \boxed{}$

② y의 값 구하기

➡ $y = \sqrt{10^2 - \boxed{}^2} = \boxed{}$

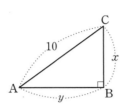

(2) $\cos A = \dfrac{3}{4}$

① x의 값 구하기

➡ $\cos A = \dfrac{\boxed{}}{x} = \dfrac{3}{4}$

이므로 $x = \boxed{}$

② y의 값 구하기

➡ $y = \sqrt{\boxed{}^2 - 6^2} = \boxed{}$

(3) $\tan A = \dfrac{\sqrt{5}}{2}$

① x의 값 구하기

➡ $\tan A = \dfrac{x}{\boxed{}} = \dfrac{\sqrt{5}}{2}$

이므로 $x = \boxed{}$

② y의 값 구하기

➡ $y = \sqrt{4^2 + (\boxed{})^2} = \boxed{}$

4-2 다음 그림과 같이 한 변의 길이와 삼각비의 값이 주어진 직각삼각형 ABC에서 x, y의 값을 각각 구하시오.

(1) $\sin A = \dfrac{1}{2}$

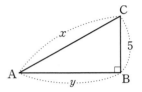

(2) $\cos A = \dfrac{\sqrt{5}}{3}$

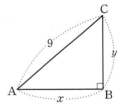

(3) $\tan A = \dfrac{2}{3}$

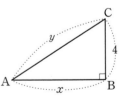

1일 기초 집중 연습

○ 정답과 풀이 **3쪽**

개념 01 삼각비의 뜻

∠B=90°인 직각삼각형 ABC에서

(1) $\sin A = \dfrac{a}{b}$

(2) $\cos A = \dfrac{c}{b}$

(3) $\tan A = \dfrac{a}{c}$

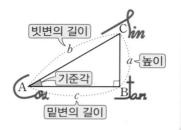

1-1

아래 그림과 같은 직각삼각형 ABC에서 다음을 구하시오.

(1)

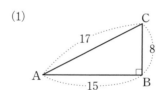

① $\sin A$　　② $\cos A$　　③ $\tan A$

(2)

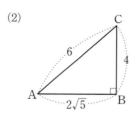

① $\sin A$　　② $\cos A$　　③ $\tan A$

(3)

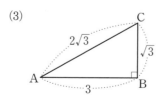

① $\sin A$　　② $\cos A$　　③ $\tan A$

1-2

아래 그림과 같은 직각삼각형 ABC에서 ☐ 안에 알맞은 수를 써넣고, 다음을 구하시오.

(1)

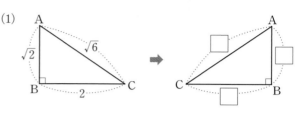

① $\sin C$　　② $\cos C$　　③ $\tan C$

(2)

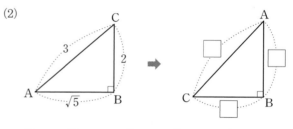

① $\sin C$　　② $\cos C$　　③ $\tan C$

(3)

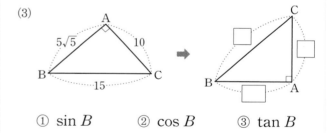

① $\sin B$　　② $\cos B$　　③ $\tan B$

1-3

오른쪽 그림과 같은 직각삼각형 ABC에 대하여 다음 중 옳은 것은?

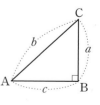

① $\sin A = \dfrac{b}{a}$　　② $\cos A = \dfrac{b}{c}$

③ $\tan A = \dfrac{c}{a}$　　④ $\sin C = \dfrac{a}{b}$

⑤ $\cos C = \dfrac{a}{b}$

1-4

아래 그림과 같은 직각삼각형 ABC에 대하여 ☐ 안에 알맞은 수를 써넣고, 다음을 구하시오.

(1)

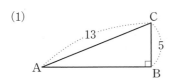

➡ $\overline{AB}=\sqrt{13^2-\boxed{}^2}=\boxed{}$

① $\sin A$ ② $\cos A$ ③ $\tan A$

④ $\sin C$ ⑤ $\cos C$ ⑥ $\tan C$

(2)

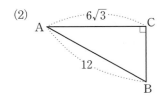

➡  $\overline{BC}=\sqrt{\boxed{}^2-(6\sqrt{3})^2}=\boxed{}$

① $\sin A$ ② $\cos A$ ③ $\tan A$

④ $\sin B$ ⑤ $\cos B$ ⑥ $\tan B$

1-5

오른쪽 그림과 같은 직각삼각형 ABC에 대하여 다음 중 옳은 것을 모두 고르면?

(정답 2개)

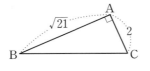

① $\sin B=\dfrac{2\sqrt{21}}{21}$ ② $\cos B=\dfrac{5\sqrt{21}}{21}$

③ $\sin C=\dfrac{\sqrt{21}}{5}$ ④ $\cos C=\dfrac{5}{2}$

⑤ $\tan C=\dfrac{\sqrt{21}}{2}$

개념 02 삼각비의 값이 주어질 때, 변의 길이 구하기

직각삼각형에서 한 삼각비의 값과 한 변의 길이가 주어질 때, 나머지 두 변의 길이를 구하는 순서

① 주어진 삼각비의 값을 이용하여 한 변의 길이를 구한다.

② 피타고라스 정리를 이용하여 나머지 한 변의 길이를 구한다.

2-1

다음 그림과 같이 한 변의 길이와 삼각비의 값이 주어진 직각삼각형 ABC에서 x, y의 값을 각각 구하시오.

(1) $\cos A=\dfrac{4}{5}$

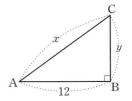

(2) $\tan C=\sqrt{3}$

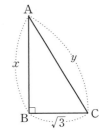

2-2

오른쪽 그림과 같은 직각삼각형 ABC에서 $\sin A=\dfrac{\sqrt{2}}{2}$일 때, △ABC의 넓이를 구하려고 한다. 다음 물음에 답하시오.

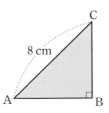

(1) $\sin A=\dfrac{\sqrt{2}}{2}$임을 이용하여 $\overline{BC}$의 길이를 구하시오.

(2) 피타고라스 정리를 이용하여 $\overline{AB}$의 길이를 구하시오.

(3) △ABC의 넓이를 구하시오.

3. 한 삼각비의 값이 주어질 때, 다른 삼각비의 값 구하기

$\angle B = 90°$인 직각삼각형 ABC에서 $\cos A = \dfrac{2}{3}$일 때, $\sin A$와 $\tan A$의 값을 각각 구하시오.

 **주어진 삼각비의 값을 만족하는 가장 간단한 직각삼각형 그리기**

$\angle B = 90°$인 직각삼각형 ABC를 그려.

$\cos A = \dfrac{2}{3}$이므로 $\overline{AC} = 3$, $\overline{AB} = 2$ 를 적어.

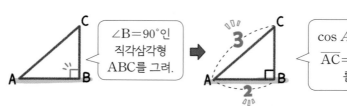

피타고라스 정리를 이용하여 나머지 한 변의 길이 구하기

피타고라스 정리에 의해
$\overline{BC} = \sqrt{3^2 - 2^2} = \sqrt{5}$

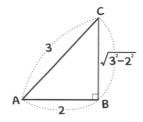

다른 삼각비의 값 구하기

$\sin A = \dfrac{\overline{BC}}{\overline{AC}} = \dfrac{\sqrt{5}}{3}$

$\tan A = \dfrac{\overline{BC}}{\overline{AB}} = \dfrac{\sqrt{5}}{2}$

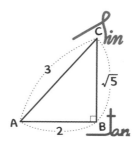

회색 글씨를 따라 쓰면서 개념을 정리해 보세요.

❖ 한 삼각비의 값이 주어질 때, 다른 삼각비의 값을 구하는 순서

① 주어진 삼각비의 값을 만족하는 │ 가장 간단한 직각삼각형 │을 그린다.

② 피타고라스 정리를 이용하여 │ 나머지 한 변의 길이 │를 구한다.

③ │ 다른 삼각비의 값 │을 구한다.

개념 원리 확인

○정답과 풀이 **4쪽**

한 삼각비의 값이 주어질 때, 다른 삼각비의 값 구하기

1-1 아래는 주어진 삼각비의 값을 만족하는 가장 간단한 직각삼각형 ABC를 그린 것이다. ☐ 안에 알맞은 수를 써넣고, 다음을 구하시오. (단, ∠B=90°)

(1) $\sin A = \dfrac{5}{6}$

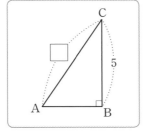

　① $\overline{AB}$의 길이

　② $\cos A$

　③ $\tan A$

(2) $\cos A = \dfrac{3}{4}$

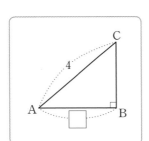

　① $\overline{BC}$의 길이

　② $\sin A$

　③ $\tan A$

(3) $\tan A = \dfrac{2}{3}$

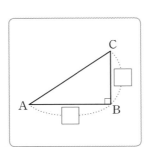

　① $\overline{AC}$의 길이

　② $\sin A$

　③ $\cos A$

1-2 주어진 삼각비의 값을 만족하는 가장 간단한 직각삼각형 ABC를 그리고, 다음을 구하시오. (단, ∠B=90°)

(1) $\sin A = \dfrac{\sqrt{5}}{3}$

　① $\overline{AB}$의 길이

　② $\cos A$

　③ $\tan A$

(2) $\cos A = \dfrac{5}{7}$

　① $\overline{BC}$의 길이

　② $\sin A$

　③ $\tan A$

(3) $\tan A = 3$

　① $\overline{AC}$의 길이

　② $\sin A$

　③ $\cos A$

닭은 도형에서 대응하는 변의 길이의 비는 같으므로
닭은 직각삼각형에서 크기가 같은 각에 대한 삼각비의 값은 같다.

4. 직각삼각형의 닮음을 이용한 삼각비의 값 구하기

(1)

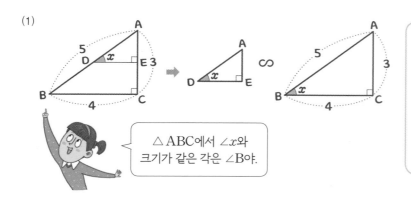

△ABC에서 ∠x와
크기가 같은 각은 ∠B야.

$\triangle ADE \backsim \triangle ABC$ (AA 닮음)이므로

① $\sin x = \sin B = \dfrac{3}{5}$

② $\cos x = \cos B = \dfrac{4}{5}$

③ $\tan x = \tan B = \dfrac{3}{4}$

(2)

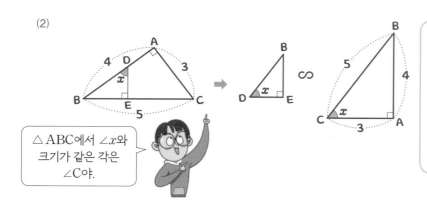

△ABC에서 ∠x와
크기가 같은 각은
∠C야.

$\triangle BDE \backsim \triangle BCA$ (AA 닮음)이므로

① $\sin x = \sin C = \dfrac{4}{5}$

② $\cos x = \cos C = \dfrac{3}{5}$

③ $\tan x = \tan C = \dfrac{4}{3}$

(3)

△ABC에서 ∠x와
크기가 같은 각은
∠B야.

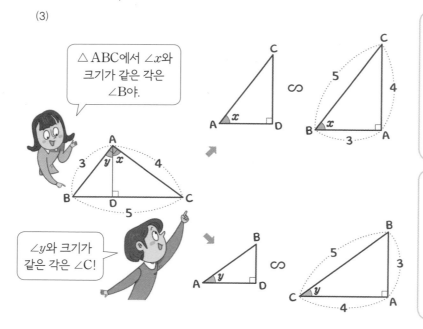

∠y와 크기가
같은 각은 ∠C!

$\triangle CAD \backsim \triangle CBA$ (AA 닮음)이므로

① $\sin x = \sin B = \dfrac{4}{5}$

② $\cos x = \cos B = \dfrac{3}{5}$

③ $\tan x = \tan B = \dfrac{4}{3}$

$\triangle BAD \backsim \triangle BCA$ (AA 닮음)이므로

① $\sin y = \sin C = \dfrac{3}{5}$

② $\cos y = \cos C = \dfrac{4}{5}$

③ $\tan y = \tan C = \dfrac{3}{4}$

개념 원리 확인

정답과 풀이 **4쪽**

직각삼각형의 닮음을 이용한 삼각비의 값 구하기

2-1 아래 그림과 같은 직각삼각형 ABC에서 다음 ◯ 안에 알맞은 것을 써넣으시오.

(1)

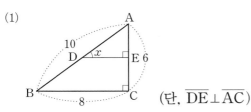

(단, $\overline{DE} \perp \overline{AC}$)

① $\sin x = \sin \boxed{} = \dfrac{6}{\boxed{}} = \boxed{}$

② $\cos x = \cos \boxed{} = \dfrac{\boxed{}}{10} = \boxed{}$

③ $\tan x = \tan \boxed{} = \dfrac{\boxed{}}{8} = \boxed{}$

(2)

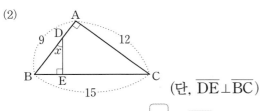

(단, $\overline{DE} \perp \overline{BC}$)

① $\sin x = \sin \boxed{} = \dfrac{\boxed{}}{15} = \boxed{}$

② $\cos x = \cos \boxed{} = \dfrac{12}{\boxed{}} = \boxed{}$

③ $\tan x = \tan \boxed{} = \dfrac{\boxed{}}{12} = \boxed{}$

(3)

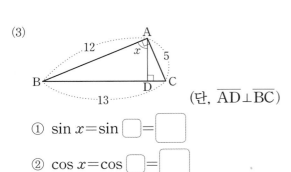

(단, $\overline{AD} \perp \overline{BC}$)

① $\sin x = \sin \boxed{} = \boxed{}$

② $\cos x = \cos \boxed{} = \boxed{}$

③ $\tan x = \tan \boxed{} = \boxed{}$

2-2 아래 그림과 같은 직각삼각형 ABC에서 다음 물음에 답하시오.

(1)

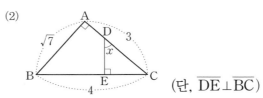

(단, $\overline{DE} \perp \overline{BC}$)

① △ABC에서 ∠x와 크기가 같은 각을 말하시오.

② $\sin x$, $\cos x$, $\tan x$의 값을 각각 구하시오.

(2)

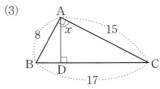

(단, $\overline{DE} \perp \overline{BC}$)

① △ABC에서 ∠x와 크기가 같은 각을 말하시오.

② $\sin x$, $\cos x$, $\tan x$의 값을 각각 구하시오.

(3)

(단, $\overline{AD} \perp \overline{BC}$)

① △ABC에서 ∠x와 크기가 같은 각을 말하시오.

② $\sin x$, $\cos x$, $\tan x$의 값을 각각 구하시오.

개념 01 한 삼각비의 값이 주어질 때, 다른 삼각비의 값 구하기

한 삼각비의 값이 주어질 때, 다른 삼각비의 값을 구하는 순서
① 주어진 삼각비의 값을 만족하는 가장 간단한 직각삼각형을 그린다.
② 피타고라스 정리를 이용하여 나머지 한 변의 길이를 구한다.
③ 다른 삼각비의 값을 구한다.

1-1

주어진 삼각비의 값을 만족하는 가장 간단한 직각삼각형 ABC를 그리고, 다음을 구하시오. (단, $\angle B = 90°$)

(1) $\sin A = \dfrac{1}{2}$

　① $\cos A$

　② $\tan A$

(2) $\cos A = \dfrac{2}{5}$

　① $\sin A$

　② $\tan A$

(3) $\tan A = \dfrac{\sqrt{15}}{7}$

　① $\sin A$

　② $\cos A$

1-2

$\sin A = \dfrac{\sqrt{5}}{5}$일 때, $\cos A \times \tan A$의 값을 구하시오.

(단, $\angle B = 90°$)

개념 02 직각삼각형의 닮음을 이용한 삼각비의 값 구하기

직각삼각형의 닮음을 이용하여 삼각비의 값을 구하는 순서
① 닮음인 삼각형을 찾는다.
　➡ $\triangle ABC \backsim \triangle DBA$
　　$\backsim \triangle DAC$
② 크기가 같은 각을 찾는다.
　➡ $\angle B = \angle DAC$, $\angle C = \angle BAD$
③ 삼각비의 값을 구한다.

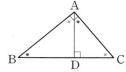

2-1

오른쪽 그림과 같은 직각삼각형 ABC에서 $\overline{DE} \perp \overline{BC}$일 때, 다음 중 $\cos A$의 값을 모두 고르면?

(정답 2개)

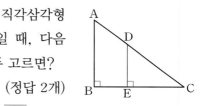

① $\dfrac{\overline{BC}}{\overline{AB}}$ 　② $\dfrac{\overline{AB}}{\overline{AC}}$

③ $\dfrac{\overline{BC}}{\overline{AC}}$ 　④ $\dfrac{\overline{CE}}{\overline{CD}}$ 　⑤ $\dfrac{\overline{DE}}{\overline{CD}}$

2-2

오른쪽 그림과 같은 직각삼각형 ABC에서 $\overline{DE} \perp \overline{BC}$이고 $\angle ACB = \angle x$일 때, $\sin x$의 값을 구하시오.

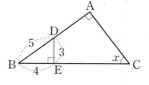

2-3

오른쪽 그림과 같은 직각삼
각형 ABC에서 $\overline{DE} \perp \overline{BC}$이
고 $\angle CDE = \angle x$일 때,
$\cos x$의 값을 구하시오.

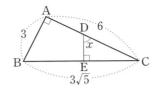

2-4

오른쪽 그림과 같은 직각삼각형
ABC에서 $\overline{DE} \perp \overline{AC}$이고
$\angle ADE = \angle x$일 때,
$\sin x \times \tan x$의 값을 구하시오.

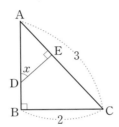

2-5

오른쪽 그림과 같은 직각삼각
형 ABC에서 $\overline{AD} \perp \overline{BC}$이고
$\angle CAD = \angle x$일 때, 다음 □
안에 알맞은 것을 써넣으시오.

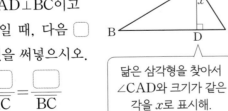

닮은 삼각형을 찾아서
∠CAD와 크기가 같은
각을 x로 표시해.

(1) $\sin x = \dfrac{\Box}{\overline{AC}} = \dfrac{\Box}{\overline{BC}}$

(2) $\cos x = \dfrac{\overline{AD}}{\Box} = \dfrac{\Box}{\overline{BC}}$

(3) $\tan x = \dfrac{\Box}{\overline{AD}} = \dfrac{\overline{AC}}{\Box}$

2-6

오른쪽 그림과 같은 직각삼
각형 ABC에서 $\overline{AD} \perp \overline{BC}$이
고 $\angle BAD = \angle x$일 때,
$\cos x$의 값을 구하시오.

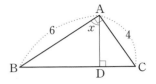

2-7

오른쪽 그림과 같은 직각삼
각형 ABC에서 $\overline{AD} \perp \overline{BC}$
이고 $\angle BAD = \angle x$,
$\angle CAD = \angle y$일 때,
$\sin x + \cos y$의 값을 구하시오.

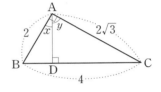

2-8

오른쪽 그림과 같은 직사각형
ABCD에서 $\overline{AH} \perp \overline{BD}$이고
$\angle DAH = \angle x$일 때, $\sin x$의
값을 구하려고 한다. 다음 물음
에 답하시오.

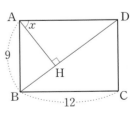

(1) △ABD에서 $\angle x$와 크기가 같은 각을 말하시오.

(2) $\overline{AD}$, $\overline{BD}$의 길이를 각각 구하시오.

(3) $\sin x$의 값을 구하시오.

▶ 45°의 삼각비의 값

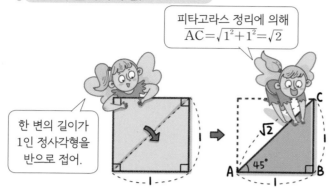

한 변의 길이가 1인 정사각형을 반으로 접어.

피타고라스 정리에 의해
$\overline{AC} = \sqrt{1^2 + 1^2} = \sqrt{2}$

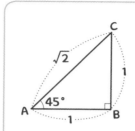

① $\sin 45° = \dfrac{1}{\sqrt{2}} = \dfrac{\sqrt{2}}{2}$

② $\cos 45° = \dfrac{1}{\sqrt{2}} = \dfrac{\sqrt{2}}{2}$

③ $\tan 45° = \dfrac{1}{1} = 1$

▶ 30°, 60°의 삼각비의 값

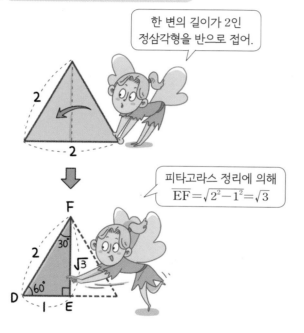

한 변의 길이가 2인 정삼각형을 반으로 접어.

피타고라스 정리에 의해
$\overline{EF} = \sqrt{2^2 - 1^2} = \sqrt{3}$

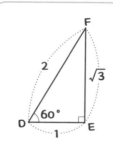

① $\sin 60° = \dfrac{\sqrt{3}}{2}$

② $\cos 60° = \dfrac{1}{2}$

③ $\tan 60° = \dfrac{\sqrt{3}}{1} = \sqrt{3}$

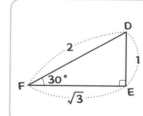

① $\sin 30° = \dfrac{1}{2}$

② $\cos 30° = \dfrac{\sqrt{3}}{2}$

③ $\tan 30° = \dfrac{1}{\sqrt{3}} = \dfrac{\sqrt{3}}{3}$

회색 글씨를 따라 쓰면서 개념을 정리해 보세요.

❖ 30°, 45°, 60°의 삼각비의 값은 다음 표와 같다.

삼각비 $\quad^{A}$	30°	45°	60°
$\sin A$	$\dfrac{1}{2}$	$\dfrac{\sqrt{2}}{2}$	$\dfrac{\sqrt{3}}{2}$
$\cos A$	$\dfrac{\sqrt{3}}{2}$	$\dfrac{\sqrt{2}}{2}$	$\dfrac{1}{2}$
$\tan A$	$\dfrac{\sqrt{3}}{3}$	1	$\sqrt{3}$

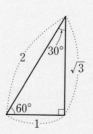

개념 원리 확인

30°, 45°, 60°의 삼각비의 값 (1)

1-1 다음을 계산하시오.

(1) $\sin 30° - \cos 60°$

(2) $\sin 45° + \cos 45°$

(3) $\cos 30° \times \tan 45°$

1-2 다음을 계산하시오.

(1) $\sin 60° + \cos 30°$

(2) $\tan 30° \div \tan 60°$

(3) $\cos 60° + \tan 45°$

30°, 45°, 60°의 삼각비의 값 (2)

2-1 다음을 계산하시오.

(1) $3 \cos 30° \div \tan 30°$

(2) $\sin 30° \times \tan 60° \div \cos 30°$

(3) $\tan 60° + \dfrac{\sin 60°}{\cos 60°}$

2-2 다음을 계산하시오.

(1) $(\sin 45° + \cos 45°) \times \tan 45°$

(2) $\cos 30° \times \tan 60° \div \sin 30°$

(3) $\cos 30° \div \tan 30° - \sin 60° \times \tan 60°$

30°, 45°, 60°의 삼각비의 값 (3)

3-1 오른쪽 그림과 같은 직각삼각형 ABC에서 x, y의 값을 구하려고 한다. 다음 ☐ 안에 알맞은 것을 써넣으시오.

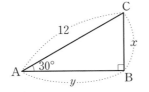

(1) $\sin 30° = \dfrac{\boxed{}}{12}$ 이므로

$\boxed{} = \dfrac{\boxed{}}{12}$　　$\therefore x = \boxed{}$

(2) $\cos 30° = \dfrac{y}{\boxed{}}$ 이므로

$\boxed{} = \dfrac{y}{\boxed{}}$　　$\therefore y = \boxed{}$

3-2 다음 그림과 같은 직각삼각형 ABC에서 x, y의 값을 각각 구하시오.

(1)
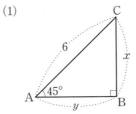

(2)
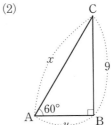

0°보다 크고 90°보다 작은 각

6. 예각의 삼각비의 값

반지름의 길이가 1인 사분원을 이용하면 예각의 삼각비의 값을 하나의 선분의 길이로 나타낼 수 있다.

→ 원의 $\frac{1}{4}$, 즉 ◯ 이 부분

> **sin x의 값**

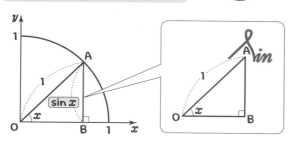

△AOB에서 $\overline{OA}=1$이므로

$$\sin x = \frac{\overline{AB}}{\overline{OA}} = \frac{\overline{AB}}{1} = \overline{AB}$$

빗변의 길이가 1인
직각삼각형 AOB
의 높이

sin x, cos x의 값은
직각삼각형 AOB를
이용하면 돼.

> **cos x의 값**

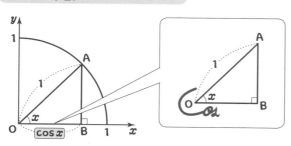

△AOB에서 $\overline{OA}=1$이므로

$$\cos x = \frac{\overline{OB}}{\overline{OA}} = \frac{\overline{OB}}{1} = \overline{OB}$$

빗변의 길이가 1인
직각삼각형 AOB
의 밑변

> **tan x의 값**

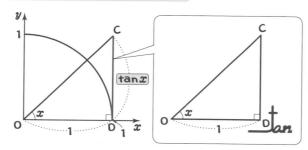

△COD에서 $\overline{OD}=1$이므로

$$\tan x = \frac{\overline{CD}}{\overline{OD}} = \frac{\overline{CD}}{1} = \overline{CD}$$

밑변의 길이가 1인
직각삼각형 COD
의 높이

tan x의 값은
직각삼각형 COD를
이용하면 돼.

회색 글씨를 따라 쓰면서 개념을 정리해 보세요.

❖ 반지름의 길이가 1인 사분원에서

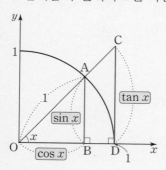

1 $\sin x = \dfrac{\overline{AB}}{\overline{OA}} = \dfrac{\overline{AB}}{1} = \overline{AB}$

2 $\cos x = \dfrac{\overline{OB}}{\overline{OA}} = \dfrac{\overline{OB}}{1} = \overline{OB}$

3 $\tan x = \dfrac{\overline{CD}}{\overline{OD}} = \dfrac{\overline{CD}}{1} = \overline{CD}$

예각의 삼각비의 값(1)

4-1 오른쪽 그림과 같이 반지름의 길이가 1인 사분원에서 다음 삼각비의 값을 나타내는 선분을 찾으시오.

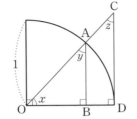

(1) $\sin x$

(2) $\cos x$

(3) $\tan x$

(4) $\sin y = \dfrac{\boxed{}}{\overline{OA}} = \dfrac{\boxed{}}{1} = \boxed{}$

(5) $\cos y = \dfrac{\boxed{}}{\overline{OA}} = \dfrac{\boxed{}}{1} = \boxed{}$

(6) $\sin z$ → $\overline{AB} /\!/ \overline{CD}$이므로 $\angle y = \angle z$ (동위각)

(7) $\cos z$

4-2 오른쪽 그림과 같이 반지름의 길이가 1인 사분원에 대하여 다음 중 옳은 것에는 ○표, 옳지 않은 것에는 ×표를 ( ) 안에 써넣으시오.

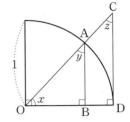

(1) $\sin x = \overline{OB}$ (   )

(2) $\cos x = \overline{OD}$ (   )

(3) $\tan x = \overline{CD}$ (   )

(4) $\sin y = \overline{OB}$ (   )

(5) $\cos y = \overline{AB}$ (   )

(6) $\sin z = \overline{OB}$ (   )

(7) $\cos z = \overline{CD}$ (   )

예각의 삼각비의 값(2)

5-1 오른쪽 그림과 같이 반지름의 길이가 1인 사분원에서 다음 삼각비의 값을 구하시오.

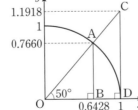

(1) $\sin 50°$

(2) $\cos 50°$

(3) $\tan 50°$

(4) $\sin 40° = \dfrac{\boxed{}}{\overline{OA}} = \dfrac{\boxed{}}{1} = \boxed{}$

△AOB에서 $\angle OAB = 90° - 50° = 40°$

(5) $\cos 40° = \dfrac{\boxed{}}{\overline{OA}} = \dfrac{\boxed{}}{1} = \boxed{}$

5-2 오른쪽 그림과 같이 반지름의 길이가 1인 사분원에서 다음 삼각비의 값을 구하시오.

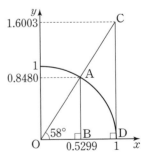

(1) $\sin 58°$

(2) $\cos 58°$

(3) $\tan 58°$

(4) $\sin 32°$

(5) $\cos 32°$

| 개념 **01** | 30°, 45°, 60°의 삼각비의 값 | | |

30°, 45°, 60°의 삼각비의 값은 다음 표와 같다.

삼각비 A	30°	45°	60°
$\sin A$	$\dfrac{1}{2}$	$\dfrac{\sqrt{2}}{2}$	$\dfrac{\sqrt{3}}{2}$
$\cos A$	$\dfrac{\sqrt{3}}{2}$	$\dfrac{\sqrt{2}}{2}$	$\dfrac{1}{2}$
$\tan A$	$\dfrac{\sqrt{3}}{3}$	1	$\sqrt{3}$

역수

1-1

다음을 계산하시오.

(1) $\tan 45° \times \cos 60°$

(2) $\tan 60° \times \sin 30° - \cos 30°$

(3) $\sin 45° \div \tan 30° \times \cos 45°$

(4) $\sin 60° \div \cos 30° + \tan 30° \times \tan 60°$

1-2

다음을 만족하는 x의 크기를 구하시오. (단, $0° < x < 90°$)

(1) $\sin x = \dfrac{\sqrt{2}}{2}$ (2) $\cos x = \dfrac{\sqrt{3}}{2}$

(3) $\tan x = 1$ (4) $\sin x = \dfrac{1}{2}$

(5) $\cos x = \dfrac{1}{2}$ (6) $\tan x = \sqrt{3}$

1-3

다음 그림과 같은 직각삼각형 ABC에서 x의 값을 구하시오.

(1)
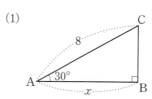

(2)
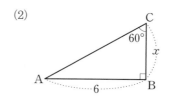

(3)
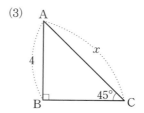

1-4

오른쪽 그림과 같은 △ABC에서 $\overline{AD} \perp \overline{BC}$ 일 때, x, y의 값을 각각 구하시오.

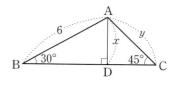

1-5

오른쪽 그림과 같은 직각삼각형 ABC와 BCD에서 x, y의 값을 각각 구하시오.

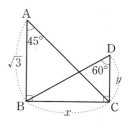

1-6

오른쪽 그림과 같은 □ABCD에서 x의 값을 구하시오.

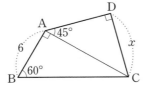

개념02 예각의 삼각비의 값

반지름의 길이가 1인 사분원에서

(1) $\sin x = \dfrac{\overline{AB}}{\overline{OA}} = \dfrac{\overline{AB}}{1} = \overline{AB}$

(2) $\cos x = \dfrac{\overline{OB}}{\overline{OA}} = \dfrac{\overline{OB}}{1} = \overline{OB}$

(3) $\tan x = \dfrac{\overline{CD}}{\overline{OD}} = \dfrac{\overline{CD}}{1} = \overline{CD}$

분모가 1이 되도록!

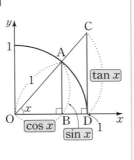

2-1

오른쪽 그림과 같이 반지름의 길이가 1인 사분원에서 다음 삼각비의 값을 구하시오.

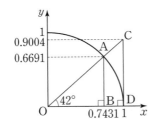

(1) $\sin 42°$

(2) $\cos 42°$

(3) $\tan 42°$

2-2

다음 중 오른쪽 그림과 같이 반지름의 길이가 1인 사분원에서 $\sin 33°$를 나타내는 선분은?

① $\overline{AB}$　　② $\overline{CD}$

③ $\overline{OB}$　　④ $\overline{OD}$

⑤ $\overline{BD}$

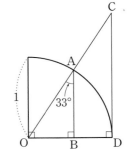

2-3

오른쪽 그림과 같이 반지름의 길이가 1인 사분원에서 다음 삼각비의 값을 구하시오.

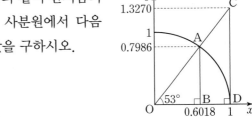

(1) $\sin 53°$

(2) $\cos 37°$

(3) $\tan 53° + \sin 37°$

2-4

오른쪽 그림과 같이 반지름의 길이가 1인 사분원에서 다음 중 옳지 않은 것은?

① $\sin x = \overline{AB}$

② $\cos y = \overline{AB}$

③ $\tan x = \overline{CD}$

④ $\sin z = \overline{OB}$

⑤ $\tan z = \overline{OD}$

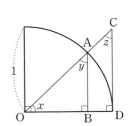

> **0°의 삼각비의 값**

(1) ∠AOB의 크기가 0°에 가까워지면   (2) ∠COD의 크기가 0°에 가까워지면

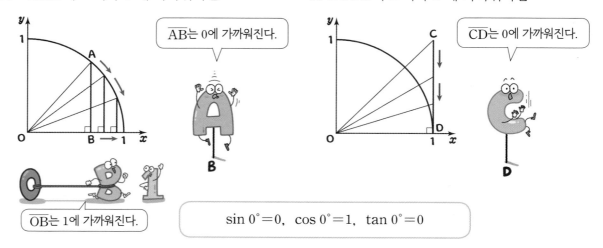

$\overline{AB}$는 0에 가까워진다.

$\overline{OB}$는 1에 가까워진다.

$\overline{CD}$는 0에 가까워진다.

$$\sin 0° = 0, \quad \cos 0° = 1, \quad \tan 0° = 0$$

> **90°의 삼각비의 값**

(1) ∠AOB의 크기가 90°에 가까워지면   (2) ∠COD의 크기가 90°에 가까워지면

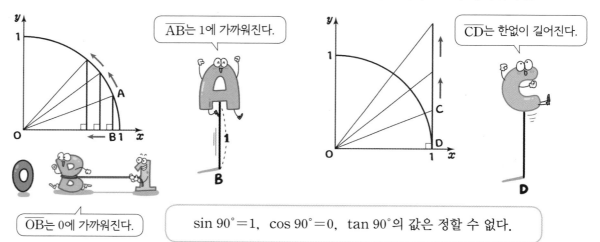

$\overline{AB}$는 1에 가까워진다.

$\overline{OB}$는 0에 가까워진다.

$\overline{CD}$는 한없이 길어진다.

$$\sin 90° = 1, \quad \cos 90° = 0, \quad \tan 90°의 값은 정할 수 없다.$$

회색 글씨를 따라 쓰면서 개념을 정리해 보세요.

삼각비 A	0°	30°	45°	60°	90°
$\sin A$	0	$\dfrac{1}{2}$	$\dfrac{\sqrt{2}}{2}$	$\dfrac{\sqrt{3}}{2}$	1
$\cos A$	1	$\dfrac{\sqrt{3}}{2}$	$\dfrac{\sqrt{2}}{2}$	$\dfrac{1}{2}$	0
$\tan A$	0	$\dfrac{\sqrt{3}}{3}$	1	$\sqrt{3}$	×

개념 원리 확인

○ 정답과 풀이 **8**쪽

0°와 90°의 삼각비의 값 (1)

1-1 다음을 계산하시오.

(1) $\sin 90° + \cos 0°$

(2) $\cos 90° - \sin 90° \times \tan 0°$

(3) $(1 + \sin 0°)(1 - \tan 0°)$

1-2 다음을 계산하시오.

(1) $\tan 0° - \cos 90°$

(2) $\sin 0° \times \cos 90° + \tan 0°$

(3) $(\sin 0° + \cos 0°)(\sin 90° - \cos 90°)$

0°와 90°의 삼각비의 값 (2)

2-1 다음을 계산하시오.

(1) $\cos 0° \times \tan 45°$

(2) $\sin 0° + \tan 60° - \cos 90°$

(3) $\sin 90° \times \cos 60° + \cos 0° \times \sin 30°$

2-2 다음을 계산하시오.

(1) $\sin 30° + \cos 90°$

(2) $\sin 90° \div \tan 30° + \cos 30°$

(3) $\sin 45° \times \sin 90° - \cos 45° \times \cos 0°$

삼각비의 값의 변화

3-1 $0° \le A \le 90°$일 때, 다음 중 옳은 것에는 ○표, 옳지 않은 것에는 ×표를 ( ) 안에 써넣으시오.

(1) A의 크기가 커지면 $\sin A$의 값도 커진다. ( )

(2) A의 크기가 커지면 $\cos A$의 값도 커진다. ( )

(3) $\tan 0°$의 값은 정할 수 없다. ( )

3-2 $0° \le A \le 90°$일 때, 다음 중 옳은 것에는 ○표, 옳지 않은 것에는 ×표를 ( ) 안에 써넣으시오.

(1) $\sin A$의 최솟값은 0이고 최댓값은 알 수 없다.

( )

(2) $\cos A$의 최댓값은 1이다. ( )

(3) $\tan 90°$의 값은 1이다. ( )

삼각비의 표 : 0°에서 90°까지의 각을 1° 간격으로 나누어 삼각비의 값을 반올림하여 소수점 아래 넷째 자리까지 나타낸 표

각도	sin	cos	tan
0°	0.0000	1.0000	0.0000
1°	0.0175	0.9998	0.0175
⋮	⋮	⋮	⋮
23°	0.3907	0.9205	0.4245
24°	0.4067	0.9135	0.4452
⋮	⋮	⋮	⋮
90°	1.0000	0.0000	

삼각비의 표를 어떻게 읽는지 알아볼까?

삼각비의 값은 각도의 가로줄과 삼각비의 세로줄이 만나는 곳의 수죠?

각도	sin	cos	tan
0°	0.0000	1.0000	0.0000
1°	0.0175	0.9998	0.0175
⋮	⋮	⋮	⋮
23°	0.3907	0.9205	0.4245
24°	0.4067	0.9135	0.4452
⋮	⋮	⋮	⋮
90°	1.0000	0.0000	

tan 23°의 값은 23°의 가로줄을 긋고

각도	sin	cos	tan
0°	0.0000	1.0000	0.0000
1°	0.0175	0.9998	0.0175
⋮	⋮	⋮	⋮
23°	0.3907	0.9205	0.4245
24°	0.4067	0.9135	0.4452
⋮	⋮	⋮	⋮
90°	1.0000	0.0000	

tan의 세로줄이 만나는 곳의 수!
$\therefore \tan 23° = 0.4245$

회색 글씨를 따라 쓰면서 개념을 정리해 보세요.

❖ 0°에서 90°까지의 각을 1° 간격으로 나누어 삼각비의 값을 반올림하여 소수점 아래 넷째 자리까지 나타낸 표를 삼각비의 표 라고 한다.

개념 원리 확인

삼각비의 표(1)

4-1 아래 삼각비의 표를 이용하여 다음 삼각비의 값을 구하시오.

각도	sin	cos	tan
36°	0.5878	0.8090	0.7265
37°	0.6018	0.7986	0.7536
38°	0.6157	0.7880	0.7813
39°	0.6293	0.7771	0.8098
40°	0.6428	0.7660	0.8391

(1) $\sin 37°$

(2) $\cos 39°$

(3) $\tan 38°$

4-2 아래 삼각비의 표를 이용하여 다음 삼각비의 값을 구하시오.

각도	sin	cos	tan
50°	0.7660	0.6428	1.1918
51°	0.7771	0.6293	1.2349
52°	0.7880	0.6157	1.2799
53°	0.7986	0.6018	1.3270
54°	0.8090	0.5878	1.3764

(1) $\sin 52°$

(2) $\cos 50°$

(3) $\tan 54°$

삼각비의 표(2)

5-1 아래 삼각비의 표를 이용하여 다음을 만족하는 x의 크기를 구하시오.

각도	sin	cos	tan
61°	0.8746	0.4848	1.8040
62°	0.8829	0.4695	1.8807
63°	0.8910	0.4540	1.9626
64°	0.8988	0.4384	2.0503
65°	0.9063	0.4226	2.1445

(1) $\sin x = 0.8988$

(2) $\cos x = 0.4695$

(3) $\tan x = 1.9626$

5-2 아래 삼각비의 표를 이용하여 다음을 만족하는 x의 크기를 구하시오.

각도	sin	cos	tan
25°	0.4226	0.9063	0.4663
26°	0.4384	0.8988	0.4877
27°	0.4540	0.8910	0.5095
28°	0.4695	0.8829	0.5317
29°	0.4848	0.8746	0.5543

(1) $\sin x = 0.4695$

(2) $\cos x = 0.8746$

(3) $\tan x = 0.4663$

개념 01 **0°와 90°의 삼각비의 값**

삼각비 $\diagdown A$	0°	30°	45°	60°	90°
$\sin A$	0	$\dfrac{1}{2}$	$\dfrac{\sqrt{2}}{2}$	$\dfrac{\sqrt{3}}{2}$	1
$\cos A$	1	$\dfrac{\sqrt{3}}{2}$	$\dfrac{\sqrt{2}}{2}$	$\dfrac{1}{2}$	0
$\tan A$	0	$\dfrac{\sqrt{3}}{3}$	1	$\sqrt{3}$	$\times$

1-1

다음을 계산하시오.

(1) $\cos 90° - \sin 90°$

(2) $\cos 0° \times \sin 90°$

(3) $\sin 0° + \cos 0° \times \tan 0°$

(4) $\sin 90° \div \sin 30° - \tan 45°$

(5) $\tan 0° - \sin 60° \times \cos 0°$

1-2

다음 중 옳지 <u>않은</u> 것은?

① $\cos 60° \times \sin 45° = \dfrac{\sqrt{2}}{4}$

② $\sin 0° + \cos 0° = 1$

③ $\cos 60° \div \sin 60° = \dfrac{\sqrt{3}}{3}$

④ $\tan 0° + \sin 30° \times \cos 45° = \dfrac{\sqrt{2}}{4}$

⑤ $\sin 90° \times (2\cos 30° - \cos 90°) = 1$

1-3

다음을 계산하시오.

$$2\sin 60° \times \cos 0° - \sqrt{3}\sin 90° + \tan 0°$$

1-4

다음 삼각비의 값 중 가장 큰 것은?

① $\cos 0°$ ② $\sin 30°$ ③ $\cos 45°$

④ $\tan 60°$ ⑤ $\sin 90°$

개념 02 삼각비의 표

삼각비의 표 : 0°에서 90°까지의 각을 1° 간격으로 나누어 삼각비의 값을 반올림하여 소수점 아래 넷째 자리까지 나타낸 표

[예] cos 63°의 값은 63°의 가로줄과 cos의 세로줄이 만나는 곳의 수이므로 cos 63°=0.4540

각도	sin	cos	tan
⋮	⋮	⋮	⋮
62°	0.8829	0.4695	1.8807
63°	0.8910	0.4540	1.9626
⋮	⋮	⋮	⋮

2-1

아래 삼각비의 표를 이용하여 다음 삼각비의 값을 구하시오.

각도	sin	cos	tan
17°	0.2924	0.9563	0.3057
18°	0.3090	0.9511	0.3249
19°	0.3256	0.9455	0.3443

(1) sin 18°

(2) cos 17°

(3) tan 19°

2-2

아래 삼각비의 표를 이용하여 다음을 만족하는 x의 크기를 구하시오.

각도	sin	cos	tan
42°	0.6691	0.7431	0.9004
43°	0.6820	0.7314	0.9325
44°	0.6947	0.7193	0.9657
45°	0.7071	0.7071	1.0000

(1) sin x=0.7071

(2) cos x=0.7431

(3) tan x=0.9657

2-3

아래 삼각비의 표를 이용하여 다음을 계산하시오.

각도	sin	cos	tan
39°	0.6293	0.7771	0.8098
40°	0.6428	0.7660	0.8391
41°	0.6561	0.7547	0.8693
42°	0.6691	0.7431	0.9004

(1) tan 42°−cos 39°

(2) sin 40°+cos 41°−tan 39°

2-4

다음 삼각비의 표를 이용하여 sin x=0.4226, cos y=0.8829일 때, $x+y$의 크기는?

각도	sin	cos	tan
25°	0.4226	0.9063	0.4663
26°	0.4384	0.8988	0.4877
27°	0.4540	0.8910	0.5095
28°	0.4695	0.8829	0.5317

① 45° ② 50° ③ 53°
④ 57° ⑤ 58°

1주
4일

직각삼각형에서 한 변의 길이와
한 예각의 크기를 알면 나머지 두 변의
길이를 구할 수 있어.

9. 직각삼각형의 변의 길이 구하기

∠B＝90°인 직각삼각형 ABC에서

(1) ∠A의 크기와 빗변의 길이 b를 알 때

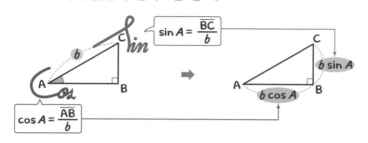

빗변과 높이의
관계에 있으면
sin 이용!

(2) ∠A의 크기와 밑변의 길이 c를 알 때

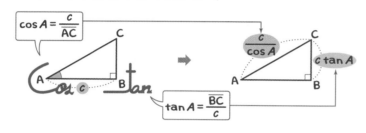

빗변과 밑변의
관계에 있으면
cos 이용!

(3) ∠A의 크기와 높이 a를 알 때

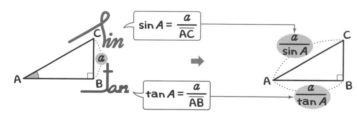

밑변과 높이의
관계에 있으면
tan 이용!

회색 글씨를 따라 쓰면서 개념을 정리해 보세요.

1

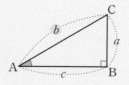

$$\sin A=\frac{a}{b} \Rightarrow a=\boxed{b \sin A}$$

$$\cos A=\frac{c}{b} \Rightarrow c=\boxed{b \cos A}$$

2

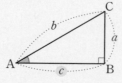

$$\tan A=\frac{a}{c} \Rightarrow a=\boxed{c \tan A}$$

$$\cos A=\frac{c}{b} \Rightarrow b=\frac{c}{\cos A}$$

3

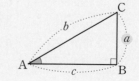

$$\sin A=\frac{a}{b} \Rightarrow b=\frac{a}{\sin A}$$

$$\tan A=\frac{a}{c} \Rightarrow c=\boxed{\frac{a}{\tan A}}$$

개념 원리 확인

○정답과 풀이 9쪽

한 예각의 크기와 빗변의 길이를 알 때

1-1 오른쪽 그림과 같은 직각삼각형에서 x, y의 값을 각각 구하려고 한다. ◯ 안에 알맞은 수를 써넣으시오.

(단, $\sin 59° = 0.86$, $\cos 59° = 0.52$로 계산한다.)

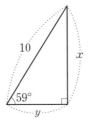

(1) $\sin 59° = \dfrac{x}{\boxed{}}$ 이므로 $x = \boxed{} \sin 59° = \boxed{}$

(2) $\cos 59° = \dfrac{y}{\boxed{}}$ 이므로 $y = \boxed{} \cos 59° = \boxed{}$

1-2 오른쪽 그림과 같은 직각삼각형에서 x, y의 값을 각각 구하시오.

(단, $\sin 54° = 0.81$, $\cos 54° = 0.59$로 계산한다.)

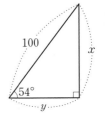

한 예각의 크기와 밑변의 길이를 알 때

2-1 오른쪽 그림과 같은 직각삼각형에서 x, y의 값을 각각 주어진 각의 삼각비와 변의 길이를 이용하여 나타내려고 한다. ◯ 안에 알맞은 것을 써넣으시오.

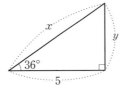

(1) $\cos 36° = \dfrac{\boxed{}}{x}$ 이므로 $x = \dfrac{\boxed{}}{\cos 36°}$

(2) $\tan 36° = \dfrac{y}{\boxed{}}$ 이므로 $y = \boxed{}$

2-2 오른쪽 그림과 같은 직각삼각형에서 x, y의 값을 각각 주어진 각의 삼각비와 변의 길이를 이용하여 나타내시오.

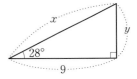

한 예각의 크기와 높이를 알 때

3-1 오른쪽 그림과 같은 직각삼각형에서 x, y의 값을 각각 주어진 각의 삼각비와 변의 길이를 이용하여 나타내려고 한다. ◯ 안에 알맞은 것을 써넣으시오.

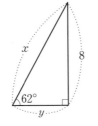

(1) $\sin 62° = \dfrac{8}{\boxed{}}$ 이므로 $x = \dfrac{8}{\boxed{}}$

(2) $\tan 62° = \dfrac{\boxed{}}{y}$ 이므로 $y = \dfrac{\boxed{}}{\tan 62°}$

3-2 오른쪽 그림과 같은 직각삼각형에서 x, y의 값을 각각 주어진 각의 삼각비와 변의 길이를 이용하여 나타내시오.

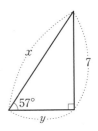

두 지점 사이의 거리 구하기(1)

새로 이사한 우리 집의 높이는 몇 m일까?

직접 측정하기 어려우니 tan 62°=1.88임을 이용하자.

새로 이사한 집의 높이는 9.4 m네!

$$\overline{BC}=5\tan 62°$$
$$=5\times 1.88$$
$$=9.4\,(m)$$

두 지점 사이의 거리 구하기(2)

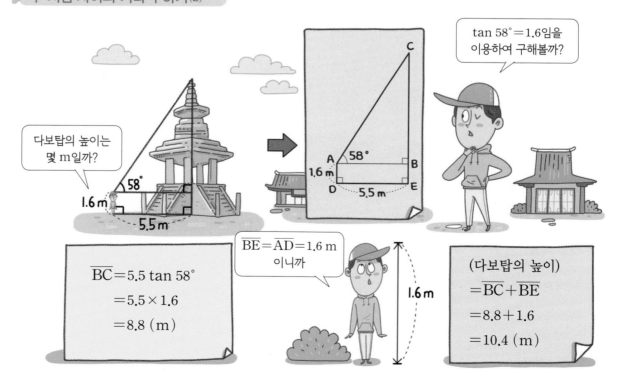

다보탑의 높이는 몇 m일까?

tan 58°=1.6임을 이용하여 구해볼까?

$\overline{BE}=\overline{AD}=1.6\,m$ 이니까

$$\overline{BC}=5.5\tan 58°$$
$$=5.5\times 1.6$$
$$=8.8\,(m)$$

(다보탑의 높이)
$$=\overline{BC}+\overline{BE}$$
$$=8.8+1.6$$
$$=10.4\,(m)$$

개념 원리 확인

○ 정답과 풀이 10쪽

두 지점 사이의 거리 구하기(1)

4-1 다음 그림과 같이 어떤 비행기는 지면과 $17°$의 각을 이루면서 일정하게 올라간다. 이 비행기가 날아간 거리가 1000 m일 때, 이 비행기의 지면으로부터의 높이 $\overline{BC}$의 길이를 구하시오. (단, $\sin 17°=0.292$로 계산한다.)

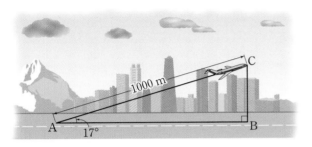

4-2 다음 그림과 같이 지도 위의 세 지점 A, B, C에서 $\angle A=26°$, $\angle B=90°$, $\overline{AC}=20$ km일 때, 두 지점 B, C 사이의 거리를 구하시오. (단, $\sin 26°=0.44$로 계산한다.)

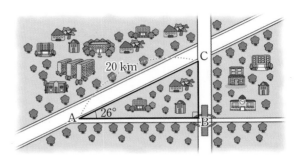

두 지점 사이의 거리 구하기(2)

5-1 아래 그림과 같이 연우의 눈높이는 1.5 m이고 가로 등으로부터 5 m 떨어진 지점에서 가로등의 꼭대기를 올려 본각의 크기가 $22°$이다. 가로등의 높이를 구하려고 할 때, 다음 물음에 답하시오. (단, $\tan 22°=0.4$로 계산한다.)

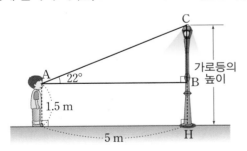

(1) $\tan 22°=0.4$임을 이용하여 $\overline{BC}$의 길이를 구하시오.

(2) 가로등의 높이를 구하시오.

5-2 아래 그림과 같이 탑의 가장 높은 부분을 밝히기 위해 탑에서 7 m 떨어진 곳에 2 m 높이의 조명 시설이 $39°$의 각도로 설치되어 있다. 탑의 높이를 구하려고 할 때, 다음 물음에 답하시오. (단, $\tan 39°=0.8$로 계산한다.)

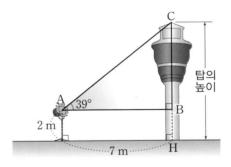

(1) $\tan 39°=0.8$임을 이용하여 $\overline{BC}$의 길이를 구하시오.

(2) 탑의 높이를 구하시오.

개념 **01** 직각삼각형의 변의 길이 구하기

∠B=90°인 직각삼각형 ABC에서

(1)
① $a=b \sin A$
② $c=b \cos A$

(2)
① $a=c \tan A$
② $b=\dfrac{c}{\cos A}$

(3)
① $b=\dfrac{a}{\sin A}$
② $c=\dfrac{a}{\tan A}$

1-1

다음 그림과 같은 직각삼각형에서 주어진 삼각비의 값을 이용하여 x의 값을 구하시오.

(1)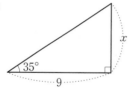

$$\cos 35°=0.8$$
$$\tan 35°=0.7$$

(2)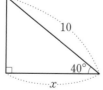

$$\sin 40°=0.64$$
$$\cos 40°=0.77$$

(3)

$$\sin 66°=0.9$$
$$\cos 66°=0.4$$

1-2

오른쪽 그림과 같은 직각삼각형 ABC에 대하여 ☐ 안에 알맞은 수를 써넣으시오.

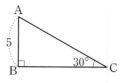

(1) $\overline{AC}=\dfrac{\boxed{}}{\sin 30°}=\boxed{}$

(2) $\overline{BC}=\dfrac{\boxed{}}{\tan 30°}=\boxed{}$

1-3

오른쪽 그림과 같은 직각삼각형 ABC에서 ∠A=53°, $\overline{AC}=100$일 때, $x-y$의 값을 구하시오.
(단, $\sin 53°=0.798$, $\cos 53°=0.601$로 계산한다.)

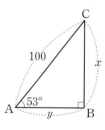

1-4

오른쪽 그림과 같은 직각삼각형 ABC에서 ∠C=49°, $\overline{BC}=7$일 때, 다음 중 $\overline{AC}$의 길이를 나타내는 것은?

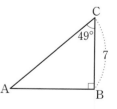

① $7 \sin 49°$　　② $7 \cos 49°$

③ $7 \tan 49°$　　④ $\dfrac{7}{\sin 49°}$

⑤ $\dfrac{7}{\cos 49°}$

개념 02 실생활에서 거리 구하기

주어진 그림에서 직각삼각형을 찾은 후 삼각비의 값을
이용하여 변의 길이를 구한다.

2-1

오른쪽 그림과 같이 지면에 수
직으로 서 있던 나무가 바람에
부러져서 꼭대기 부분이 지면
에 닿아 있다. $\angle C=30°$,
$\overline{BC}=100\sqrt{3}$ cm일 때, 부러지기 전의 나무의 높이는?

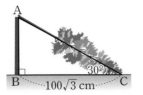

① 290 cm   ② 295 cm   ③ 298 cm

④ 300 cm   ⑤ 305 cm

2-2

다음 그림과 같이 C 지점에서 두 등대 A, B를 바라본
각의 크기가 34°이고, 등대 B에서 등대 A와 C 지점을
바라본 각의 크기가 90°이다. 등대 B와 C 지점 사이의
거리가 100 m일 때, 두 등대 A, B 사이의 거리를 구하
시오. (단, tan 34°=0.68로 계산한다.)

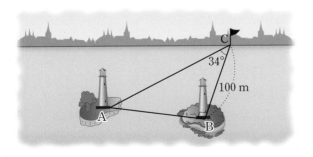

2-3

다음 그림과 같이 연을 날리고 있는 현우의 손의 높이가
1.6 m, 현우의 손에서 연까지의 거리가 50 m, 현우의
손의 위치에서 연을 올려본각의 크기가 24°일 때, 지면
으로부터 연까지의 높이를 구하시오.

(단, sin 24°=0.4로 계산한다.)

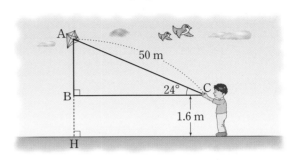

2-4

아래 그림과 같이 15 m 떨어진 스포츠 센터와 빌딩이 있
다. 스포츠 센터의 A 지점에서 빌딩의 C 지점을 올려본
각의 크기가 30°이고 D 지점을 내려본각의 크기가 45°
일 때, 빌딩의 높이를 구하려고 한다. 다음을 구하시오.

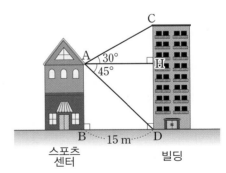

(1) $\overline{CH}$의 길이

(2) $\overline{DH}$의 길이

(3) 빌딩의 높이

01 오른쪽 그림과 같은 직각삼각형 ABC에서 다음 중 옳은 것은?

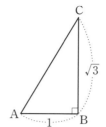

① $\sin A = \dfrac{1}{2}$

② $\cos A = \dfrac{\sqrt{3}}{2}$

③ $\tan A = \sqrt{3}$

④ $\sin C = \dfrac{\sqrt{3}}{2}$

⑤ $\tan C = \sqrt{3}$

02 오른쪽 그림과 같은 직각삼각형 ABC에서 $\sin A = \dfrac{\sqrt{5}}{4}$일 때, x, y의 값을 각각 구하시오.

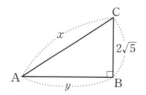

03 $\angle B = 90°$인 직각삼각형 ABC에서 $\cos A = \dfrac{3}{4}$일 때, $\tan A$의 값을 구하시오.

04 다음 그림과 같이 $\angle A = 90°$인 직각삼각형 ABC에서 $\sin x$의 값을 구하시오.

(1)

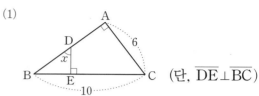

(단, $\overline{DE} \perp \overline{BC}$)

(2)

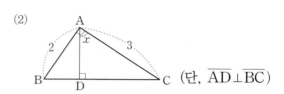

(단, $\overline{AD} \perp \overline{BC}$)

05 오른쪽 그림과 같이 반지름의 길이가 1인 사분원에서 다음 중 옳지 <u>않은</u> 것은?

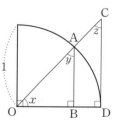

① $\sin x = \overline{AB}$

② $\cos x = \overline{OB}$

③ $\tan x = \overline{CD}$

④ $\sin y = \overline{OB}$

⑤ $\cos z = \overline{CD}$

06 다음을 계산하시오.

(1) $\sin 90° - \cos 0° + \tan 45°$

(2) $\sin 30° \times \tan 0° + \cos 90° \times \tan 60°$

07 아래 삼각비의 표를 이용하여 다음 물음에 답하시오.

각도	sin	cos	tan
31°	0.5150	0.8572	0.6009
32°	0.5299	0.8480	0.6249
33°	0.5446	0.8387	0.6494
34°	0.5592	0.8290	0.6745

(1) $\sin 31°$, $\cos 34°$, $\tan 32°$의 값을 각각 구하시오.

(2) $\tan x = 0.6494$를 만족하는 x의 크기를 구하시오.

08 오른쪽 그림과 같은 직각 삼각형 ABC에서 $\angle A = 27°$, $\overline{AC} = 10$일 때, 다음 중 $\overline{BC}$의 길이를 나타내는 것은?

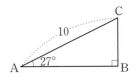

① $\dfrac{10}{\sin 27°}$ ② $\dfrac{10}{\cos 27°}$

③ $10 \sin 27°$ ④ $10 \cos 27°$

⑤ $10 \tan 27°$

09 연희는 낯선 동네에 가기 전에 아래 그림과 같은 지도를 보고 각 지점 사이의 거리를 알아보기로 하였다. 다음을 구하시오.

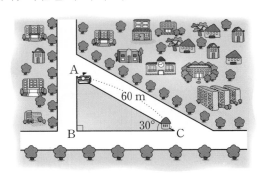

(1) A 지점과 B 지점 사이의 거리

(2) B 지점과 C 지점 사이의 거리

10 다음 그림과 같이 눈높이가 1.5 m인 아라가 나무로부터 10 m 떨어진 곳에서 나무의 꼭대기를 올려본각의 크기가 38°일 때, 나무의 높이를 구하시오. (단, $\tan 38° = 0.78$로 계산한다.)

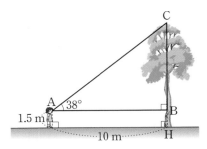

1 다음 ☐ 안에 알맞은 것을 써넣으시오.

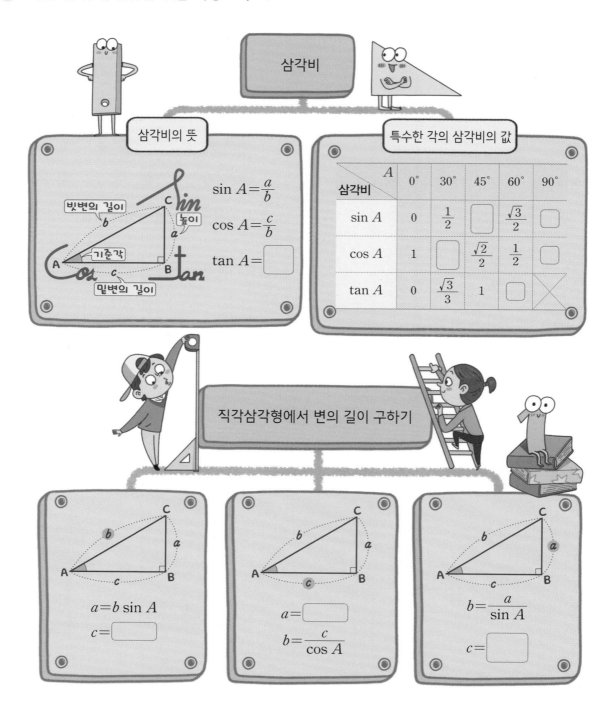

삼각비

삼각비의 뜻

빗변의 길이

높이

기준각

밑변의 길이

$\sin A = \dfrac{a}{b}$

$\cos A = \dfrac{c}{b}$

$\tan A = \boxed{}$

특수한 각의 삼각비의 값

삼각비＼A	$0°$	$30°$	$45°$	$60°$	$90°$
$\sin A$	0	$\dfrac{1}{2}$	☐	$\dfrac{\sqrt{3}}{2}$	☐
$\cos A$	1	☐	$\dfrac{\sqrt{2}}{2}$	$\dfrac{1}{2}$	☐
$\tan A$	0	$\dfrac{\sqrt{3}}{3}$	1	☐	✕

직각삼각형에서 변의 길이 구하기

$a = b \sin A$

$c = \boxed{}$

$a = \boxed{}$

$b = \dfrac{c}{\cos A}$

$b = \dfrac{a}{\sin A}$

$c = \boxed{}$

2 다음 그림과 같은 직각삼각형 ABC에서 x의 삼각비의 값이 옳으면 ⬇ 방향으로, 옳지 않으면 ➡ 방향으로 따라갈 때, 도착하는 곳에 있는 물건에 ◯표를 하시오.

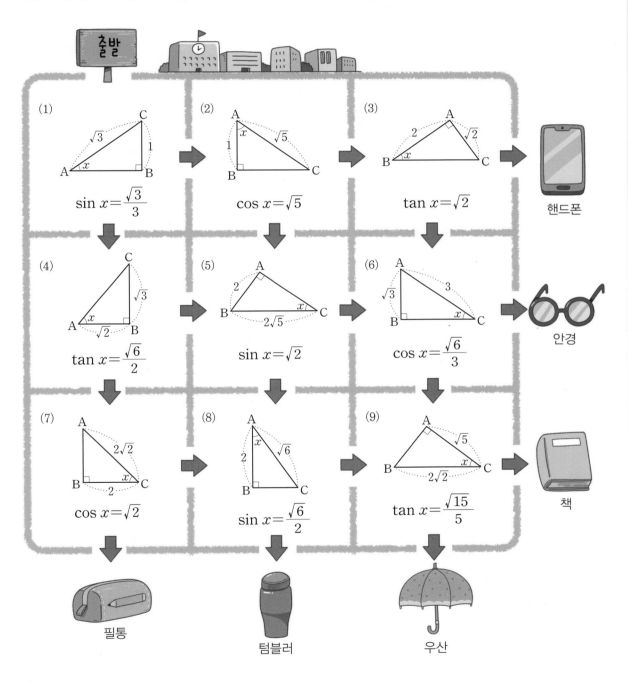

3 다음은 서준이와 연지가 삼각비의 값에 대하여 나눈 대화이다. 물음에 답하시오.

(1) 연지의 대답에서 ☐ 안에 알맞은 것을 써넣으시오.

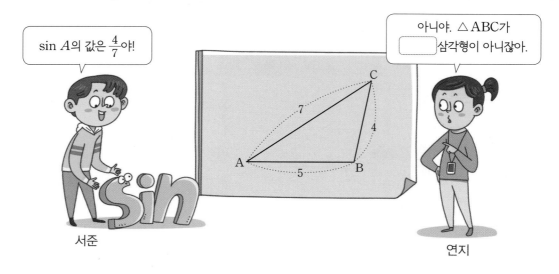

(2) 서준이의 대답에서 ☐ 안에 알맞은 것을 써넣으시오.

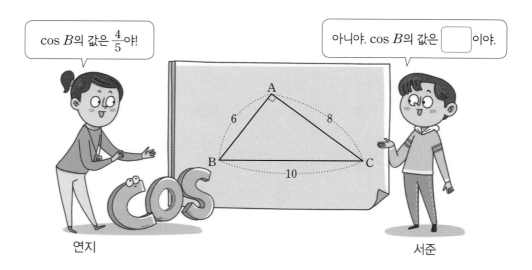

4 다음 그림과 같이 표지판에 써 있는 10 %는 10 %의 오르막길을 말하는데, 이것은 도로의 수평 거리에 대한 수직 거리의 비의 값이 $\frac{1}{10}$임을 의미한다. 물음에 답하시오.

(1) 수평면에 대한 도로의 경사각을 ∠A라고 할 때, sin A, cos A, tan A의 값을 각각 구하시오.

(2) (1)에서 구한 tan A의 값과 오른쪽 삼각비의 표를 이용하여 도로의 경사각 ∠A의 크기는 약 몇 도인지 구하시오.

각도	sin	cos	tan
5°	0.0872	0.9962	0.0875
6°	0.1045	0.9945	0.1051
7°	0.1219	0.9925	0.1228

5 다음을 계산하고, 아래 그림에서 그 수가 있는 칸을 찾아 색칠하시오.

(1) $\sin 45° + \cos 45°$

(2) $\tan 45° - \sin 0°$

(3) $\cos 0° - \tan 0° + \sin 90°$

(4) $\cos 90° - \sin 60° \times \tan 60°$

(5) $\sin 30° \times \cos 30° + \dfrac{\tan 60°}{4}$

(6) $\cos 60° \div \tan 30° + \sin 60° \times \tan 45°$

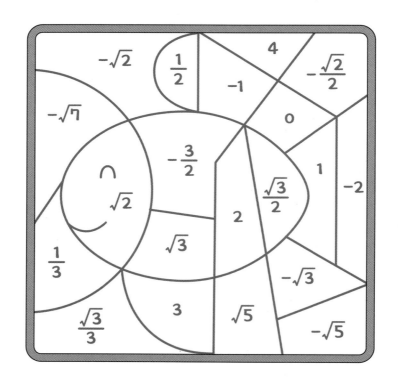

6 다음 그림과 같은 △ABC에서 x의 값을 구하여 각 기념일에 맞게 선으로 연결하시오.

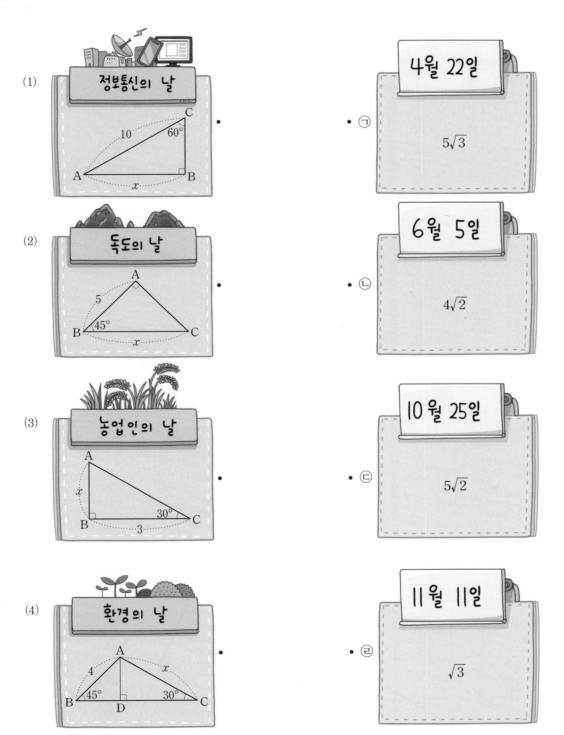

(1) 정보통신의 날

(2) 독도의 날

(3) 농업인의 날

(4) 환경의 날

4월 22일

ㄱ $5\sqrt{3}$

6월 5일

ㄴ $4\sqrt{2}$

10월 25일

ㄷ $5\sqrt{2}$

11월 11일

ㄹ $\sqrt{3}$

• 이번 주에 공부할 내용
삼각형의 변의 길이와 높이 구하기 / 삼각형의 넓이 구하기 / 원의 중심과 현

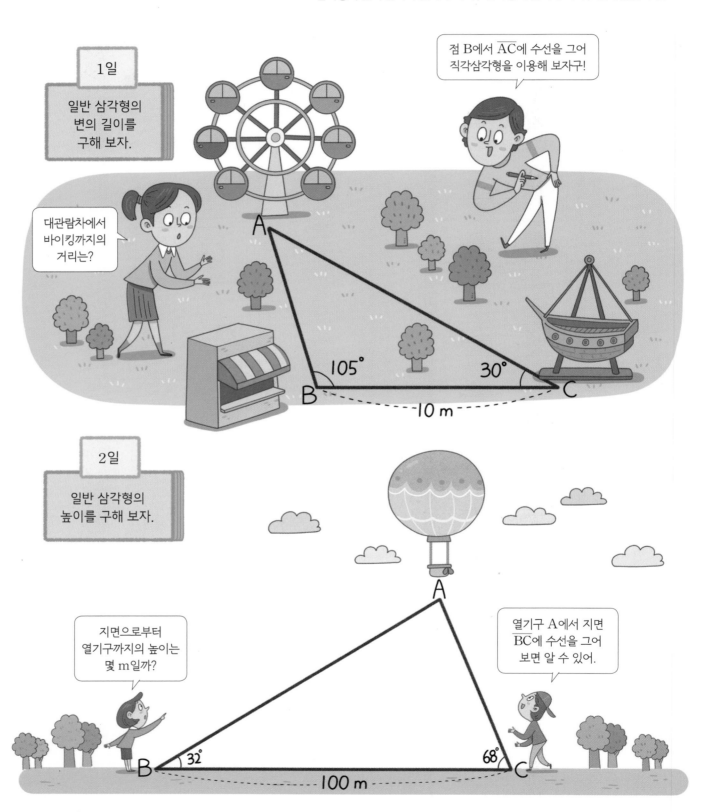

1일

일반 삼각형의
변의 길이를
구해 보자.

점 B에서 $\overline{AC}$에 수선을 그어
직각삼각형을 이용해 보자구!

대관람차에서
바이킹까지의
거리는?

A

105°   30°

B ⌣⌣⌣ 10 m ⌣⌣⌣ C

2일

일반 삼각형의
높이를 구해 보자.

지면으로부터
열기구까지의 높이는
몇 m일까?

열기구 A에서 지면
$\overline{BC}$에 수선을 그어
보면 알 수 있어.

A

32°   68°

B ⌣⌣⌣ 100 m ⌣⌣⌣ C

2주에는 무엇을 공부할까? ❷

🔍 직각삼각형에서 삼각비를 이용하여 변의 길이를 구할 수 있는가?

1-1

오른쪽 그림과 같은 직각삼각형에서 x, y의 값을 각각 구하시오.

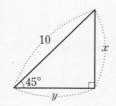

• 삼각비를 이용하여 직각삼각형의 변의 길이 구하기

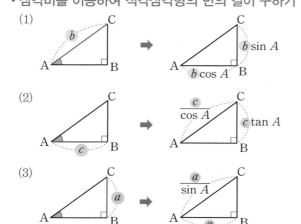

1-2

다음 그림과 같은 직각삼각형에서 x, y의 값을 각각 구하시오.

(1)
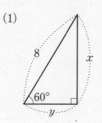

(2)
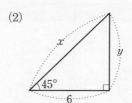

(3)
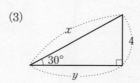

🔍 삼각형의 넓이를 구할 수 있는가?

2-1

다음 그림과 같은 △ABC의 넓이를 구하시오.

(1)
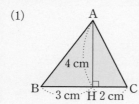

(2)
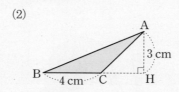

• 삼각형의 넓이

△ABC에서 밑변의 길이를 a, 높이를 h라고 할 때

➡ $\triangle ABC = \dfrac{1}{2}ah$

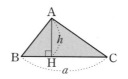

2-2

다음 그림과 같은 △ABC의 넓이를 구하시오.

(1)
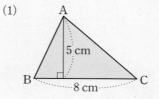

(2)
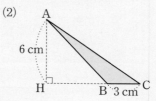

평행사변형의 넓이에 대한 성질을 알고 있는가?

3-1

오른쪽 그림과 같은 평행사변형 ABCD에서 △ABC의 넓이가 6 cm²일 때, □ABCD의 넓이를 구하시오.

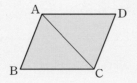

- 평행사변형과 넓이
  평행사변형의 넓이는 한 대각선에 의하여 이등분된다.
  ➡ △ABC＝△CDA
  ＝△ABD
  ＝△CDB＝$\frac{1}{2}$□ABCD

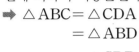

3-2

오른쪽 그림과 같은 평행사변형 ABCD의 넓이가 26 cm²일 때, △BCD의 넓이를 구하시오.

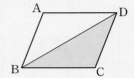

 원에서 호, 현, 중심각의 뜻을 알고 있는가?

4-1

다음 용어에 알맞은 그림을 아래 보기 에서 고르시오.

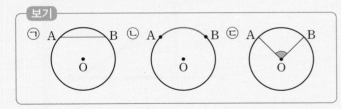

(1) 호 AB

(2) 현 AB

(3) 호 AB에 대한 중심각

- 원과 부채꼴
  (1) 호 AB($\overarc{AB}$) : 원 위의 두 점 A, B를 잡았을 때 나누어지는 원의 두 부분
  (2) 현 AB($\overline{AB}$) : 원 위의 두 점 A, B를 잇는 선분
  (3) 호 CD에 대한 중심각 : 두 반지름 OC, OD가 이루는 ∠COD

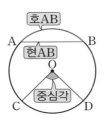

4-2

다음 중 옳은 것에는 ○표, 옳지 않은 것에는 ×표를 ( ) 안에 써넣고, 옳지 않은 것은 그 이유를 쓰시오.

(1) 원의 중심을 지나는 현은 지름이다.　(　)

_____

(2) 원의 현 중 가장 긴 것은 지름이다.　(　)

_____

(3) 반원의 중심각의 크기는 90°이다.　(　)

_____

▶ **두 변의 길이와 그 끼인각의 크기를 알 때, 변의 길이 구하기**

오른쪽 그림과 같은 △ABC에서 $\overline{AC}$의 길이를 구하시오.

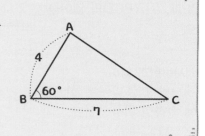

수선 AH를 긋는 게
첫 번째지!

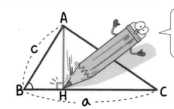

❶ 꼭짓점 A에서 $\overline{BC}$에 내린 수선의 발을 H라고 하면 △ABH에서

$$\overline{AH} = 4\sin 60° = 4 \times \frac{\sqrt{3}}{2} = 2\sqrt{3}$$

$$\overline{BH} = 4\cos 60° = 4 \times \frac{1}{2} = 2$$

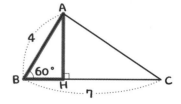

❷ $\overline{CH} = \overline{BC} - \overline{BH} = 7 - 2 = 5$이므로

△AHC에서

$$\overline{AC} = \sqrt{(2\sqrt{3})^2 + 5^2} = \sqrt{37}$$

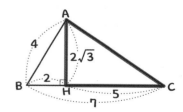

회색 글씨를 따라 쓰면서 개념을 정리해 보세요.

❖ $\overline{AB}$, $\overline{BC}$의 길이와 ∠B의 크기를 알 때, $\overline{AC}$의 길이 구하기

① $\overline{AC}$가 빗변이 되도록 수선 AH 긋기

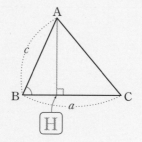

② 삼각비를 이용하여 $\overline{AH}$, $\overline{BH}$의 길이 구하기

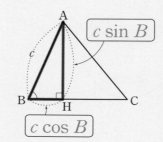

$c \sin B$

$c \cos B$

③ $\overline{CH}$의 길이를 구하고 피타고라스 정리 를 이용하여 $\overline{AC}$의 길이 구하기

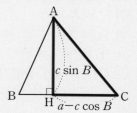

$c \sin B$

$a - c \cos B$

개념 원리 확인

○ 정답과 풀이 **13**쪽

두 변의 길이와 그 끼인각의 크기를 알 때

1-1 오른쪽 그림과 같은
△ABC에서 $\overline{AB}=6$,
$\overline{BC}=5\sqrt{3}$이고 ∠B=30°일
때, 다음 물음에 답하시오.

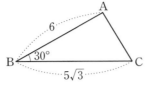

(1) 꼭짓점 A에서 $\overline{BC}$에 수
선을 그어 수선의 발 H를 나타내시오.

(2) $\overline{AH}$, $\overline{BH}$의 길이를 각각 구하시오.

(3) $\overline{CH}$의 길이를 구하시오.

(4) $\overline{AC}$의 길이를 구하시오.

1-2 오른쪽 그림과 같은
△ABC에서 $\overline{AB}=3\sqrt{2}$, $\overline{BC}=4$
이고 ∠B=45°일 때, $\overline{AC}$의 길이
를 구하시오.

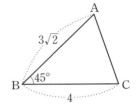

두 지점 사이의 거리 구하기

2-1 오른쪽 그림과 같이 연
못의 양 끝 지점을 각각 A, C라
하고 연못의 바깥의 한 지점을
B라고 할 때, $\overline{AB}=10$ m,
$\overline{BC}=15$ m이고 ∠B=60°이다.
다음 물음에 답하시오.

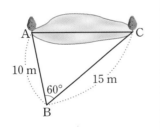

(1) 꼭짓점 A에서 $\overline{BC}$에 수선을 그어 수선의 발 H를 나
타내시오.

(2) $\overline{AH}$, $\overline{BH}$의 길이를 각각 구하시오.

(3) $\overline{CH}$의 길이를 구하시오.

(4) $\overline{AC}$의 길이를 구하시오.

2-2 다음 그림과 같이 세 지점 A, B, C에 각각 병원, 경
찰서, 소방서가 있다. $\overline{AB}=4\sqrt{3}$ km, $\overline{BC}=10$ km이고
∠B=30°일 때, 두 지점 A, C 사이의 거리를 구하시오.

▶ 한 변의 길이와 그 양 끝 각의 크기를 알 때, 변의 길이 구하기(1)

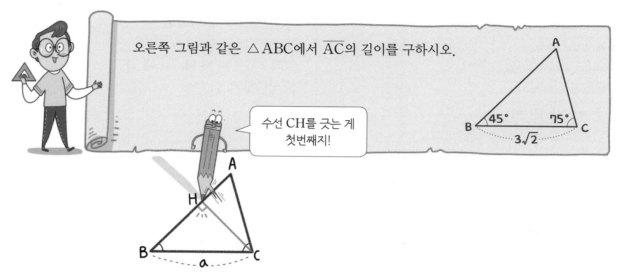

오른쪽 그림과 같은 △ABC에서 $\overline{AC}$의 길이를 구하시오.

수선 CH를 긋는 게 첫번째지!

❶ 꼭짓점 C에서 $\overline{AB}$에 내린 수선의 발을 H라고 하면
△BCH에서
$$\overline{CH}=3\sqrt{2}\sin 45°=3\sqrt{2}\times\frac{\sqrt{2}}{2}=3$$

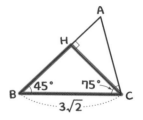

❷ ∠A$=180°-(45°+75°)=60°$이므로
△AHC에서
$$\overline{AC}=\frac{3}{\sin 60°}=3\div\frac{\sqrt{3}}{2}=2\sqrt{3}$$

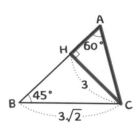

회색 글씨를 따라 쓰면서 개념을 정리해 보세요.

❖ $\overline{BC}$의 길이와 ∠B, ∠C의 크기를 알 때, $\overline{AC}$의 길이 구하기 (단, ∠B는 특수한 각)

① $\overline{BC}$가 빗변이 되도록 수선 CH 긋기

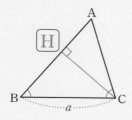

② 삼각비를 이용하여 $\overline{CH}$의 길이 구하기

$a\sin B$

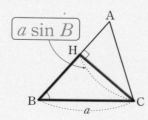

③ ∠A의 크기를 구하고 삼각비를 이용하여 $\overline{AC}$의 길이 구하기

$180°-(∠B+∠C)$

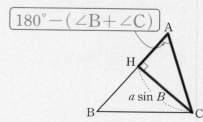

개념 원리 확인

○정답과 풀이 **14**쪽

한 변의 길이와 그 양 끝 각의 크기를 알 때

3-1 오른쪽 그림과 같은 △ABC에서 $\overline{BC}=6\sqrt{2}$이고 ∠B=60°, ∠C=75°일 때, 다음 물음에 답하시오.

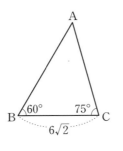

(1) 꼭짓점 C에서 $\overline{AB}$에 수선을 그어 수선의 발 H를 나타내시오.

(2) $\overline{CH}$의 길이를 구하시오.

(3) ∠A의 크기를 구하시오.

(4) $\overline{AC}$의 길이를 구하시오.

3-2 오른쪽 그림과 같은 △ABC에서 $\overline{BC}=4$이고 ∠B=45°, ∠C=105°일 때, $\overline{AC}$의 길이를 구하시오.

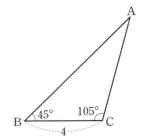

두 지점 사이의 거리 구하기

4-1 오른쪽 그림과 같이 호수의 폭 $\overline{AC}$를 구하기 위하여 호수의 바깥쪽에 B 지점을 정하고 측량하였더니 $\overline{AB}=60$ m이고 ∠A=75°, ∠B=45°이었다. 다음 물음에 답하시오.

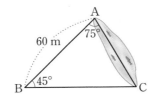

(1) 꼭짓점 A에서 $\overline{BC}$에 수선을 그어 수선의 발 H를 나타내시오.

(2) $\overline{AH}$의 길이를 구하시오.

(3) ∠C의 크기를 구하시오.

(4) $\overline{AC}$의 길이를 구하시오.

4-2 다음 그림과 같이 지연이와 두 기지국 A, C가 위치해 있다. 지연이의 위치를 B라고 할 때, $\overline{AB}=100$ m이고 ∠A=105°, ∠B=30°이다. 두 기지국 A, C 사이의 거리를 구하시오.

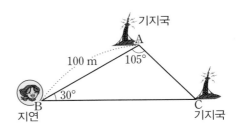

개념 01	두 변의 길이와 그 끼인각의 크기를 알 때, 변의 길이 구하기

길이를 구하고자 하는 변이 직각삼각형의 빗변이 되도록 수선을 긋고 삼각비를 이용한다.

① $\overline{AC}$가 빗변이 되도록 수선 AH를 긋는다.

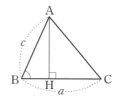

② 삼각비를 이용하여 $\overline{AH}$, $\overline{BH}$의 길이를 구한다.

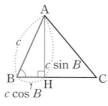

③ $\overline{CH}$의 길이를 구하고 피타고라스 정리를 이용하여 $\overline{AC}$의 길이를 구한다.

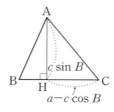

1-1

오른쪽 그림과 같은 △ABC에서 $\overline{AB}=6$ cm, $\overline{BC}=9$ cm이고 ∠B=60°일 때, $\overline{AC}$의 길이를 구하시오.

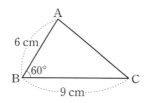

1-2

다음 그림과 같은 △ABC에서 $\overline{AB}=3\sqrt{2}$ cm, $\overline{BC}=9$ cm이고 ∠B=45°일 때, $\overline{AC}$의 길이를 구하시오.

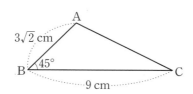

1-3

오른쪽 그림과 같은 △ABC에서 $\overline{AB}=8$ cm, $\overline{AC}=6\sqrt{3}$ cm이고 ∠A=30°일 때, $\overline{BC}$의 길이를 구하시오.

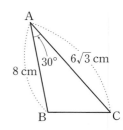

1-4

오른쪽 그림과 같이 연못의 폭 $\overline{AC}$를 구하기 위하여 연못의 바깥쪽에 B 지점을 정하고 측량하였더니 $\overline{AB}=30$ m, $\overline{BC}=20\sqrt{2}$ m이고 ∠B=45°이었다. 연못의 폭 $\overline{AC}$의 길이를 구하시오.

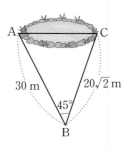

1-5

다음 그림과 같이 두 지점 A, B를 잇는 터널을 만들려고 한다. $\overline{AC}=10$ km, $\overline{BC}=7\sqrt{3}$ km이고 ∠C=30°일 때, 터널의 길이를 구하시오.

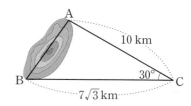

개념 02 한 변의 길이와 그 양 끝 각의 크기를 알 때, 변의 길이 구하기(1)

주어진 각 중 특수한 각이 아닌 꼭짓점에서 대변에 수선을 긋고 삼각비를 이용한다.

① $\overline{BC}$가 빗변이 되도록 수선 CH를 긋는다.

② 삼각비를 이용하여 $\overline{CH}$의 길이를 구한다.

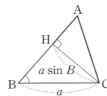

③ ∠A의 크기를 구하고 삼각비를 이용하여 $\overline{AC}$의 길이를 구한다.

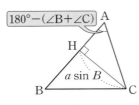

2-1

오른쪽 그림과 같은 △ABC에서 $\overline{BC}=9\sqrt{2}$ cm이고 ∠B=45°, ∠C=75°일 때, $\overline{AC}$의 길이를 구하시오.

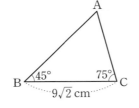

2-2

다음 그림과 같은 어느 캠핑장에서 두 텐트 A, B 사이의 거리는 8 m이고 ∠A=105°, ∠B=45°일 때, 텐트 A에서 식수대 C까지의 거리를 구하시오.

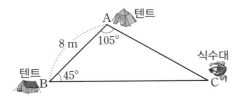

2-3

다음 그림과 같은 놀이 공원의 세 지점 A, B, C에서 $\overline{BC}=10$ m이고 ∠B=105°, ∠C=30°일 때, 두 지점 A, B 사이의 거리를 구하시오.

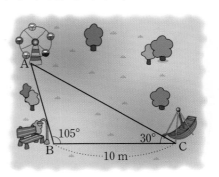

2-4

오른쪽 그림과 같은 △ABC에서 $\overline{AB}=40$ cm이고 ∠B=75°, ∠C=45°일 때, 다음 물음에 답하시오.

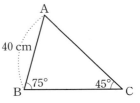

(1) 꼭짓점 B에서 $\overline{AC}$에 수선을 그어 수선의 발 H를 나타내시오.

(2) ∠A의 크기를 구하시오.

(3) $\overline{BH}$의 길이를 구하시오.

(4) $\overline{BC}$의 길이를 구하시오.

▶ **한 변의 길이와 그 양 끝 각의 크기를 알 때, 변의 길이 구하기(2)**

오른쪽 그림과 같은 △ABC에서 $\overline{AB}$의 길이를 구하시오.

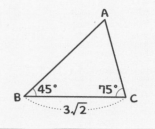

> 54쪽의 △ABC와 모양이 같지만, 이번에는 $\overline{AB}$의 길이를 구하는 거야.

❶ 꼭짓점 C에서 $\overline{AB}$에 내린 수선의 발을 H라고 하면
  △BCH에서

  $\overline{BH} = 3\sqrt{2}\cos 45° = 3\sqrt{2} \times \dfrac{\sqrt{2}}{2} = 3$

  $\overline{CH} = 3\sqrt{2}\sin 45° = 3\sqrt{2} \times \dfrac{\sqrt{2}}{2} = 3$

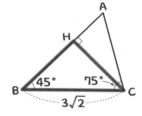

❷ $\angle A = 180° - (45° + 75°) = 60°$이므로
  △AHC에서

  $\overline{AH} = \dfrac{3}{\tan 60°} = \dfrac{3}{\sqrt{3}} = \sqrt{3}$

  ∴ $\overline{AB} = \overline{AH} + \overline{BH} = \sqrt{3} + 3$

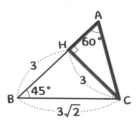

회색 글씨를 따라 쓰면서 개념을 정리해 보세요.

❖ $\overline{BC}$의 길이와 $\angle B$, $\angle C$의 크기를 알 때, $\overline{AB}$의 길이 구하기 (단, $\angle B$는 특수한 각)

① 수선 CH를 긋고 삼각비를 이용하여 $\overline{BH}$, $\overline{CH}$의 길이 구하기

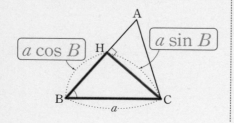

② $\angle A$의 크기를 구하고 삼각비를 이용하여 $\overline{AH}$의 길이 구하기

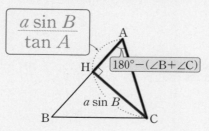

③ $\overline{AB} = \boxed{\overline{AH} + \overline{BH}}$임을 이용하여 $\overline{AB}$의 길이 구하기

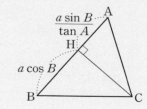

개념 원리 확인

○ 정답과 풀이 16쪽

한 변의 길이와 그 양 끝 각의 크기를 알 때

1-1 오른쪽 그림과 같은 △ABC에서 $\overline{BC}=6$이고 $\angle B=60°$, $\angle C=75°$일 때, 다음 물음에 답하시오.

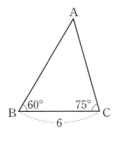

(1) 꼭짓점 C에서 $\overline{AB}$에 수선을 그어 수선의 발 H를 나타내시오.

(2) $\overline{BH}$, $\overline{CH}$의 길이를 각각 구하시오.

(3) $\angle A$의 크기를 구하시오.

(4) $\overline{AH}$의 길이를 구하시오.

(5) $\overline{AB}$의 길이를 구하시오.

1-2 다음 그림과 같은 △ABC에서 $\overline{BC}=2$이고 $\angle B=45°$, $\angle C=105°$일 때, $\overline{AB}$의 길이를 구하시오.

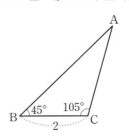

두 지점 사이의 거리 구하기

2-1 오른쪽 그림과 같이 섬의 B 지점에서 해변의 C 지점까지의 거리를 구하기 위하여 해변의 A 지점을 정하고 측량하였더니 $\overline{AC}=30\sqrt{2}$ m이고 $\angle A=75°$, $\angle C=45°$이었다. 다음 물음에 답하시오.

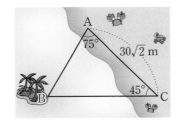

(1) 꼭짓점 A에서 $\overline{BC}$에 수선을 그어 수선의 발 H를 나타내시오.

(2) $\overline{AH}$, $\overline{CH}$의 길이를 각각 구하시오.

(3) $\angle B$의 크기를 구하시오.

(4) $\overline{BH}$의 길이를 구하시오.

(5) $\overline{BC}$의 길이를 구하시오.

2-2 다음 그림과 같이 어느 공연장의 천장에 삼각형 모양으로 조명 레일을 설치하려고 한다. $\overline{AC}=12$ m이고 $\angle A=105°$, $\angle C=30°$일 때, 두 조명 B, C 사이의 거리를 구하시오.

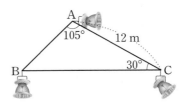

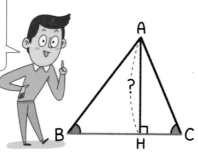

삼각형의 한 변의 길이와 그 양 끝 각의 크기를 알 때, 삼각형의 높이는?

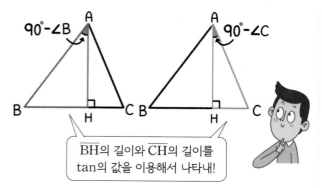

$\overline{BH}$의 길이와 $\overline{CH}$의 길이를 tan의 값을 이용해서 나타내!

▶ **예각삼각형의 높이 구하기**

오른쪽 그림과 같은 △ABC에서 높이 h의 값을 구하시오.

❶ △ABH에서 ∠BAH＝90°－45°＝45°이므로
$\overline{BH} = h \tan 45° = h$

△AHC에서 ∠CAH＝90°－60°＝30°이므로
$\overline{CH} = h \tan 30° = \dfrac{\sqrt{3}}{3} h$

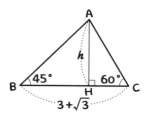

❷ $\overline{BH} + \overline{CH} = \overline{BC}$이므로

$h + \dfrac{\sqrt{3}}{3} h = 3 + \sqrt{3}$

$\dfrac{(3+\sqrt{3})h}{3} = 3 + \sqrt{3}$ ∴ $h = 3$

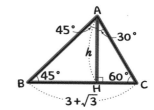

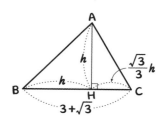

회색 글씨를 따라 쓰면서 개념을 정리해 보세요.

❖ $\overline{BC}$의 길이와 ∠B, ∠C의 크기를 알 때, h의 값 구하기

① ∠x의 크기와 tan의 값을 이용하여 $\overline{BH}$의 길이 나타내기

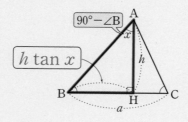

② ∠y의 크기와 tan의 값을 이용하여 $\overline{CH}$의 길이 나타내기

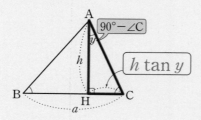

③ $\boxed{\overline{BH} + \overline{CH} = \overline{BC}}$임을 이용하여 h의 값 구하기

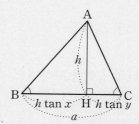

개념 원리 확인

○ 정답과 풀이 **17쪽**

예각삼각형의 높이 구하기 (1)

3-1 다음 그림과 같이 $\overline{BC}=1+\sqrt{3}$이고 ∠B=45°, ∠C=30°인 △ABC에서 높이를 h라고 할 때, 다음 물음에 답하시오.

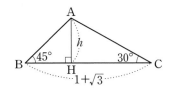

(1) ∠BAH의 크기를 구하시오.

(2) $\overline{BH}$의 길이를 h에 대한 식으로 나타내시오.

(3) ∠CAH의 크기를 구하시오.

(4) $\overline{CH}$의 길이를 h에 대한 식으로 나타내시오.

(5) h의 값을 구하시오.

3-2 다음 그림과 같이 $\overline{BC}=4$이고 ∠B=30°, ∠C=60°인 △ABC에서 높이 h의 값을 구하시오.

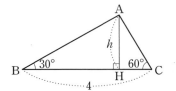

예각삼각형의 높이 구하기 (2)

4-1 다음 그림과 같이 20 m 떨어진 두 지점 B, C에서 나무의 꼭대기 A 지점을 올려본각의 크기가 각각 60°, 45°이었다. 나무의 높이를 구하시오.

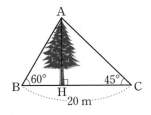

4-2 다음 그림과 같이 60 m 떨어져 있는 두 지점 B, C에서 기구 A를 올려본각의 크기가 각각 60°, 30°이었다. 지면에서 기구까지의 높이를 구하시오.

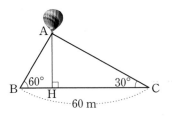

개념 01 한 변의 길이와 그 양 끝 각의 크기를 알 때, 변의 길이 구하기(2)

주어진 각 중 특수한 각이 아닌 꼭짓점에서 대변에 수선을 긋고 삼각비를 이용한다.

① 수선 CH를 긋고 삼각비를 이용하여 $\overline{BH}$, $\overline{CH}$의 길이를 구한다.

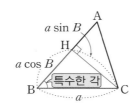

② ∠A의 크기를 구하고 삼각비를 이용하여 $\overline{AH}$의 길이를 구한다.

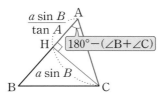

③ $\overline{AB} = \overline{AH} + \overline{BH}$임을 이용하여 $\overline{AB}$의 길이를 구한다.

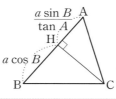

1-1

오른쪽 그림과 같은 △ABC에서 $\overline{BC} = 6\sqrt{2}$ cm이고 ∠B=45°, ∠C=75°일 때, 다음을 구하시오.

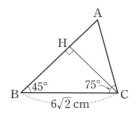

(1) $\overline{BH}$의 길이

(2) $\overline{CH}$의 길이

(3) ∠A의 크기

(4) $\overline{AH}$의 길이

(5) $\overline{AB}$의 길이

1-2

오른쪽 그림과 같은 △ABC에서 $\overline{BC} = 10$ cm이고 ∠B=105°, ∠C=30°일 때, $\overline{AC}$의 길이를 구하시오.

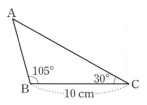

1-3

다음 그림과 같이 두 지점 B, C 사이에 다리를 건설하기 위하여 A 지점을 정하고 측량하였더니 $\overline{AC} = 12$ km이고 ∠A=75°, ∠C=60°이었다. 두 지점 B, C 사이의 거리를 구하시오.

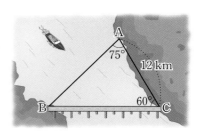

1-4

다음 그림과 같이 호수의 두 지점 A, C 사이의 거리를 구하기 위하여 B 지점을 정하고 측량하였더니 $\overline{AB} = 30$ m이고 ∠A=45°, ∠B=105°이었다. 두 지점 A, C 사이의 거리를 구하시오.

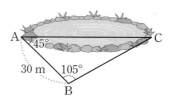

개념 02 예각삼각형의 높이 구하기

삼각형의 한 변의 길이와 그 양 끝 각의 크기를 알면 삼각비를 이용하여 높이를 구할 수 있다.

① ∠x의 크기와 tan의 값을 이용하여 $\overline{BH}$의 길이를 나타낸다.

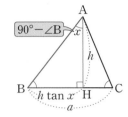

② ∠y의 크기와 tan의 값을 이용하여 $\overline{CH}$의 길이를 나타낸다.

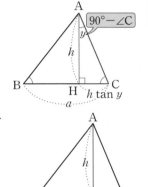

③ $\overline{BH}+\overline{CH}=\overline{BC}$임을 이용하여 h의 값을 구한다.

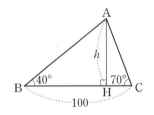

2-1

다음은 오른쪽 그림과 같은 △ABC의 높이 h의 값을 구하는 과정이다. ☐ 안에 알맞은 것을 써넣으시오.

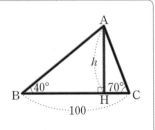

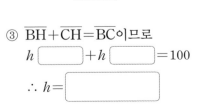

① △ABH에서
∠BAH=☐°이므로
$\overline{BH}=h$☐

② △AHC에서
∠CAH=☐°이므로
$\overline{CH}=h$☐

③ $\overline{BH}+\overline{CH}=\overline{BC}$이므로
h☐$+h$☐$=100$
∴ $h=$☐

2-2

다음 그림과 같이 $\overline{BC}=8$ cm이고 ∠B=30°, ∠C=45°인 △ABC에서 높이를 구하시오.

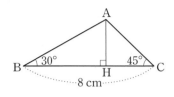

2-3

오른쪽 그림과 같이 $\overline{BC}=12$ cm이고 ∠B=45°, ∠C=60°인 △ABC에서 높이를 구하시오.

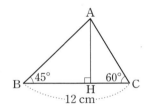

2-4

다음 그림과 같이 40 m 떨어진 두 지점 B, C에서 섬의 A 지점을 바라본 각의 크기가 각각 30°, 60°이었다. 꼭짓점 A에서 $\overline{BC}$에 내린 수선의 발을 H라고 할 때, $\overline{AH}$의 길이를 구하시오.

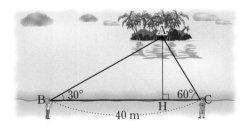

삼각형의 한 변의 길이와
한 내각과 한 외각의 크기를 알 때,
삼각형의 높이는?

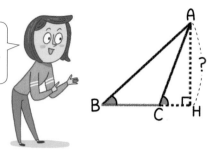

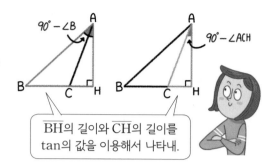

$\overline{BH}$의 길이와 $\overline{CH}$의 길이를
tan의 값을 이용해서 나타내.

▶ 둔각삼각형의 높이 구하기

오른쪽 그림과 같은 △ABC에서 높이 h의 값을 구하시오.

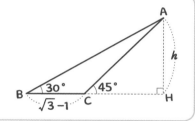

❶ △ABH에서 ∠BAH$=90°-30°=60°$이므로
$\overline{BH}=h\tan 60°=\sqrt{3}h$

△ACH에서 ∠CAH$=90°-45°=45°$이므로
$\overline{CH}=h\tan 45°=h$

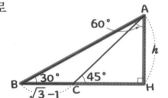

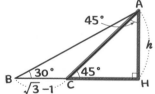

❷ $\overline{BH}-\overline{CH}=\overline{BC}$이므로
$\sqrt{3}h-h=\sqrt{3}-1$
$(\sqrt{3}-1)h=\sqrt{3}-1$ ∴ $h=1$

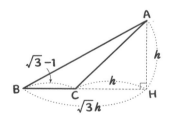

회색 글씨를 따라 쓰면서 개념을 정리해 보세요.

❖ $\overline{BC}$의 길이와 ∠B의 크기, ∠C의 외각의 크기를 알 때, h의 값 구하기

① ∠x의 크기와 tan의 값을 이용
하여 $\overline{BH}$의 길이 나타내기

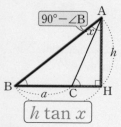

$h\tan x$

② ∠y의 크기와 tan의 값을 이용
하여 $\overline{CH}$의 길이 나타내기

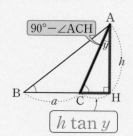

$h\tan y$

③ $\boxed{\overline{BH}-\overline{CH}}=\overline{BC}$임을 이용
하여 h의 값 구하기

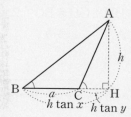

개념 원리 확인

○정답과 풀이 **19**쪽

둔각삼각형의 높이 구하기(1)

1-1 오른쪽 그림과 같이 $\overline{BC}=3-\sqrt{3}$이고 ∠B=45°, ∠ACH=60°인 △ABC에서 높이를 h라고 할 때, 다음 물음에 답하시오.

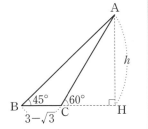

(1) ∠BAH의 크기를 구하시오.

(2) $\overline{BH}$의 길이를 h에 대한 식으로 나타내시오.

(3) ∠CAH의 크기를 구하시오.

(4) $\overline{CH}$의 길이를 h에 대한 식으로 나타내시오.

(5) h의 값을 구하시오.

1-2 오른쪽 그림과 같이 $\overline{BC}=20$이고 ∠B=30°, ∠ACH=60°인 △ABC에서 높이 h의 값을 구하시오.

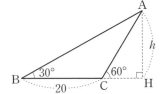

둔각삼각형의 높이 구하기(2)

2-1 다음 그림과 같이 10 m 떨어진 두 지점 B, C에서 나무의 꼭대기 A 지점을 올려본각의 크기가 각각 30°, 45°이었다. 나무의 높이를 구하시오.

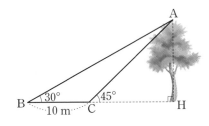

2-2 다음 그림과 같이 8 m 떨어진 두 지점 B, C에서 탑의 꼭대기 A 지점을 올려본각의 크기가 각각 45°, 60°일 때, 이 탑의 높이를 구하시오.

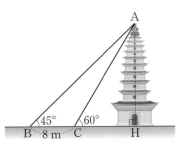

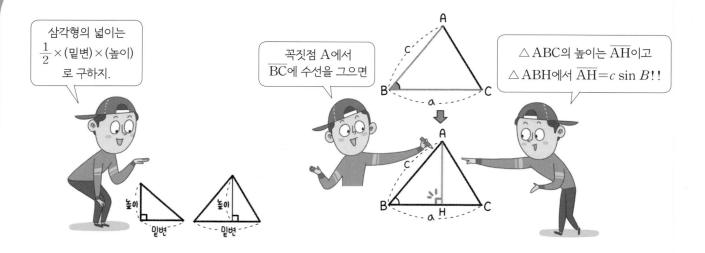

> **∠B가 예각일 때, △ABC의 넓이 구하기**

　　△ABC에서 두 변의 길이 a, c와 그 끼인각 ∠B의 크기를 알면 △ABC의 넓이를 구할 수 있다.

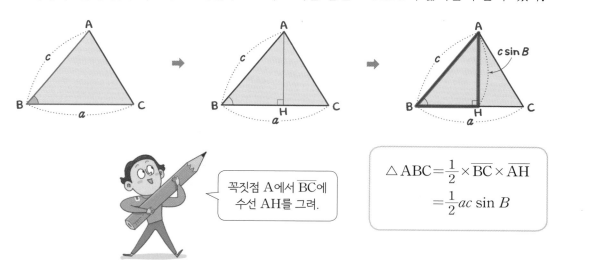

$$\triangle ABC = \frac{1}{2} \times \overline{BC} \times \overline{AH}$$
$$= \frac{1}{2} ac \sin B$$

꼭짓점 A에서 $\overline{BC}$에 수선 AH를 그려.

회색 글씨를 따라 쓰면서 개념을 정리해 보세요.

❖ ∠B가 예각일 때, △ABC의 넓이

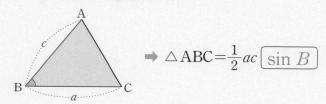

→ $\triangle ABC = \frac{1}{2} ac \boxed{\sin B}$

개념 원리 확인

○정답과 풀이 **19쪽**

삼각형의 넓이 구하기

3-1 다음 그림과 같은 △ABC의 넓이를 구하시오.

(1)
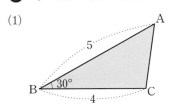

(2)
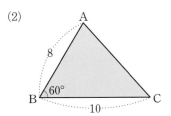

(3)
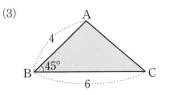

3-2 다음 그림과 같은 △ABC의 넓이를 구하시오.

(1)
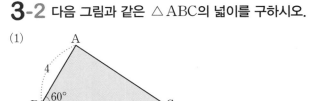

(2)
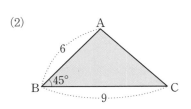

(3)
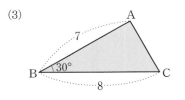

삼각형의 넓이를 이용하여 각의 크기 또는 변의 길이 구하기

4-1 다음 그림과 같이 $\overline{AB}=9$, $\overline{BC}=12$인 △ABC의 넓이가 27일 때, ∠B의 크기를 구하시오.

(단, $0° < ∠B < 90°$)

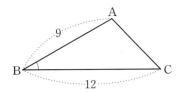

4-2 다음 그림과 같이 $\overline{AB}=6$, $∠B=60°$인 △ABC의 넓이가 $12\sqrt{3}$일 때, $\overline{BC}$의 길이를 구하시오.

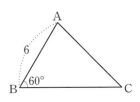

개념 01 둔각삼각형의 높이 구하기

삼각형의 한 변의 길이와 한 내각과 한 외각의 크기를 알면 삼각비를 이용하여 높이를 구할 수 있다.

① ∠x의 크기와 tan의 값을 이용하여 $\overline{BH}$의 길이를 나타낸다.

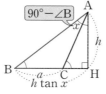

② ∠y의 크기와 tan의 값을 이용하여 $\overline{CH}$의 길이를 나타낸다.

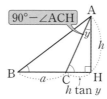

③ $\overline{BH}-\overline{CH}=\overline{BC}$임을 이용하여 h의 값을 구한다.

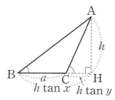

1-1

다음은 오른쪽 그림과 같은 △ABC의 높이 h의 값을 구하는 과정이다. ☐ 안에 알맞은 것을 써넣으시오.

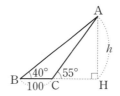

① △ABH에서
∠BAH=☐°이므로
$\overline{BH}=h$☐

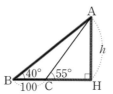

② △ACH에서
∠CAH=☐°이므로
$\overline{CH}=h$☐

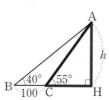

③ $\overline{BH}-\overline{CH}=\overline{BC}$이므로
h☐$-h$☐$=100$
∴ $h=$☐

1-2

오른쪽 그림과 같이 $\overline{BC}=6$ cm이고 ∠B=45°, ∠ACH=60°인 △ABC에서 높이를 구하시오.

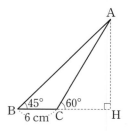

1-3

다음 그림과 같이 $\overline{BC}=8$ cm이고 ∠B=30°, ∠ACH=45°인 △ABC에서 높이를 구하시오.

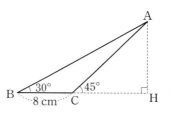

1-4

다음 그림과 같이 12 m 떨어진 두 지점 B, C에서 타워의 꼭대기 A 지점을 올려본각의 크기가 각각 30°, 60°일 때, 타워의 높이를 구하시오.

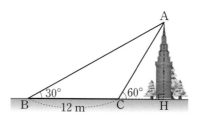

개념 02 ∠B가 예각일 때, △ABC의 넓이 구하기

△ABC에서 두 변의 길이 a, c와 그 끼인각 ∠B의 크기를 알면 △ABC의 넓이를 구할 수 있다.

➡ $\triangle ABC = \dfrac{1}{2}ac \sin B$

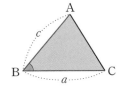

2-1

다음 그림과 같은 △ABC의 넓이를 구하시오.

(1)

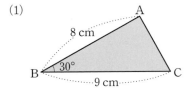

(2)

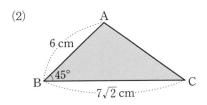

(3)

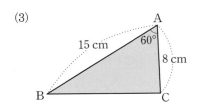

2-2

오른쪽 그림과 같이 $\overline{AB}=\overline{AC}=6$ cm, ∠B=75°인 △ABC의 넓이를 구하시오.

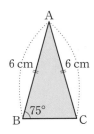

2-3

다음 그림과 같이 $\overline{AB}=4\sqrt{2}$ cm, ∠B=45°인 △ABC의 넓이가 18 cm²일 때, $\overline{BC}$의 길이를 구하시오.

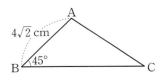

2-4

다음 그림과 같이 $\overline{AB}=12$ cm, $\overline{BC}=20$ cm인 △ABC의 넓이가 $60\sqrt{3}$ cm²일 때, ∠B의 크기를 구하시오. (단, 0°<∠B<90°)

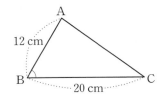

∠B가 둔각일 때, △ABC의 넓이 구하기

△ABC에서 두 변의 길이 a, c와 그 끼인각 ∠B의 크기를 알면 △ABC의 넓이를 구할 수 있다.

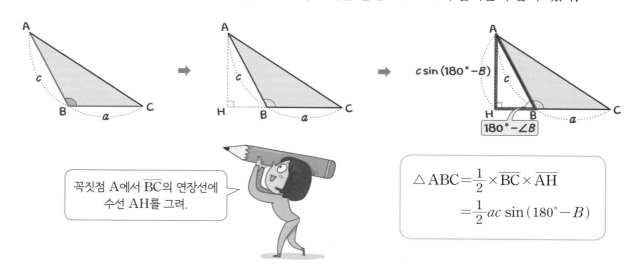

꼭짓점 A에서 $\overline{BC}$의 연장선에 수선 AH를 그려.

$$\triangle ABC = \frac{1}{2} \times \overline{BC} \times \overline{AH}$$
$$= \frac{1}{2} ac \sin(180° - B)$$

삼각형의 넓이를 구하는 공식, 다시 한번 정리해 볼까?

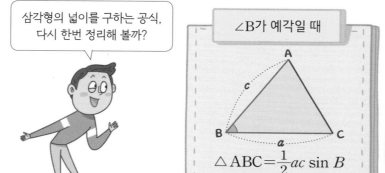

∠B가 예각일 때

$$\triangle ABC = \frac{1}{2} ac \sin B$$

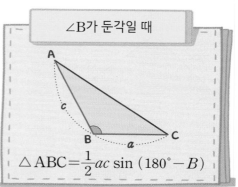

∠B가 둔각일 때

$$\triangle ABC = \frac{1}{2} ac \sin(180° - B)$$

회색 글씨를 따라 쓰면서 개념을 정리해 보세요.

❖ ∠B가 둔각일 때, △ABC의 넓이

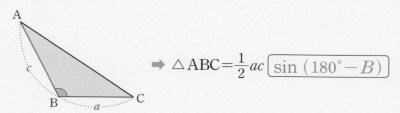

$$\Rightarrow \triangle ABC = \frac{1}{2} ac \boxed{\sin(180° - B)}$$

개념 원리 확인

●정답과 풀이 **21**쪽

삼각형의 넓이 구하기

1-1 다음 그림과 같은 △ABC의 넓이를 구하시오.

(1)
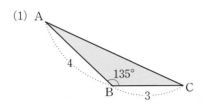

(2)
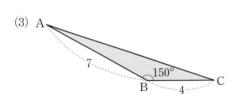

(3)
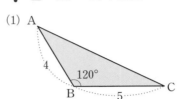

1-2 다음 그림과 같은 △ABC의 넓이를 구하시오.

(1)
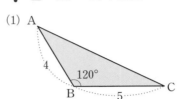

(2)
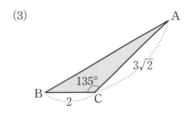

(3)

삼각형의 넓이를 이용하여 각의 크기 또는 변의 길이 구하기

2-1 다음 그림과 같이 $\overline{AB}=20$, $\overline{AC}=8$인 △ABC의 넓이가 $40\sqrt{3}$일 때, ∠A의 크기를 구하시오.

(단, $90°<∠A<180°$)

2-2 다음 그림과 같이 $\overline{BC}=8$, ∠C$=150°$인 △ABC의 넓이가 $6\sqrt{2}$일 때, $\overline{AC}$의 길이를 구하시오.

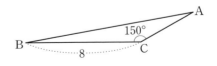

사각형의 넓이 구하기

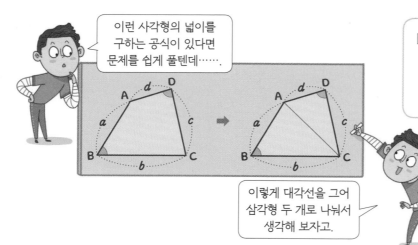

이런 사각형의 넓이를 구하는 공식이 있다면 문제를 쉽게 풀텐데…….

이렇게 대각선을 그어 삼각형 두 개로 나눠서 생각해 보자고.

$$\square ABCD = \triangle ABC + \triangle ACD$$
$$= \frac{1}{2}ab \sin B + \frac{1}{2}cd \sin D$$

(단, ∠B, ∠D는 예각)

평행사변형의 넓이 구하기

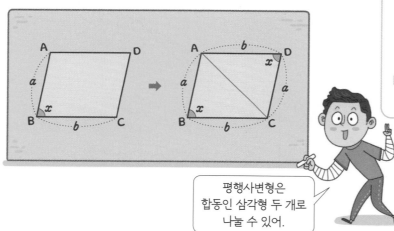

평행사변형 ABCD에서 ∠B가 예각일 때,
$$\square ABCD = 2\triangle ABC$$
$$= 2 \times \frac{1}{2}ab \sin x$$
$$= ab \sin x$$

참고 평행사변형 ABCD에서 ∠B가 둔각일 때,
$$\square ABCD = ab \sin(180° - x)$$

평행사변형은 합동인 삼각형 두 개로 나눌 수 있어.

회색 글씨를 따라 쓰면서 개념을 정리해 보세요.

1 사각형의 넓이 구하기

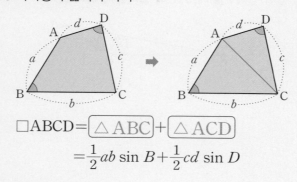

$$\square ABCD = \boxed{\triangle ABC} + \boxed{\triangle ACD}$$
$$= \frac{1}{2}ab \sin B + \frac{1}{2}cd \sin D$$

2 평행사변형의 넓이 구하기

(1) ∠B가 예각일 때

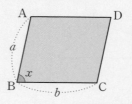

$$\square ABCD = \boxed{ab \sin x}$$

(2) ∠B가 둔각일 때

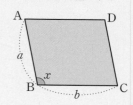

$$\square ABCD$$
$$= ab \sin(180° - x)$$

개념 원리 확인

○ 정답과 풀이 22쪽

사각형의 넓이 구하기

3-1 아래 그림과 같은 □ABCD에 대하여 다음을 구하시오.

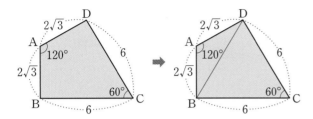

(1) △ABD의 넓이

(2) △BCD의 넓이

(3) □ABCD의 넓이

3-2 다음 그림과 같은 □ABCD의 넓이를 구하시오.

(1)

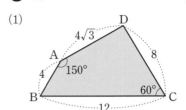

(2)

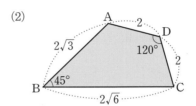

평행사변형의 넓이 구하기

4-1 다음 그림과 같은 평행사변형 ABCD의 넓이를 구하려고 한다. ◯ 안에 알맞은 것을 써넣으시오.

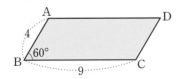

➡ □ABCD = ◯ × 9 × ◯

= ◯ × 9 × ◯

= ◯

4-2 다음 그림과 같은 평행사변형 ABCD의 넓이를 구하시오.

(1)

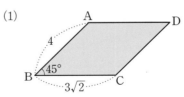

(2)

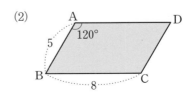

개념01 ∠B가 둔각일 때, △ABC의 넓이 구하기

△ABC에서 두 변의 길이 a, c와 그 끼인각 ∠B의 크기를 알면 △ABC의 넓이를 구할 수 있다.

➡ $\triangle ABC = \dfrac{1}{2}ac \sin(180° - B)$

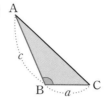

1-1

다음 그림과 같은 △ABC의 넓이를 구하시오.

(1)

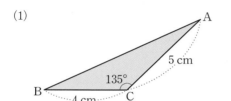

(2)

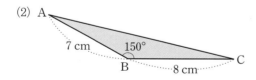

(3)

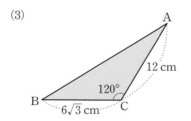

1-2

다음 그림과 같이 $\overline{AC} = \overline{BC} = 14$ cm, ∠B=15°인 △ABC의 넓이를 구하시오.

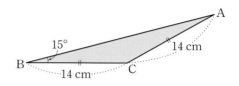

1-3

오른쪽 그림과 같이 $\overline{BC} = 8$ cm, ∠B=120°인 △ABC의 넓이가 $24\sqrt{3}$ cm² 일 때, $\overline{AB}$의 길이를 구하시오.

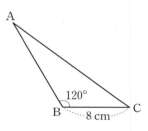

1-4

다음 그림과 같이 $\overline{AC} = 12$ cm, $\overline{BC} = 9$ cm인 △ABC의 넓이가 $27\sqrt{2}$ cm²일 때, ∠C의 크기를 구하시오.

(단, 90° < ∠C < 180°)

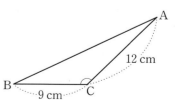

개념 02 사각형의 넓이 구하기

대각선을 그어 사각형을 두 개의 삼각형으로 나눈 후 삼
각형의 넓이를 각각 구하여 더한다.

2-1

오른쪽 그림과 같은
□ABCD의 넓이를 구
하시오.

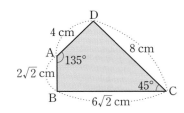

2-2

오른쪽 그림과 같은 □ABCD
에 대하여 다음을 구하시오.

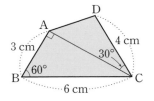

⑴ △ABC의 넓이

⑵ $\overline{AC}$의 길이

⑶ △ACD의 넓이

⑷ □ABCD의 넓이

꼭짓점 D에서 $\overline{BC}$에
수선을 그어 볼까?

2-3

오른쪽 그림과 같은 등변사
다리꼴 ABCD의 넓이를 구
하시오.

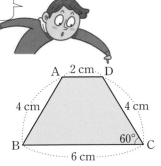

개념 03 평행사변형의 넓이 구하기

평행사변형 ABCD에서

⑴ ∠B가 예각일 때   ⑵ ∠B가 둔각일 때

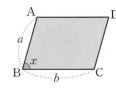   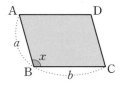

□ABCD
$=ab\sin x$

□ABCD
$=ab\sin(180°-x)$

3-1

오른쪽 그림과 같이
$\overline{AB}=7$ cm, $\overline{BC}=8$ cm이
고 ∠B=60°인 평행사변형
ABCD의 넓이를 구하시오.

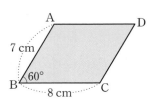

3-2

오른쪽 그림과 같이
$\overline{AB}=8$ cm, ∠A=135°
인 마름모 ABCD의 넓
이를 구하시오.

마름모는 네 변의
길이가 모두 같아.

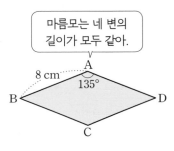

3-3

오른쪽 그림과 같이
$\overline{AB}=10$ cm,
$\overline{BC}=12$ cm인 평행사변
형 ABCD의 넓이가
$60\sqrt{2}$ cm²일 때, ∠B의 크기를 구하시오.

(단, 0°<∠B<90°)

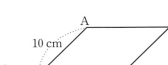

원의 중심과 현의 수직이등분선(1)

원에서 현의 수직이등분선은 그 원의 중심을 지난다.

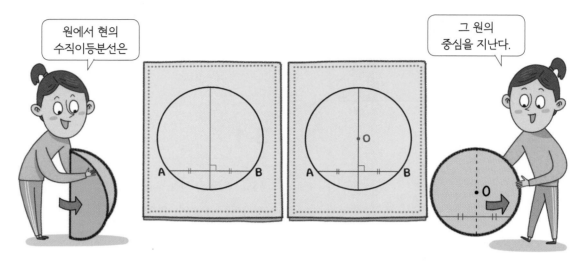

원에서 현의
수직이등분선은

그 원의
중심을 지난다.

원의 중심과 현의 수직이등분선(2)

원의 중심에서 현에 내린 수선은 그 현을 이등분한다.

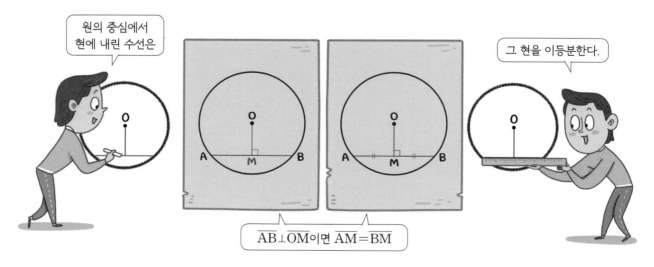

원의 중심에서
현에 내린 수선은

그 현을 이등분한다.

$\overline{AB} \perp \overline{OM}$이면 $\overline{AM} = \overline{BM}$

회색 글씨를 따라 쓰면서 개념을 정리해 보세요.

❖ 원의 중심과 현의 수직이등분선

1 원에서 현의 수직이등분선 은 그 원의 중심 을 지난다.

2 원의 중심에서 현에 내린 수선 은 그 현을 이등분 한다.

➡ $\overline{AB} \perp \overline{OM}$이면 $\overline{AM} = \overline{BM}$

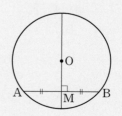

개념 원리 확인

원의 중심과 현의 수직이등분선

1-1 다음 그림과 같은 원 O에서 x의 값을 구하시오.

(1)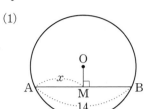

(2)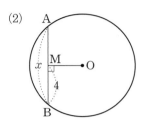

1-2 다음 그림과 같은 원 O에서 x의 값을 구하시오.

(1)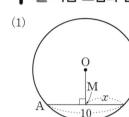

(2)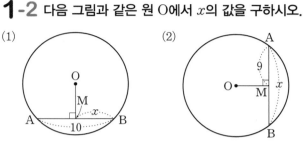

원의 중심과 현의 수직이등분선의 활용(1)

2-1 오른쪽 그림과 같은 원 O에서 x의 값을 구하려고 한다. ☐ 안에 알맞은 수를 써넣으시오.

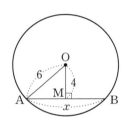

➡ △OAM에서

$\overline{AM} = \sqrt{6^2 - \boxed{}^2} = \boxed{}$

$\overline{AB} = 2\overline{AM} = 2 \times \boxed{} = \boxed{}$

∴ $x = \boxed{}$

2-2 다음 그림과 같은 원 O에서 x의 값을 구하시오.

(1)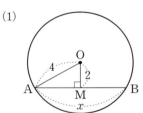

(2)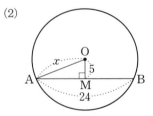

원의 중심과 현의 수직이등분선의 활용(2)

3-1 오른쪽 그림과 같은 원 O에서 x의 값을 구하려고 한다. ☐ 안에 알맞은 것을 써넣으시오.

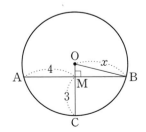

➡ $\overline{OC} = \overline{OB} = x$이므로

$\overline{OM} = \boxed{}$

$\overline{BM} = \overline{AM} = \boxed{}$

△OBM에서 $x^2 = (\boxed{})^2 + 4^2$ ∴ $x = \boxed{}$

3-2 다음 그림과 같은 원 O에서 x의 값을 구하시오.

(1)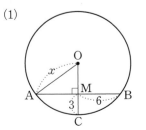

(2)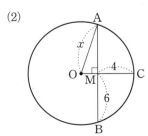

원의 중심과 현의 길이(1)

한 원에서 중심으로부터 같은 거리에 있는 두 현의 길이는 같다.

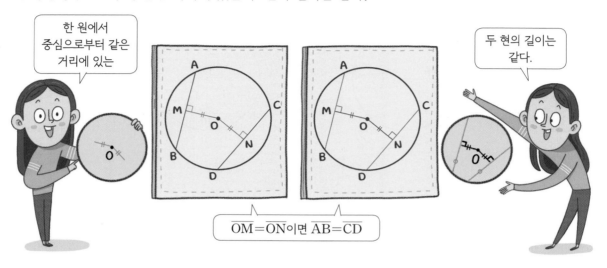

한 원에서 중심으로부터 같은 거리에 있는

두 현의 길이는 같다.

$\overline{OM}=\overline{ON}$이면 $\overline{AB}=\overline{CD}$

원의 중심과 현의 길이(2)

한 원에서 길이가 같은 두 현은 원의 중심으로부터 같은 거리에 있다.

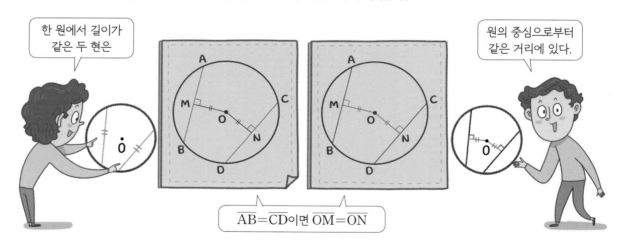

한 원에서 길이가 같은 두 현은

원의 중심으로부터 같은 거리에 있다.

$\overline{AB}=\overline{CD}$이면 $\overline{OM}=\overline{ON}$

회색 글씨를 따라 쓰면서 개념을 정리해 보세요.

❖ 원의 중심과 현의 길이

1 한 원에서 중심으로부터 같은 거리에 있는 두 현의 길이는 같다.

➡ $\overline{OM}=\overline{ON}$이면 $\overline{AB}=\overline{CD}$

2 한 원에서 길이가 같은 두 현 은 원의 중심으로부터 같은 거리 에 있다.

➡ $\overline{AB}=\overline{CD}$이면 $\overline{OM}=\overline{ON}$

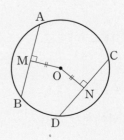

개념 원리 확인

○ 정답과 풀이 **24**쪽

원의 중심과 현의 길이

4-1 다음 그림과 같은 원 O에서 x의 값을 구하시오.

(1)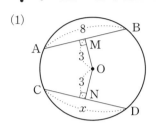

(2)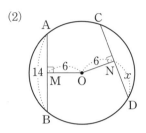

(3)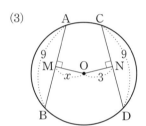

(4)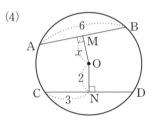

4-2 다음 그림과 같은 원 O에서 x의 값을 구하시오.

(1)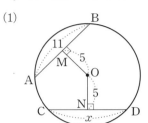

(2)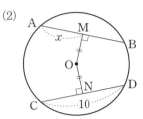

(3)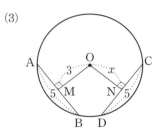

(4)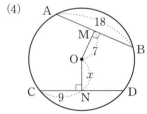

원의 중심과 현의 길이의 활용

5-1 다음 그림과 같은 원 O에서 x의 값을 구하시오.

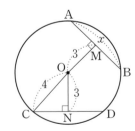

△OCN에서
피타고라스 정리를
이용해 봐.

➡ △OCN에서

$\overline{CN}=\sqrt{4^2-\boxed{}^2}=\boxed{}$

$\therefore \overline{CD}=2\overline{CN}=2\times\boxed{}=\boxed{}$

이때 $\overline{OM}=\overline{ON}$이므로 $\overline{AB}=\overline{CD}=\boxed{}$

$\therefore x=\boxed{}$

5-2 다음 그림과 같은 원 O에서 x의 값을 구하시오.

(1)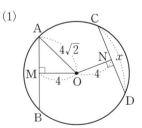

(2)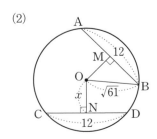

개념 01 원의 중심과 현의 수직이등분선

(1) 원에서 현의 수직이등분선은 그 원의 중심을 지난다.

(2) 원의 중심에서 현에 내린 수선은 그 현을 이등분한다.
→ $\overline{AB} \perp \overline{OM}$이면 $\overline{AM} = \overline{BM}$

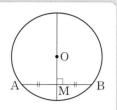

1-1

다음 그림과 같은 원 O에서 x의 값을 구하시오.

(1)
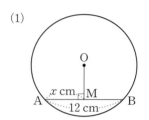

(2)
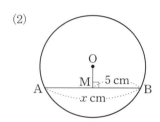

1-2

오른쪽 그림과 같은 원 O에서 $\overline{AB} \perp \overline{OM}$이고 $\overline{OA} = 2$ cm, $\overline{OM} = 1$ cm일 때, $\overline{AB}$의 길이를 구하시오.

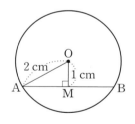

1-3

오른쪽 그림과 같은 원 O에서 $\overline{AB} \perp \overline{OC}$이고 $\overline{AB} = 18$ cm, $\overline{MC} = 3$ cm일 때, $\overline{OA}$의 길이를 구하시오.

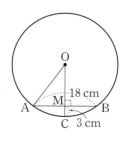

1-4

오른쪽 그림과 같이 중심이 같고 반지름의 길이가 각각 8 cm, 17 cm인 두 원이 있다. 작은 원 위의 점 C에서 접선을 그어 큰 원과 만나는 두 점을 각각 A, B라고 할 때, $\overline{AB}$의 길이를 구하시오.

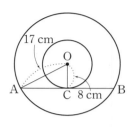

반지름⊥접선

1-5

오른쪽 그림과 같이 반지름의 길이가 8 cm인 원 O 위의 한 점이 원의 중심 O에 겹쳐지도록 $\overline{AB}$를 접는 선으로 하여 접었다. 이때 $\overline{AB}$의 길이를 구하시오.

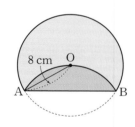

1-6

오른쪽 그림에서 $\overparen{AB}$는 반지름의 길이가 10 cm인 원의 일부분이다. $\overline{AM} = \overline{BM}$, $\overline{AB} \perp \overline{CM}$이고 $\overline{CM} = 4$ cm일 때, $\overline{AB}$의 길이를 구하시오.

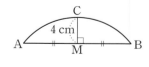

개념 02 원의 중심과 현의 길이

(1) 한 원에서 중심으로부터 같은 거리에 있는 두 현의 길이는 같다.
➡ $\overline{OM}=\overline{ON}$이면 $\overline{AB}=\overline{CD}$

(2) 한 원에서 길이가 같은 두 현은 원의 중심으로부터 같은 거리에 있다.
➡ $\overline{AB}=\overline{CD}$이면 $\overline{OM}=\overline{ON}$

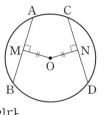

2-1

다음 그림과 같은 원 O에서 x의 값을 구하시오.

(1)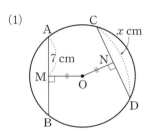

(2)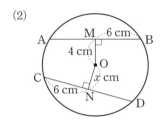

2-2

오른쪽 그림과 같은 원 O에서 $\overline{AB}\perp\overline{OM}$, $\overline{CD}\perp\overline{ON}$이고 $\overline{OM}=\overline{ON}$이다. $\overline{AB}=24$ cm, $\overline{OC}=13$ cm일 때, $\triangle OCN$의 넓이를 구하시오.

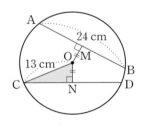

2-3

오른쪽 그림과 같이 원의 중심 O에서 $\overline{AB}$, $\overline{CD}$에 내린 수선의 발을 각각 M, N이라고 하자. $\overline{AB}=\overline{CD}=16$ cm, $\overline{OM}=8$ cm일 때, $\overline{OC}$의 길이를 구하시오.

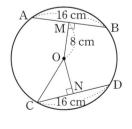

2-4

오른쪽 그림과 같은 원 O에서 $\overline{AB}\perp\overline{OM}$, $\overline{AC}\perp\overline{ON}$이고 $\overline{OM}=\overline{ON}$이다. $\overline{AB}=6$ cm, $\angle B=70°$일 때, $x+y$의 값을 구하시오.

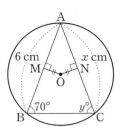

2-5

다음 그림과 같은 원 O에서 $\angle x$의 크기를 구하시오.

(1)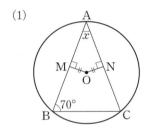

(2)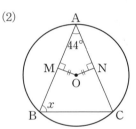

2-6

오른쪽 그림과 같이 원의 중심 O에서 $\overline{AB}$, $\overline{BC}$, $\overline{CA}$에 내린 수선의 발을 각각 D, E, F라고 할 때, $\overline{OD}=\overline{OE}=\overline{OF}$이다. $\overline{AB}=4\sqrt{3}$ cm일 때, 다음 물음에 답하시오.

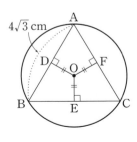

(1) $\triangle ABC$는 어떤 삼각형인지 말하시오.

(2) $\triangle ABC$의 둘레의 길이를 구하시오.

01 다음 그림과 같은 △ABC에서 $\overline{AB}=4\,cm$, $\overline{BC}=3\sqrt{3}\,cm$이고 ∠B=30°일 때, $\overline{AC}$의 길이를 구하시오.

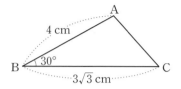

02 다음 그림과 같이 강의 양쪽에 위치한 두 지점 A, C 사이의 거리를 구하기 위하여 B 지점을 정하고 측량하였더니 $\overline{BC}=60\,m$이고 ∠B=45°, ∠C=75°이었다. 두 지점 A, C 사이의 거리를 구하시오.

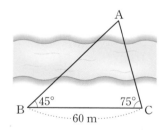

03 다음 그림과 같이 200 m 떨어져 있는 두 지점 B, C에서 나무의 꼭대기 A 지점을 올려본각의 크기가 각각 30°, 45°일 때, 나무의 높이를 구하시오.

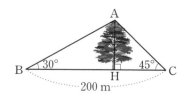

04 오른쪽 그림과 같이 $\overline{BC}=6\,cm$이고 ∠B=30°, ∠ACH=60°인 △ABC의 높이를 구하시오.

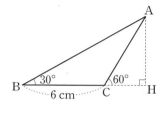

05 다음 그림과 같은 다각형의 넓이를 구하시오.

(1)
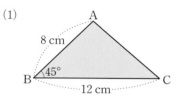

(2)
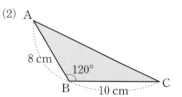

(3)
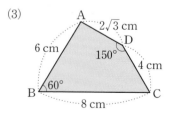

(4)
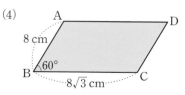

(단, □ABCD는 평행사변형)

08 오른쪽 그림과 같은 원 O에서 $\overline{AB}\perp\overline{OC}$이고 $\overline{AM}=4$ cm, $\overline{MC}=2$ cm일 때, $\overline{OB}$의 길이를 구하시오.

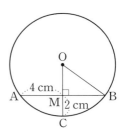

06 다음 그림과 같은 원 O에서 x의 값을 구하시오.

(1)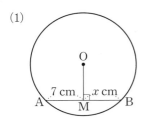

(2)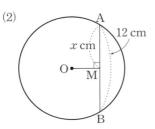

09 다음 그림과 같은 원 O에서 x의 값을 구하시오.

(1) (2)

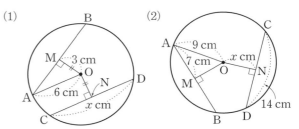

(3)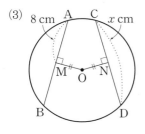

(4)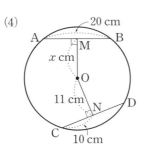

07 다음 그림과 같은 원 O에서 x의 값을 구하시오.

(1)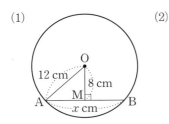

(2)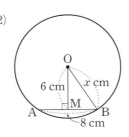

10 오른쪽 그림과 같은 원 O에서 $\overline{AB}\perp\overline{OM}$, $\overline{AC}\perp\overline{ON}$이고 $\overline{OM}=\overline{ON}$이다. $\angle B=65°$일 때, $\angle x$의 크기를 구하시오.

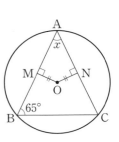

1 다음 ☐ 안에 알맞은 것을 써넣으시오.

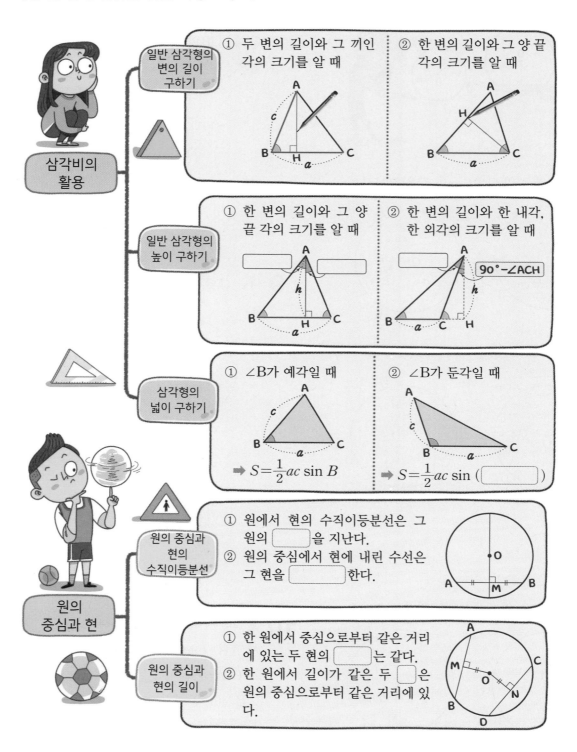

삼각비의 활용

일반 삼각형의 변의 길이 구하기

① 두 변의 길이와 그 끼인 각의 크기를 알 때

② 한 변의 길이와 그 양 끝 각의 크기를 알 때

일반 삼각형의 높이 구하기

① 한 변의 길이와 그 양 끝 각의 크기를 알 때

② 한 변의 길이와 한 내각, 한 외각의 크기를 알 때

$90°-\angle ACH$

삼각형의 넓이 구하기

① ∠B가 예각일 때

$\Rightarrow S=\dfrac{1}{2}ac\sin B$

② ∠B가 둔각일 때

$\Rightarrow S=\dfrac{1}{2}ac\sin\left(\boxed{}\right)$

원의 중심과 현

원의 중심과 현의 수직이등분선

① 원에서 현의 수직이등분선은 그 원의 ☐ 을 지난다.
② 원의 중심에서 현에 내린 수선은 그 현을 ☐ 한다.

원의 중심과 현의 길이

① 한 원에서 중심으로부터 같은 거리에 있는 두 현의 ☐ 는 같다.
② 한 원에서 길이가 같은 두 ☐ 은 원의 중심으로부터 같은 거리에 있다.

2 다음 그림에서 절과 탑 사이의 거리를 구하려고 한다. 물음에 답하시오.

(1) 오른쪽 그림과 같은 △ABC의 꼭짓점 B에서 $\overline{AC}$에 수선을 그어 수선의 발 H를 나타내시오.

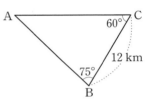

(2) $\overline{BH}$, $\overline{CH}$의 길이를 각각 구하시오.

(3) ∠A의 크기를 구하시오.

(4) $\overline{AH}$의 길이를 구하시오.

(5) 절과 탑 사이의 거리를 구하시오.

3 다음 그림과 같이 100 m 떨어진 두 지점 B, C에서 드론 A를 올려본각의 크기가 각각 32°, 68°이었다. 지면에서 드론까지의 높이를 구하려고 할 때, 다음 물음에 답하시오.

(단, tan 22°=0.4, tan 58°=1.6으로 계산한다.)

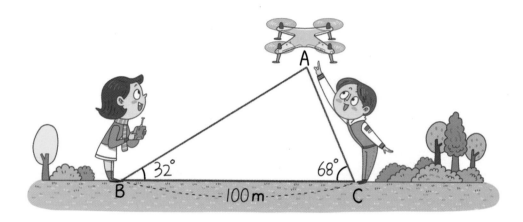

(1) 오른쪽 그림과 같은 △ABC의 꼭짓점 A에서 $\overline{BC}$에 수선을 그어 수선의 발 H를 나타내시오.

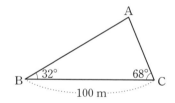

(2) $\overline{AH}=h$ m라고 놓고, $\overline{BH}$의 길이를 ∠BAH의 크기와 h를 사용하여 나타내시오.

(3) $\overline{AH}=h$ m라고 놓고, $\overline{CH}$의 길이를 ∠CAH의 크기와 h를 사용하여 나타내시오.

(4) $\overline{BH}+\overline{CH}=\overline{BC}$임을 이용하여 지면에서 드론까지의 높이를 구하시오.

4 다음 각 다각형의 넓이를 구한 후 구한 넓이에 해당하는 글자를 보기 에서 찾아 차례대로 나열하여 아래에서 설명하는 사자성어를 구하시오.

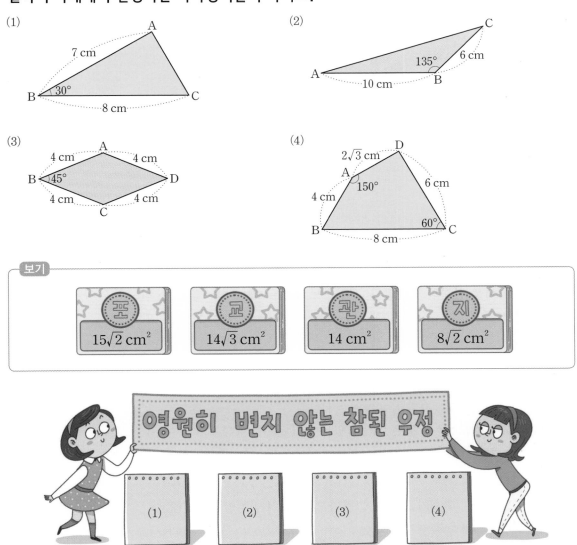

(1)

A
7 cm
B 30°
8 cm
C

(2)

C
6 cm
A 135° B
10 cm

(3)

A
4 cm   4 cm
B 45°   D
4 cm   4 cm
C

(4)

D
2√3 cm
A 150°   6 cm
4 cm
B 60° C
8 cm

보기

포
$15\sqrt{2}$ cm²

교
$14\sqrt{3}$ cm²

관
14 cm²

지
$8\sqrt{2}$ cm²

영원히 변치 않는 참된 우정

(1) (2) (3) (4)

5 다음 대화를 읽고, 물음에 답하시오.

(1) 깨진 수막새를 원래의 모습인 원 모양으로 복원할 때, 다음 [보기] 중 반드시 알아야 할 내용을 고르시오.

> **보기**
> ㉠ 크기가 같은 두 중심각에 대한 현의 길이는 같다.
> ㉡ 길이가 같은 두 현에 대한 중심각의 크기는 같다.
> ㉢ 현의 수직이등분선은 원의 중심을 지난다.
> ㉣ 원의 중심으로부터 같은 거리에 있는 현의 길이는 같다.

(2) 위에서 발견한 수막새가 오른쪽 그림과 같이 원의 일부일 때, 원래 수막새의 반지름의 길이를 구하시오.

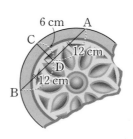

○정답과 풀이 **27쪽**

6 다음 각 그림에서 x의 값을 구하여 x의 값이 작은 학생부터 차례대로 줄을 세울 때, 네 번째에 서는 학생을 찾으시오.

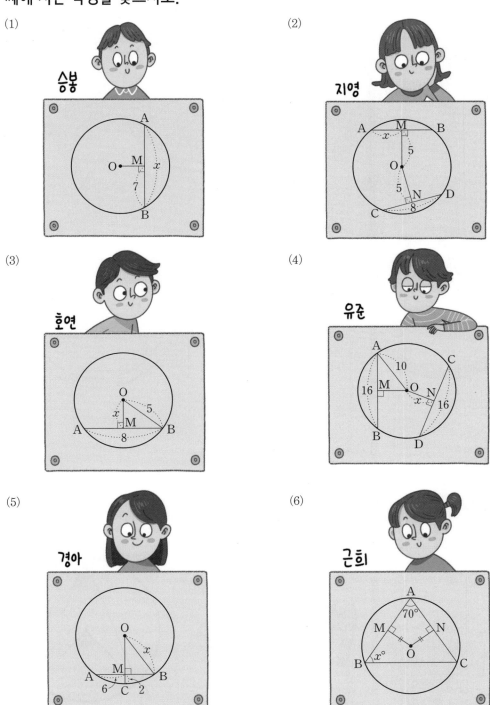

(1) 승봉

(2) 지영

(3) 호연

(4) 유준

(5) 경아

(6) 근희

• 이번 주에 공부할 내용
원의 접선의 성질 / 원주각의 성질 / 원에 내접하는 사각형

1일

원의 접선의 성질을 알아보자.

각 꼭짓점을 확대해보니 원의 접선이야!

$\overline{AD}=\overline{AF}$

$\overline{BD}=\overline{BE}$

$\overline{CE}=\overline{CF}$

2일

원주각과 중심각 사이의 관계를 알아보자.

$\widehat{AB}$의 중심각은 ∠AOB뿐이지만, 원주각은 무수히 많아.

나는 $\widehat{AB}$의 원주각이야.

나도, 나도!

나도!

내 크기는 $\frac{1}{2}$×(중심각의 크기)

내 크기는 2×(원주각의 크기)

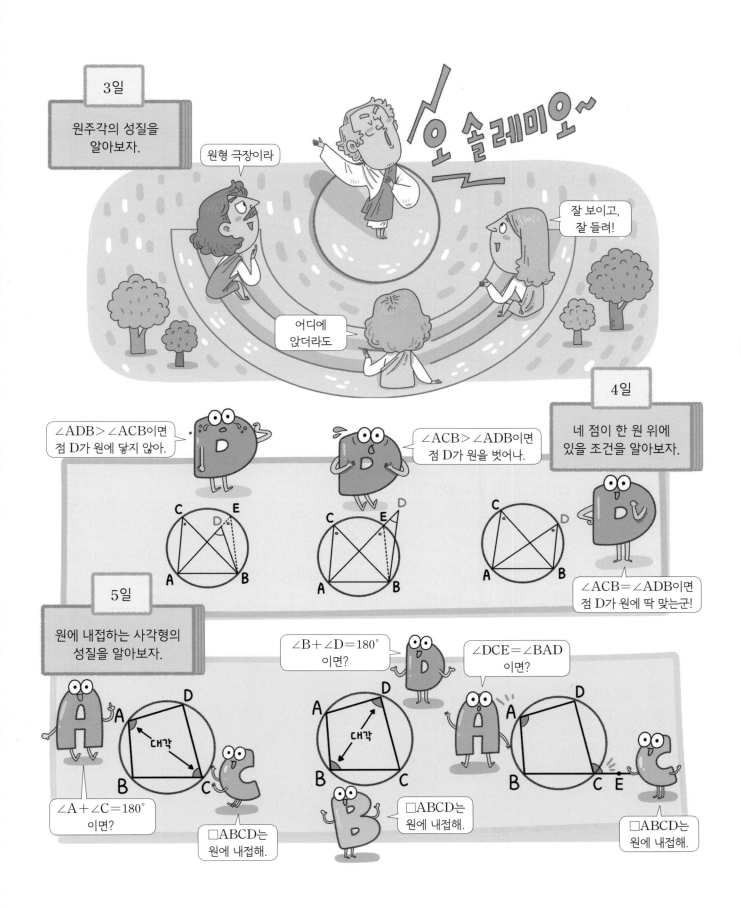

3주에는 무엇을 공부할까? ❷

🔍 접선과 접점을 알고 있는가?

1-1

오른쪽 그림에서 직선 l은 원 O 의 접선이고 점 A는 접점일 때, $\angle x$의 크기를 구하시오.

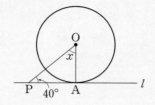

• 접선과 접점

(1) 원 O와 직선 l이 한 점 에서 만날 때, 직선 l은 원 O에 접한다고 한다.

(2) 원의 접점에서 접선과 반 지름은 수직으로 만난다.
➡ $\overline{OT} \perp l$

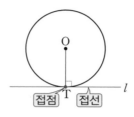

접점   접선

1-2

다음 그림에서 직선 l은 원 O의 접선이고 점 A는 접점일 때, $\angle x$의 크기를 구하시오.

(1)

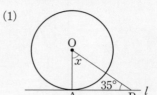

(2)

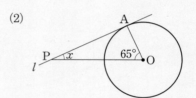

🔍 삼각형의 내접원과 접선의 길이를 알고 있는가?

2-1

오른쪽 그림에서 원 I는 △ABC의 내접원이고 세 점 D, E, F는 접점일 때, ☐ 안에 알맞은 수를 써넣으시오.

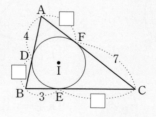

• 삼각형의 내접원과 접선의 길이
△ABC의 내접원 I와 $\overline{AB}$, $\overline{BC}$, $\overline{CA}$의 접점을 각 각 D, E, F라고 하면 다음 이 성립한다.

➡ $\overline{AD} = \overline{AF}$, $\overline{BD} = \overline{BE}$, $\overline{CE} = \overline{CF}$

참고 △IAD ≡ △IAF, △IBD ≡ △IBE,

     △ICE ≡ △ICF (RHA 합동)

2-2

다음 그림에서 원 I는 △ABC의 내접원이고 세 점 D, E, F는 접점일 때, x의 값을 구하시오.

(1)

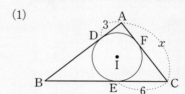

(2)

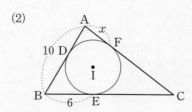

부채꼴의 중심각의 크기와 호의 길이 사이의 관계를 알고 있는가?

3-1
다음 그림과 같은 원 O에서 x의 값을 구하시오.

(1)
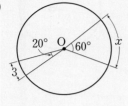

(2)
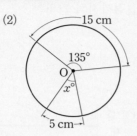

- **부채꼴의 중심각의 크기와 호의 길이**
  한 원 또는 합동인 두 원에서 부채꼴의 호의 길이는 중심각의 크기에 정비례한다.

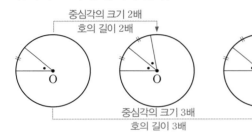

3-2
다음 그림과 같은 원 O에서 x의 값을 구하시오.

(1)
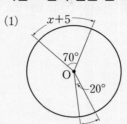

(2)
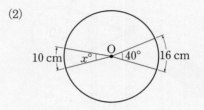

 삼각형의 내각과 외각을 알고 있는가?

4-1
다음 그림에서 $\angle x$의 크기를 구하시오.

(1)
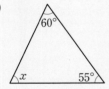

(2)
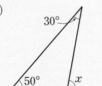

- **삼각형의 내각과 외각**
  (1) 삼각형의 세 내각의 크기의 합은 180°이다.
     ➡ △ABC에서
       $\angle A + \angle B + \angle C = 180°$
  (2) 삼각형의 한 외각의 크기는 그와 이웃하지 않는 두 내각의 크기의 합과 같다.
     ➡ △ABC에서 $\angle ACD = \angle A + \angle B$

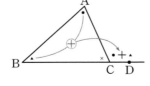

4-2
다음 그림에서 $\angle x$의 크기를 구하시오.

(1)
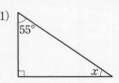

(2)
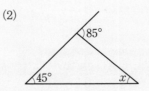

⑴ 원 밖의 한 점에서 원에 그을 수 있는 접선은 2개이다.

⑵ 원 밖의 한 점에서 원에 두 접선을 그을 때, 그 점에서 두 접점까지의 거리는 서로 같다.
➡ $\overline{PA}=\overline{PB}$

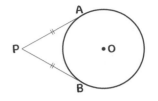

왜 $\overline{PA}=\overline{PB}$인지 알려줄게.

$\overline{OA}$를 긋고

$\overline{OB}$를 그으면

$\overline{OA}\perp\overline{PA}$, $\overline{OB}\perp\overline{PB}$

이제 $\overline{OP}$를 그어 보자.

$\triangle OPA \equiv \triangle OPB$
(RHS 합동)이므로
$\overline{PA}=\overline{PB}$

참고 원의 접점에서 접선과 반지름은 수직으로 만난다.

접점   접선

예 오른쪽 그림에서 $\overline{PA}$, $\overline{PB}$는 원 O의 접선이고 두 점 A, B는 접점일 때,
$\overline{PA}=\overline{PB}=10$이므로 $x=10$

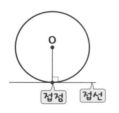

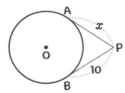

회색 글씨를 따라 쓰면서 개념을 정리해 보세요.

1 원 밖의 한 점에서 원에 그을 수 있는 접선은 [2개]이다.

2 원 밖의 한 점에서 원에 두 접선을 그을 때, 그 점에서 두 접점까지의 거리는 서로 [같다].
➡ $\overline{PA}=$ [PB]

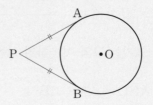

개념 원리 확인

○정답과 풀이 **29쪽**

원의 접선의 성질 (1)

1-1 오른쪽 그림에서 두 점 A, B는 점 P에서 원 O에 그은 두 접선의 접점일 때, x의 값을 구하시오.

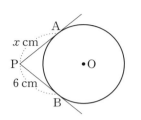

1-2 오른쪽 그림에서 두 점 A, B는 점 P에서 원 O에 그은 두 접선의 접점일 때, x의 값을 구하시오.

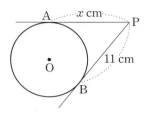

원의 접선의 성질 (2)

2-1 다음 그림에서 $\overline{PA}$, $\overline{PB}$는 원 O의 접선이고 두 점 A, B는 접점일 때, x의 값을 구하시오.

(1)

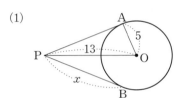

(2)

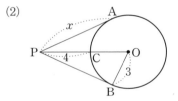

2-2 다음 그림에서 $\overline{PA}$, $\overline{PB}$는 원 O의 접선이고 두 점 A, B는 접점일 때, x의 값을 구하시오.

(1)

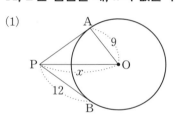

(2)

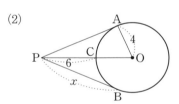

원의 접선의 성질 (3)

3-1 다음 그림에서 $\overline{PA}$, $\overline{PB}$는 원 O의 접선이고 두 점 A, B는 접점일 때, $\angle x$의 크기를 구하시오.

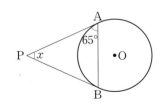

$\overline{PA}=\overline{PB}$이므로 △PAB는 이등변삼각형

3-2 다음 그림에서 $\overrightarrow{PA}$, $\overrightarrow{PB}$는 원 O의 접선이고 두 점 A, B는 접점일 때, $\angle x$의 크기를 구하시오.

(1)

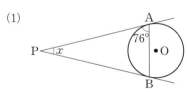

(2)

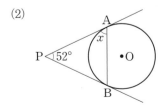

삼각형의 세 변에 모두 접하는 원을 그려보자.

이 부분만 주목해서 보라고! 익숙하지?

아~ 점 A가 원 밖의 한 점이고, $\overline{AD}$, $\overline{AF}$가 접선이구나!

나머지 부분도 마찬가지군!

▶ 삼각형의 내접원

원 O는 △ABC의 내접원이고 세 점 D, E, F는 접점일 때,

(1) $\overline{AD}=\overline{AF}$, $\overline{BD}=\overline{BE}$, $\overline{CE}=\overline{CF}$

(2) (△ABC의 둘레의 길이)$=a+b+c$
$$=(y+z)+(x+z)+(x+y)$$
$$=2(x+y+z)$$

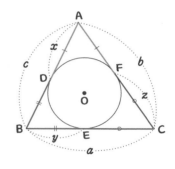

참고 삼각형의 내접원 : 삼각형의 세 변에 모두 접하는 원

예 오른쪽 그림에서 원 O는 △ABC의 내접원이고 세 점 D, E, F는 접점일 때,

$\overline{AD}=\overline{AF}=4$이므로 $x=4$

$\overline{BE}=\overline{BD}=5$이므로 $y=5$

$\overline{CF}=\overline{CE}=3$이므로 $z=3$

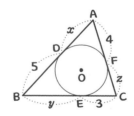

회색 글씨를 따라 쓰면서 개념을 정리해 보세요.

❖ 원 O는 △ABC의 내접원이고 세 점 D, E, F는 접점일 때,

1 $\overline{AD}=$ $\boxed{AF}$, $\overline{BD}=$ $\boxed{BE}$, $\overline{CE}=$ $\boxed{CF}$

2 (△ABC의 둘레의 길이)$=a+b+c$
$$=(y+z)+(x+z)+(x+y)$$
$$=\boxed{2(x+y+z)}$$

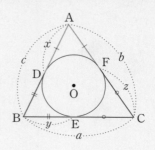

개념 원리 확인

○ 정답과 풀이 **30**쪽

삼각형의 내접원 (1)

4-1 오른쪽 그림에서 원 O는 △ABC의 내접원이고 세 점 D, E, F는 접점일 때, ☐ 안에 알맞은 수를 써넣으시오.

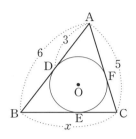

➡ $\overline{BE} = \overline{BD} = 6 - \boxed{} = \boxed{}$

$\overline{AF} = \overline{AD} = \boxed{}$ 이므로

$\overline{CE} = \overline{CF} = 5 - \boxed{} = \boxed{}$

∴ $x = \overline{BE} + \overline{CE} = \boxed{} + \boxed{} = \boxed{}$

4-2 다음 그림에서 원 O는 △ABC의 내접원이고 세 점 D, E, F는 접점일 때, x의 값을 구하시오.

(1)

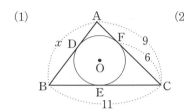

(2)

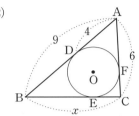

삼각형의 내접원 (2)

5-1 오른쪽 그림에서 원 O는 △ABC의 내접원이고 세 점 D, E, F는 접점일 때, △ABC의 둘레의 길이를 구하시오.

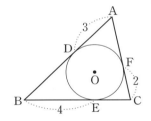

5-2 오른쪽 그림에서 원 O는 △ABC의 내접원이고 세 점 D, E, F는 접점일 때, △ABC의 둘레의 길이를 구하시오.

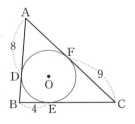

삼각형의 내접원 (3)

6-1 다음 그림에서 원 O는 △ABC의 내접원이고 세 점 D, E, F는 접점일 때, ☐ 안에 알맞은 것을 써넣으시오.

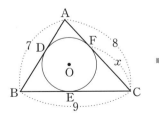 ➡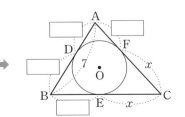

➡ $\overline{AB} = \overline{AD} + \overline{BD}$ 에서

$7 = (\boxed{}) + (\boxed{})$

∴ $x = \boxed{}$

6-2 다음 그림에서 원 O는 △ABC의 내접원이고 세 점 D, E, F는 접점일 때, x의 값을 구하시오.

(1)

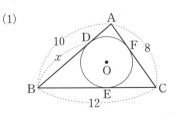

(2)

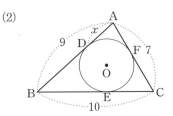

개념 01 원의 접선의 성질

원 O 밖의 한 점 P에서 이 원
에 그은 두 접선의 접점을 A,
B라고 하면
(1) $\overline{PA}=\overline{PB}$
(2) △PAB는 이등변삼각형

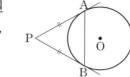

1-1

오른쪽 그림에서 두 점 A, B
는 점 P에서 원 O에 그은 접
선의 접점일 때, x의 값을 구
하시오.

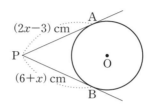

1-2

오른쪽 그림에서 세 점 A,
B, C는 원 O의 접점일 때,
다음을 구하시오.

(1) $\overline{PB}$의 길이

(2) $\overline{QB}$의 길이

(3) $\overline{QC}$의 길이

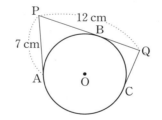

1-3

오른쪽 그림에서 $\overline{PA}$, $\overline{PB}$는
원 O의 접선이고 두 점 A, B
는 접점일 때, $\overline{PA}$의 길이를
구하시오.

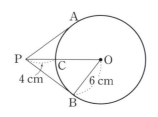

1-4

오른쪽 그림에서 두 점 A, B
는 점 P에서 원 O에 그은 접
선의 접점일 때, $\angle x$의 크기
를 구하시오.

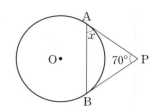

1-5

오른쪽 그림에서 $\overline{PA}$, $\overline{PB}$는
원 O의 접선이고 두 점 A,
B는 접점일 때, $\overline{AB}$의 길이
를 구하시오.

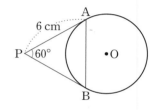

1-6

오른쪽 그림과 같이 $\overline{AD}$,
$\overline{AE}$, $\overline{BC}$는 각각 세 점
D, E, F에서 원 O에 접
할 때, △ABC의 둘레의
길이를 구하려고 한다. 다
음 물음에 답하시오.

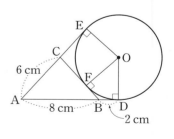

(1) $\overline{CE}$의 길이를 구하시오. ◁ $\overline{AE}=\overline{AD}$임을 이용해.

(2) $\overline{CF}$의 길이를 구하시오.

(3) △ABC의 둘레의 길이를 구하시오.

개념 02 삼각형의 내접원

원 O는 △ABC의 내접원이
고 세 점 D, E, F는 접점일
때,

(1) $\overline{AD}=\overline{AF}$, $\overline{BD}=\overline{BE}$,
$\overline{CE}=\overline{CF}$

(2) (△ABC의 둘레의 길이)
$=2(x+y+z)$

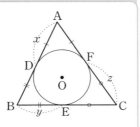

2-1

오른쪽 그림에서 원 O는
△ABC의 내접원이고 세 점
D, E, F는 접점일 때, x, y,
z의 값을 각각 구하시오.

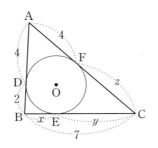

2-2

오른쪽 그림에서 원 O는
△ABC의 내접원이고 세
점 D, E, F는 접점일 때,
$\overline{BC}$의 길이를 구하시오.

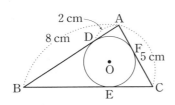

2-3

오른쪽 그림에서 원 O는
△ABC의 내접원이고 세
점 D, E, F는 접점일 때,
$\overline{AD}$의 길이를 구하시오.

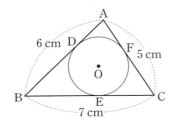

2-4

오른쪽 그림에서 원 O는
△ABC의 내접원이고 세
점 D, E, F는 접점일 때,
△ABC의 둘레의 길이
를 구하시오.

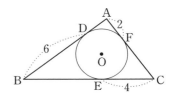

OE, OF를
그으면

□OECF는
정사각형

2-5

오른쪽 그림에서 원 O는
∠C=90°인 직각삼각형 ABC
의 내접원이고 세 점 D, E, F는
접점일 때, 원 O의 반지름의 길
이를 구하려고 한다. 다음 물음
에 답하시오.

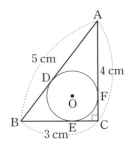

(1) $\overline{OE}$, $\overline{OF}$를 긋고 □OECF가 어떤 사각형인지 말하
시오.

(2) 원 O의 반지름의 길이를 r cm로 놓고, $\overline{AD}$, $\overline{BD}$의
길이를 각각 r를 사용하여 나타내시오.

(3) $\overline{AB}=\overline{AD}+\overline{BD}$임을 이용하여 원 O의 반지름의 길
이를 구하시오.

원에 외접하는 사각형의 두 쌍의 대변의 길이의 합은 서로 같다.

➡ $\overline{AB}+\overline{CD}=\overline{AD}+\overline{BC}$

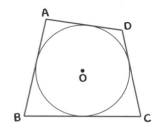

원 밖의 한 점에서
그은 두 접선의
길이는 서로 같아.

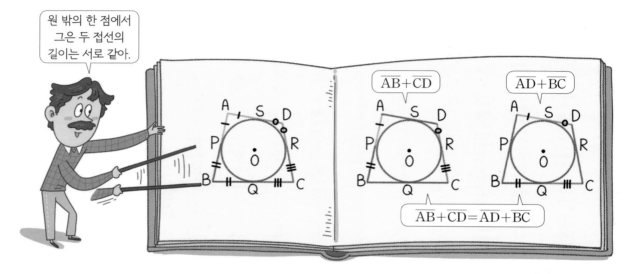

[예] □ABCD가 원 O에 외접할 때,
$\overline{AB}+\overline{CD}=\overline{AD}+\overline{BC}$이므로
$14+16=12+\overline{BC}$ ∴ $\overline{BC}=18\,(\text{cm})$

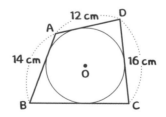

회색 글씨를 따라 쓰면서 개념을 정리해 보세요.

❖ 원에 외접하는 사각형의 두 쌍의 대변의 길이의 합은 서로 같다.

➡ $\overline{AB}+\boxed{\overline{CD}}=\overline{AD}+\boxed{\overline{BC}}$

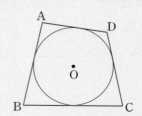

개념 원리 확인

○정답과 풀이 **31쪽**

원에 외접하는 사각형의 성질 (1)

1-1 다음 그림에서 □ABCD가 원 O에 외접할 때, x의 값을 구하시오.

(1)
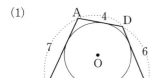

(2)
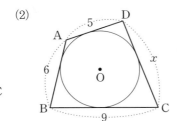

1-2 다음 그림에서 □ABCD가 원 O에 외접할 때, x의 값을 구하시오.

(1)
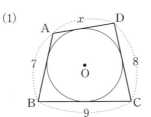

(2)
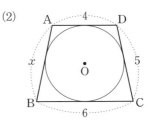

원에 외접하는 사각형의 성질 (2)

2-1 다음 그림에서 □ABCD가 원 O에 외접할 때, x의 값을 구하시오.

(1)
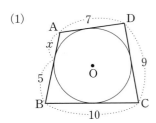

(2)
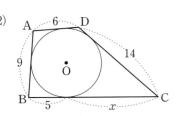

2-2 다음 그림에서 □ABCD가 원 O에 외접할 때, x의 값을 구하시오.

(1)
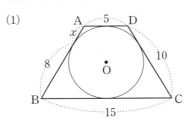

(2)
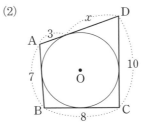

원에 외접하는 사각형의 성질 (3)

3-1 오른쪽 그림에서 □ABCD는 원 O에 외접하고 네 점 P, Q, R, S는 접점이다. □ABCD의 둘레의 길이를 구하시오.

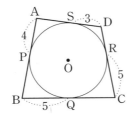

3-2 오른쪽 그림에서 □ABCD는 원 O에 외접하고 네 점 P, Q, R, S는 접점이다. □ABCD의 둘레의 길이를 구하시오.

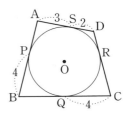

>> **원주각**

(1) 원 O에서 호 AB 위에 있지 않은 원 위의 한 점을 P라고 할 때, ∠APB를 호 AB에 대한 원주각이라고 한다.

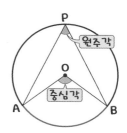

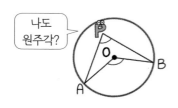

(2) 호 AB에 대한 중심각 ∠AOB는 하나로 정해지지만 원주각 ∠APB는 점 P의 위치에 따라 무수히 많다.

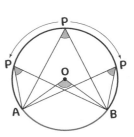

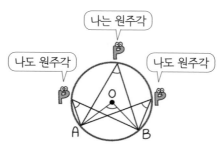

>> **원주각과 중심각의 크기**

한 원에서 한 호에 대한 원주각의 크기는 그 호에 대한 중심각의 크기의 $\frac{1}{2}$이다.

➡ $\angle APB = \frac{1}{2}\angle AOB$

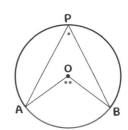

회색 글씨를 따라 쓰면서 개념을 정리해 보세요.

1 원 O에서 호 AB 위에 있지 않은 원 위의 한 점을 P라고 할 때, ∠APB를 호 AB에 대한 원주각 이라고 한다.

2 호 AB에 대한 중심각 ∠AOB는 하나로 정해지지만 원주각 ∠APB는 점 P의 위치에 따라 무수히 많다 .

3 한 원에서 한 호에 대한 원주각의 크기는 그 호에 대한 중심각의 크기의 $\boxed{\frac{1}{2}}$ 이다.

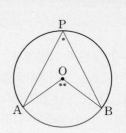

개념 원리 확인

○정답과 풀이 31쪽

원주각과 중심각의 크기 (1)

4-1 다음 그림과 같은 원 O에서 ∠x의 크기를 구하시오.

(1)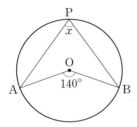

(2)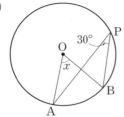

(3)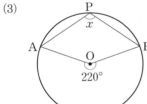

(4)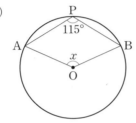

4-2 다음 그림과 같은 원 O에서 ∠x의 크기를 구하시오.

(1)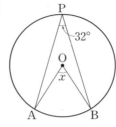

(2)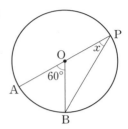

(3)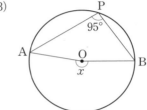

(4)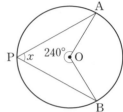

원주각과 중심각의 크기 (2)

5-1 다음 그림과 같은 원 O에서 ∠x의 크기를 구하려고 한다. ◯ 안에 알맞은 수를 써넣으시오.

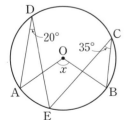 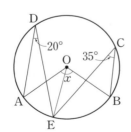

➡ $\overline{OE}$를 그으면

∠AOE = ◯ ∠ADE = ◯ °

∠EOB = ◯ ∠ECB = ◯ °

∴ ∠x = ∠AOE + ∠EOB

= ◯ ° + ◯ ° = ◯ °

5-2 다음 그림과 같은 원 O에서 ∠x의 크기를 구하시오.

(1)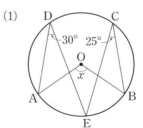

(2)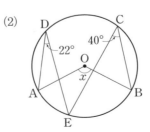

개념 01 원에 외접하는 사각형의 성질

원에 외접하는 사각형의 두 쌍의 대변의 길이의 합은 서로 같다.

➡ $\overline{AB}+\overline{CD}=\overline{AD}+\overline{BC}$

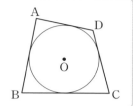

1-1

오른쪽 그림에서 □ABCD는 원 O에 외접할 때, $\overline{CD}$의 길이를 구하시오.

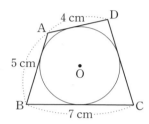

1-2

오른쪽 그림에서 □ABCD는 원 O에 외접하고 네 점 P, Q, R, S는 접점일 때, x의 값을 구하시오.

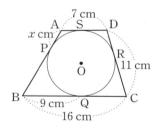

1-3

오른쪽 그림에서 □ABCD는 원 O에 외접하고 네 점 P, Q, R, S는 접점이다. □ABCD의 둘레의 길이가 28일 때, x의 값을 구하시오.

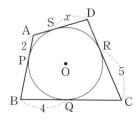

1-4

오른쪽 그림과 같이 반지름의 길이가 6 cm인 원 O가 □ABCD의 각 변과 네 점 P, Q, R, S에서 접한다. □ABCD의 넓이를 구하려고 할 때, 다음 물음에 답하시오.

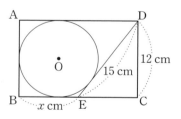

⑴ $\overline{CD}$의 길이를 구하시오.

⑵ $\overline{AD}$의 길이를 구하시오.

⑶ □ABCD의 넓이를 구하시오.

1-5

다음 그림에서 원 O는 직사각형 ABCD의 세 변과 접하고 $\overline{DE}$는 원 O의 접선일 때, x의 값을 구하려고 한다. 물음에 답하시오.

⑴ $\overline{EC}$의 길이를 구하시오.

⑵ $\overline{AD}$의 길이를 x를 사용하여 나타내시오.

⑶ $\overline{AB}$의 길이를 구하시오.

⑷ x의 값을 구하시오.

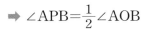

개념 02 원주각과 중심각의 크기

한 원에서 한 호에 대한 원주각
의 크기는 그 호에 대한 중심각
의 크기의 $\frac{1}{2}$이다.

➡ $\angle APB = \frac{1}{2} \angle AOB$

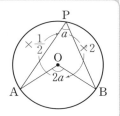

2-1

다음 그림과 같은 원 O에서 ∠x의 크기를 구하시오.

(1)
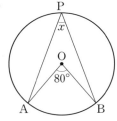

(2)
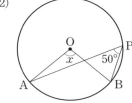

(3)
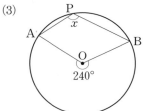

(4)
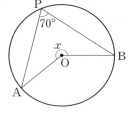

2-2

오른쪽 그림과 같은 원 O에서
∠BAD=80°일 때, ∠x, ∠y
의 크기를 각각 구하시오.

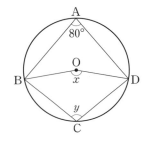

2-3

오른쪽 그림과 같은 원 O에서
∠APB=40°일 때, ∠x의 크기
를 구하시오.

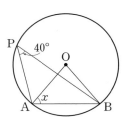

2-4

오른쪽 그림과 같은 원 O에서
∠APB=40°, ∠AOC=130°
일 때, ∠x의 크기를 구하시오.

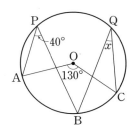

2-5

다음 그림에서 $\overrightarrow{PA}$, $\overrightarrow{PB}$는 원 O의 접선이고 두 점 A, B
는 접점이다. ∠ACB=72°일 때, ∠x, ∠y의 크기를 각
각 구하시오.

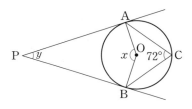

▶ 원주각의 성질(1)

한 원에서 한 호에 대한 원주각의 크기는 모두 같다.

➡ $\angle APB = \angle AQB = \angle ARB$

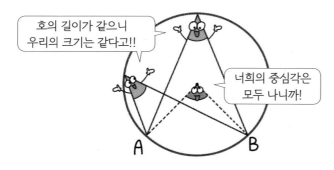

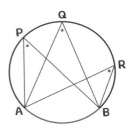

회색 글씨를 따라 쓰면서 개념을 정리해 보세요.

❖ 한 원에서 한 호에 대한 원주각의 크기는 모두 [같다].

➡ $\angle APB = \angle AQB = \angle ARB$

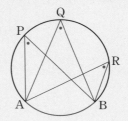

개념 원리 확인

○정답과 풀이 **33쪽**

원주각의 성질(1)

1-1 다음 그림과 같은 원에서 ∠*x*의 크기를 구하시오.

(1)
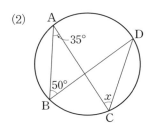

(2)

1-2 다음 그림과 같은 원에서 ∠*x*의 크기를 구하시오.

(1)
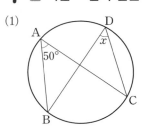

(2)
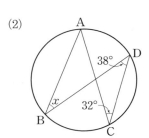

원주각의 성질(1)의 활용

2-1 다음 그림과 같은 원에서 ∠*x*의 크기를 구하려고 한다. ⬜ 안에 알맞은 수를 써넣으시오.

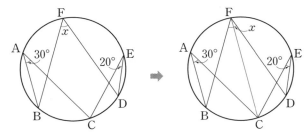

➡ $\overline{FC}$를 그으면

∠BFC = ∠BAC = ⬜° ($\overparen{BC}$에 대한 원주각)

∠CFD = ∠CED = ⬜° ($\overparen{CD}$에 대한 원주각)

∴ ∠*x* = ∠BFC + ∠CFD

　　= ⬜° + ⬜° = ⬜°

2-2 다음 그림과 같은 원에서 ∠*x*의 크기를 구하시오.

(1)
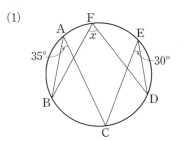

(2)
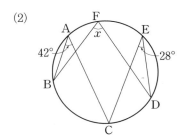

원주각의 성질(2)

반원에 대한 원주각의 크기는 90°이다.

➡ $\overline{AB}$가 원 O의 지름이면 $\angle APB = 90°$

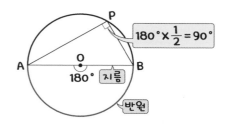

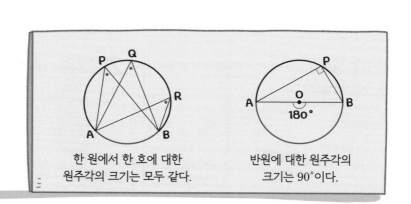

한 원에서 한 호에 대한
원주각의 크기는 모두 같다.

반원에 대한 원주각의
크기는 90°이다.

회색 글씨를 따라 쓰면서 개념을 정리해 보세요.

❖ 반원에 대한 원주각의 크기는 │ 90 │°이다.

➡ $\overline{AB}$가 원 O의 지름이면 $\angle APB = 90°$

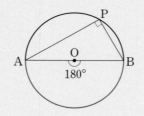

개념 원리 확인

○ 정답과 풀이 **33**쪽

원주각의 성질 (2)

3-1 다음 그림에서 $\overline{AB}$가 원 O의 지름일 때, $\angle x$의 크기를 구하시오.

(1)

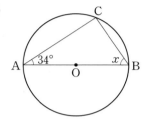

(2)

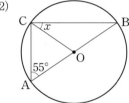

3-2 다음 그림에서 $\overline{AB}$가 원 O의 지름일 때, $\angle x$의 크기를 구하시오.

(1)

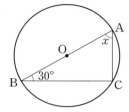

(2)

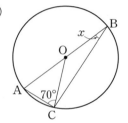

원주각의 성질 (2)의 활용

4-1 다음 그림에서 $\overline{AB}$가 원 O의 지름일 때, $\angle x$의 크기를 구하려고 한다. ◯ 안에 알맞은 수를 써넣으시오.

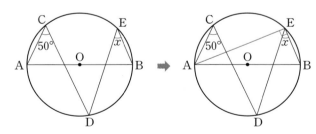

➡ $\overline{AE}$를 그으면 $\overline{AB}$가 원 O의 지름이므로

$\angle AEB = \boxed{}°$

$\angle AED = \angle ACD = \boxed{}°$ ($\overset{\frown}{AD}$에 대한 원주각)

∴ $\angle x = \angle AEB - \angle AED$

$= \boxed{}° - \boxed{}° = \boxed{}°$

4-2 다음 그림에서 $\overline{AB}$가 원 O의 지름일 때, $\angle x$의 크기를 구하시오.

(1)

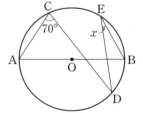

(2)

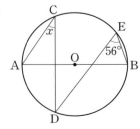

개념 01 원주각의 성질(1)

한 원에서 한 호에 대한 원주각의 크기는 모두 같다.

➡ ∠APB＝∠AQB＝∠ARB

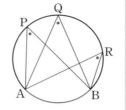

1-1

오른쪽 그림에서 ∠ABD＝65°, ∠BAC＝42°일 때, ∠x＋∠y 의 크기를 구하시오.

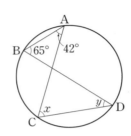

1-2

오른쪽 그림과 같은 원 O에서 ∠APB＝34°일 때, ∠x, ∠y의 크기를 각각 구하시오.

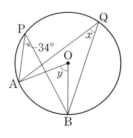

1-3

오른쪽 그림에서 ∠PAB＝87°, ∠PBA＝45°일 때, ∠x의 크기를 구하시오.

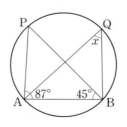

1-4

오른쪽 그림에서 ∠ADB＝50°, ∠DBC＝25°일 때, ∠x의 크기는?

① 55°　　　② 60°

③ 70°　　　④ 75°

⑤ 80°

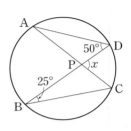

1-5

오른쪽 그림에서 ∠BAC＝47°, ∠BFD＝85°일 때, ∠x의 크기를 구하시오.

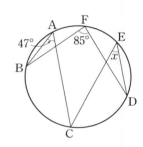

1-6

오른쪽 그림과 같은 원 O에서 ∠AOB＝114°, ∠APC＝75° 일 때, ∠x의 크기를 구하시오.

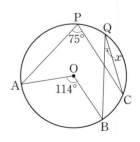

개념02 **원주각의 성질**(2)

반원에 대한 원주각의 크기는
90°이다.

➡ $\overline{AB}$가 원 O의 지름이면
  ∠APB=90°

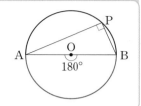

2-1

오른쪽 그림에서 $\overline{AC}$는 원 O의
지름이고 ∠BAC=25°일 때,
∠x의 크기를 구하시오.

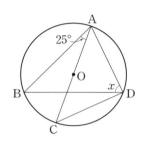

2-2

오른쪽 그림에서 $\overline{AC}$는 원 O의
지름이고 ∠BDC=37°일 때,
∠x의 크기를 구하시오.

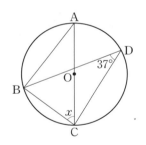

2-3

오른쪽 그림에서 $\overline{AB}$, $\overline{CD}$는
원 O의 지름이고
∠APC=20°일 때, ∠x, ∠y
의 크기를 각각 구하시오.

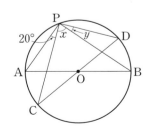

2-4

오른쪽 그림에서 $\overline{AC}$는 원 O
의 지름이고 ∠BDC=38°일
때, ∠x의 크기를 구하시오.

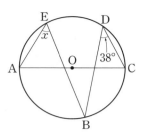

2-5

오른쪽 그림에서 $\overline{BD}$는 원 O
의 지름이고 ∠ACD=55°일
때, ∠x의 크기를 구하시오.

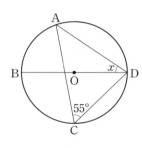

2-6

오른쪽 그림에서 $\overline{AB}$는 반원
O의 지름이고 점 P는 $\overline{AC}$와
$\overline{BD}$의 연장선의 교점이다.
∠COD=40°일 때, 다음을 구
하시오.

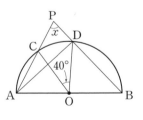

⑴ ∠ADP의 크기

⑵ ∠CAD의 크기

⑶ ∠x의 크기

한 원에서

(1) 길이가 같은 호에 대한 원주각의 크기는 서로 같다.

➡ $\overarc{AB}=\overarc{CD}$이면 $\angle APB = \angle CQD$

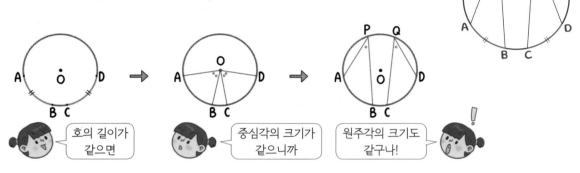

호의 길이가 같으면

중심각의 크기가 같으니까

원주각의 크기도 같구나!

(2) 크기가 같은 원주각에 대한 호의 길이는 서로 같다.

➡ $\angle APB = \angle CQD$이면 $\overarc{AB}=\overarc{CD}$

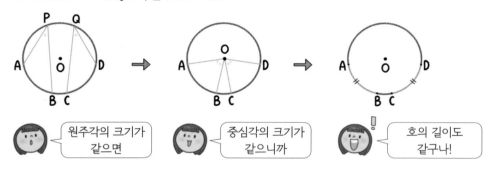

원주각의 크기가 같으면

중심각의 크기가 같으니까

호의 길이도 같구나!

(3) 원주각의 크기와 호의 길이는 서로 정비례한다.

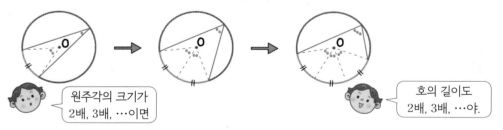

원주각의 크기가 2배, 3배, …이면

호의 길이도 2배, 3배, …야.

회색 글씨를 따라 쓰면서 개념을 정리해 보세요.

❖ 한 원에서

1 길이가 같은 호 에 대한 원주각의 크기 는 서로 같다 .

2 크기가 같은 원주각 에 대한 호의 길이 는 서로 같다 .

3 원주각의 크기와 호의 길이는 서로 정비례 한다.

개념 원리 확인

○정답과 풀이 **35쪽**

원주각의 크기와 호의 길이 (1)

1-1 다음 그림에서 x의 값을 구하시오.

(1)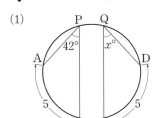

(2)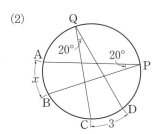

1-2 다음 그림에서 x의 값을 구하시오.

(1)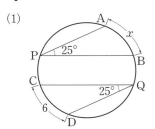

(2)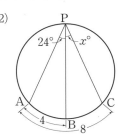

원주각의 크기와 호의 길이 (2)

2-1 다음 그림에서 x의 값을 구하시오.

(1)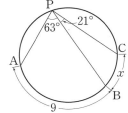

(2)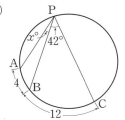

2-2 다음 그림에서 x의 값을 구하시오.

(1)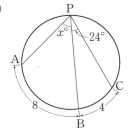

(2)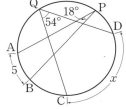

원주각의 크기와 호의 길이 (3)

3-1 다음 그림에서 $\widehat{AB}=\widehat{BC}$일 때, $\angle x$의 크기를 구하려고 한다. ⬜ 안에 알맞은 수를 써넣으시오.

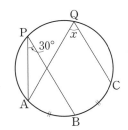 ➡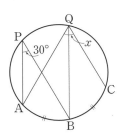

➡ $\overline{QB}$를 그으면 $\angle AQB = \angle APB = \boxed{}°$

  $\widehat{AB}=\widehat{BC}$이므로 $\angle BQC = \angle AQB = \boxed{}°$

  ∴ $\angle x = \angle AQB + \angle BQC$

    $= \boxed{}° + \boxed{}° = \boxed{}°$

3-2 다음 그림에서 $\widehat{AB}=\widehat{BC}$일 때, $\angle x$의 크기를 구하시오.

(1)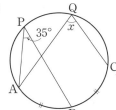

(2)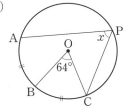

∠ADB＞∠ACB이면 점 D가 원에 닿지 않아.

∠ADB＜∠ACB이면 점 D가 원을 벗어나.

∠ACB＝∠ADB이면 점 D가 원에 딱 맞네.

네 점이 한 원 위에 있을 조건

두 점 C, D가 직선 AB에 대하여 같은 쪽에 있을 때,

(1) ∠ACB＝∠ADB이면 네 점 A, B, C, D는 한 원 위에 있다.

(2) 네 점 A, B, C, D가 한 원 위에 있으면 ∠ACB＝∠ADB이다.
　　　　　　　　　　　　　　　　　└→ 호 AB에 대한 원주각

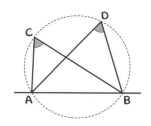

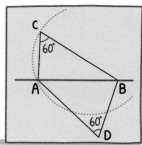

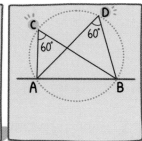

∠ACB＝∠ADB이니까 네 점 A, B, C, D는 한 원 위에 있…?

아니야. 두 점 C, D가 직선 AB에 대하여 같은 쪽에 있어야 해.

회색 글씨를 따라 쓰면서 개념을 정리해 보세요.

❖ 두 점 C, D가 직선 AB에 대하여 같은 쪽에 있을 때,

1 ∠ACB＝∠ADB이면 네 점 A, B, C, D는 한 원 위에 있다.

2 네 점 A, B, C, D가 한 원 위에 있으면 ∠ACB＝∠ADB이다.

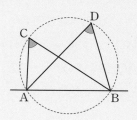

개념 원리 확인

○정답과 풀이 **35쪽**

네 점이 한 원 위에 있을 조건

4-1 다음 그림에서 네 점 A, B, C, D가 한 원 위에 있으면 ○표, 한 원 위에 있지 않으면 ×표를 (   ) 안에 써넣으시오.

(1)

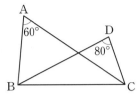

(   )

(2)

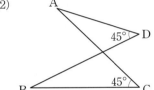

(   )

(3)

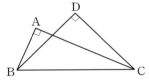

(   )

(4)

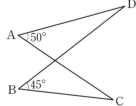

(   )

(5)

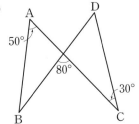

(   )

4-2 다음 그림에서 네 점 A, B, C, D가 한 원 위에 있도록 하는 ∠x의 크기를 구하시오.

(1)

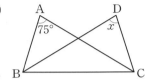

(2)

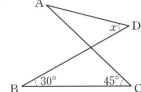

(3)

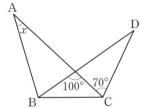

(4)

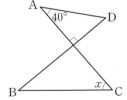

(5)

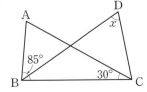

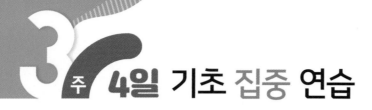
개념 01 원주각의 크기와 호의 길이

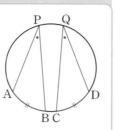

한 원에서

(1) 길이가 같은 호에 대한 원주각
의 크기는 서로 같다.

➡ $\overset{\frown}{AB}=\overset{\frown}{CD}$이면

$\angle APB=\angle CQD$

(2) 크기가 같은 원주각에 대한 호
의 길이는 서로 같다.

➡ $\angle APB=\angle CQD$이면 $\overset{\frown}{AB}=\overset{\frown}{CD}$

(3) 원주각의 크기와 호의 길이는 서로 정비례한다.

1-1

오른쪽 그림에서 점 P는 두
현 AC, BD의 교점이고
$\overset{\frown}{AB}=\overset{\frown}{CD}$이다.
$\angle DBC=21°$일 때, $\angle x$의 크
기를 구하시오.

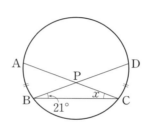

1-2

오른쪽 그림에서 $\overset{\frown}{AB}=\overset{\frown}{BC}$이고
$\angle ABD=40°$, $\angle BDC=43°$일
때, $\angle x$의 크기는?

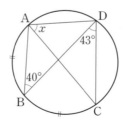

① 50°　　② 52°

③ 54°　　④ 56°

⑤ 58°

1-3

오른쪽 그림과 같은 원 O에서
$\overset{\frown}{AB}=\overset{\frown}{BC}$이고 $\angle APB=28°$일
때, $\angle x$, $\angle y$의 크기를 각각 구하
시오.

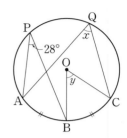

1-4

오른쪽 그림에서
$\overset{\frown}{AB}=3$ cm, $\overset{\frown}{BC}=9$ cm
이고 $\angle BQC=60°$일 때,
$\angle x$의 크기를 구하시오.

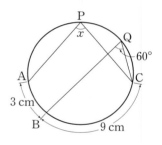

1-5

오른쪽 그림과 같은 원 O에
서 $\overset{\frown}{AB}=4$ cm,
$\overset{\frown}{CD}=6$ cm이고
$\angle AOB=60°$일 때, $\angle x$의
크기를 구하려고 한다. 다
음 물음에 답하시오.

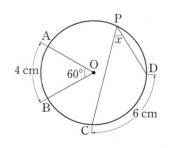

(1) $\overline{AP}$, $\overline{BP}$를 긋고 $\angle APB$의 크기를 구하시오.

(2) $\angle APB : \angle CPD=\overset{\frown}{AB} : \overset{\frown}{CD}$임을 이용하여 $\angle x$의
크기를 구하시오.

1-6

오른쪽 그림에서 점 P는 두 현 AC, BD의 교점이다.

∠BAC=35˚, ∠APD=80˚, $\overparen{BC}$=14 cm일 때, $\overparen{AD}$의 길이를 구하려고 한다. 다음 물음에 답하시오.

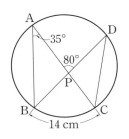

(1) ∠ABD의 크기를 구하시오.

(2) ∠ABD : ∠BAC=$\overparen{AD}$: $\overparen{BC}$임을 이용하여 $\overparen{AD}$의 길이를 구하시오.

1-7

다음 그림에서 원 O는 △ABC의 외접원이다.

$\overparen{AB}$: $\overparen{BC}$: $\overparen{CA}$=5 : 4 : 3일 때, ☐ 안에 알맞은 수를 써넣으시오.

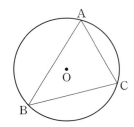

(1) ∠A+∠B+∠C=☐˚

(2) $\overparen{AB}$: $\overparen{BC}$: $\overparen{CA}$=5 : 4 : 3이므로
　∠C : ∠A : ∠B=☐ : ☐ : ☐

(3) ∠A=180˚×$\dfrac{☐}{5+4+3}$=☐˚

(4) ∠B=180˚×$\dfrac{☐}{5+4+3}$=☐˚

(5) ∠C=180˚×$\dfrac{☐}{5+4+3}$=☐˚

개념 02 네 점이 한 원 위에 있을 조건

두 점 C, D가 직선 AB에 대하여 같은 쪽에 있을 때,

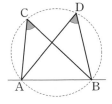

(1) ∠ACB=∠ADB이면 네 점 A, B, C, D는 한 원 위에 있다.

(2) 네 점 A, B, C, D가 한 원 위에 있으면 ∠ACB=∠ADB이다.

2-1

다음 중 네 점 A, B, C, D가 한 원 위에 있는 것을 모두 고르면? (정답 2개)

①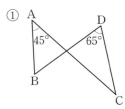

②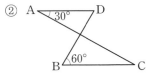

③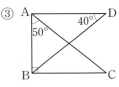

④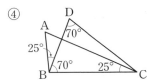

⑤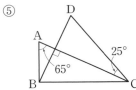

2-2

오른쪽 그림에서 네 점 A, B, C, D가 한 원 위에 있을 때, ∠x의 크기를 구하시오.

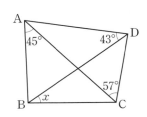

> **한 쌍의 대각의 크기의 합**

원에 내접하는 사각형에서 한 쌍의 대각의 크기의 합은 180°이다.

➡ $\angle A + \angle C = 180°$, $\angle B + \angle D = 180°$

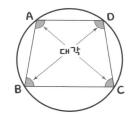

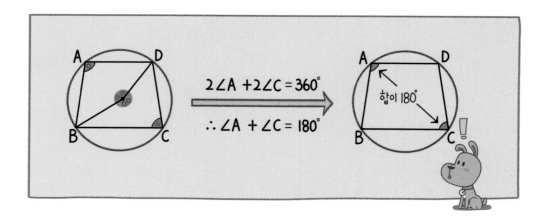

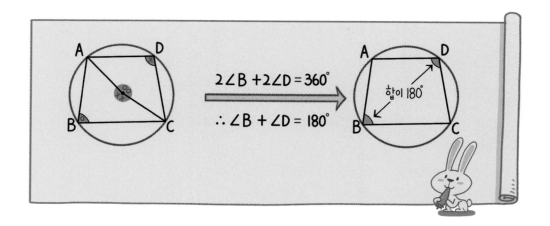

회색 글씨를 따라 쓰면서 개념을 정리해 보세요.

❖ 원에 내접하는 사각형에서 한 쌍의 대각의 크기의 합은 180° 이다.

➡ $\angle A + \angle C = 180°$, $\angle B + \angle D = 180°$

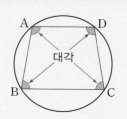

개념 원리 확인

○정답과 풀이 **36**쪽

한 쌍의 대각의 크기의 합(1)

1-1 다음 그림에서 □ABCD가 원에 내접할 때, ∠x, ∠y의 크기를 각각 구하시오.

(1)
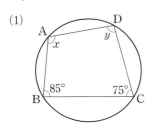

(2)
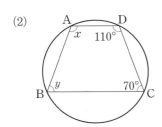

(3)
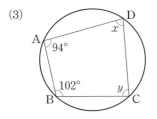

1-2 다음 그림에서 □ABCD가 원에 내접할 때, ∠x, ∠y의 크기를 각각 구하시오.

(1)
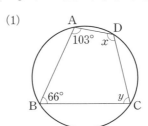

(2)
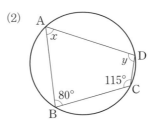

(3)
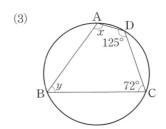

한 쌍의 대각의 크기의 합(2)

2-1 다음 그림에서 □ABCD가 원에 내접할 때, ∠x의 크기를 구하시오.

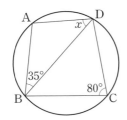

2-2 다음 그림에서 □ABCD가 원에 내접할 때, ∠x의 크기를 구하시오.

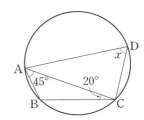

한 외각의 크기와 그 각에 이웃한 내각의 대각의 크기

원에 내접하는 사각형의 한 외각의 크기는 그와 이웃한 내각의 대각의 크기와
같다.

➡ $\angle DCE = \angle BAD$

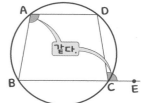

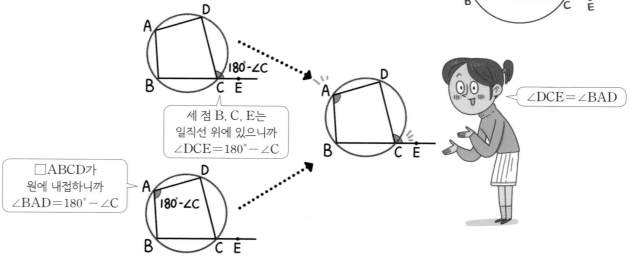

세 점 B, C, E는
일직선 위에 있으니까
$\angle DCE = 180° - \angle C$

□ABCD가
원에 내접하니까
$\angle BAD = 180° - \angle C$

$\angle DCE = \angle BAD$

원에 내접하는
사각형의 성질을
정리해 보자!

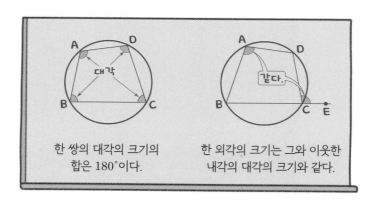

한 쌍의 대각의 크기의
합은 180°이다.

한 외각의 크기는 그와 이웃한
내각의 대각의 크기와 같다.

회색 글씨를 따라 쓰면서 개념을 정리해 보세요.

❖ 원에 내접하는 사각형의 한 외각의 크기는 그와 이웃한 내각의 대각의 크기와
　같다 .

　➡ $\angle DCE = \angle BAD$

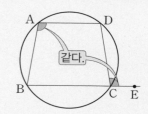

개념 원리 확인

ㅇ정답과 풀이 **37**쪽

한 외각의 크기와 그 각에 이웃한 내각의 대각의 크기 (1)

3-1 다음 그림에서 □ABCD가 원에 내접할 때, ∠x의
크기를 구하시오.

(1)
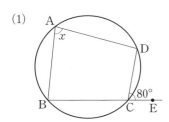

(2)
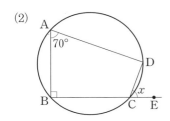

3-2 다음 그림에서 □ABCD가 원에 내접할 때, ∠x의
크기를 구하시오.

(1)
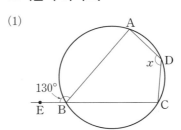

(2)
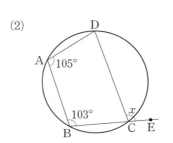

한 외각의 크기와 그 각에 이웃한 내각의 대각의 크기 (2)

4-1 다음 그림에서 □ABCD가 원에 내접할 때, ∠x의
크기를 구하시오.

(1)
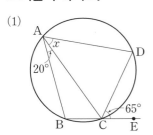

(2)
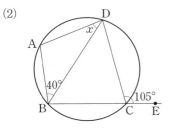

4-2 다음 그림에서 □ABCD가 원에 내접할 때, ∠x의
크기를 구하시오.

(1)
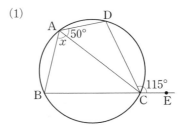

(2)
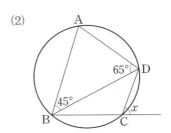

3
주

5일

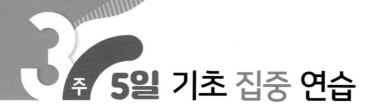

개념 01 원에 내접하는 사각형의 성질 (1)

원에 내접하는 사각형에서 한 쌍의 대각의 크기의 합은 180°이다.

➡ ∠A+∠C=180°,
∠B+∠D=180°

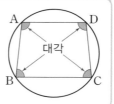

1-1

오른쪽 그림에서 □ABCD가 원에 내접할 때, x의 값은?

① 100   ② 105

③ 110   ④ 115

⑤ 120

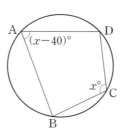

1-2

오른쪽 그림에서 □ABCD는 원에 내접하고 ∠BAC=60°, ∠ACB=45°일 때, ∠x의 크기를 구하시오.

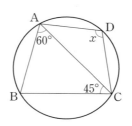

1-3

오른쪽 그림에서 □ABCD는 원 O에 내접하고 ∠BCD=110°일 때, ∠x+∠y의 크기를 구하시오.

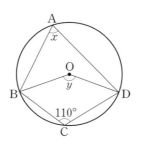

1-4

오른쪽 그림에서 □ABCD는 원에 내접하고 $\overline{AC}=\overline{AD}$, ∠CAD=46°일 때, ∠$x$의 크기를 구하시오.

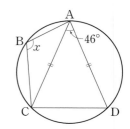

1-5

오른쪽 그림에서 □ABCD는 원 O에 내접하고 $\overline{BC}$는 원 O의 지름이다. ∠DBC=30°일 때, ∠x, ∠y의 크기를 각각 구하시오.

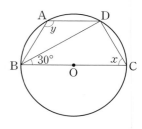

1-6

오른쪽 그림과 같은 □ABCD에서 ∠BAC=∠BDC=58°, ∠ACB=42°, ∠ACD=30°일 때, ∠x의 크기를 구하시오.

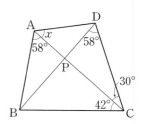

개념 02 원에 내접하는 사각형의 성질(2)

원에 내접하는 사각형의 한 외각의 크기는 그와 이웃한 내각의 대각의 크기와 같다.

→ ∠DCE = ∠BAD

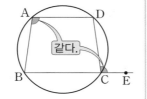

같다.

2-1

오른쪽 그림에서 □ABCD 는 원에 내접하고
∠EAD=73°,
∠ABC=97°일 때,
∠y−∠x의 크기는?

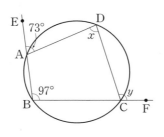

① 20°　　② 24°　　③ 28°
④ 32°　　⑤ 36°

2-2

오른쪽 그림에서 □ABCD 는 원에 내접하고
∠ACB=65°, ∠EDC=80° 일 때, ∠x의 크기는?

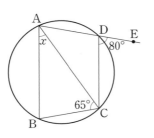

① 15°　　② 20°
③ 25°　　④ 30°
⑤ 35°

2-3

오른쪽 그림에서 □ABCD 는 원에 내접하고
∠BAC=53°,
∠ABE=100°일 때, ∠x의 크기를 구하시오.

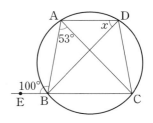

2-4

오른쪽 그림에서 □ABCD 는 원 O에 내접하고
∠BOD=130°일 때, ∠x의 크기는?

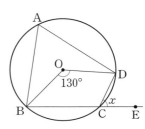

① 60°　　② 62°
③ 65°　　④ 67°
⑤ 70°

2-5

다음 그림과 같이 원에 내접하는 □ABCD에서 점 E는 두 현 AD, BC의 연장선의 교점이다. ∠AEB=32°, ∠BCD=88°일 때, ∠x의 크기를 구하시오.

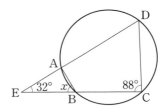

누구나 100점 테스트

01 다음 그림에서 두 점 A, B는 점 P에서 원 O에 그은 두 접선의 접점일 때, $\overline{PA}$의 길이를 구하시오.

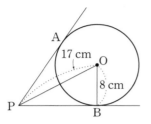

02 다음 그림에서 원 O는 △ABC의 내접원이고 세 점 D, E, F는 접점일 때, $\overline{CE}$의 길이를 구하시오.

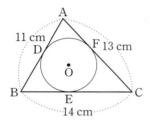

03 다음 그림에서 □ABCD가 원 O에 외접할 때, x의 값을 구하시오.

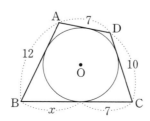

04 다음 그림과 같은 원 O에서 ∠x의 크기를 구하시오.

(1)　　　　　　　　(2)

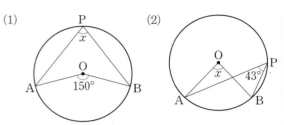

(3)　　　　　　　　(4)

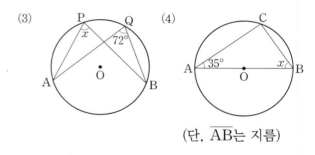

(단, $\overline{AB}$는 지름)

05 다음 그림에서 x의 값을 구하시오.

(1)

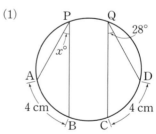

(2)

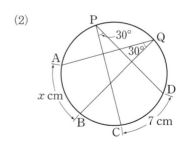

06 다음 그림과 같은 원 O에서 ∠AQC=70°, ∠BOC=80°일 때, ∠x의 크기를 구하시오.

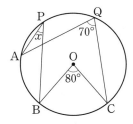

07 다음 그림에서 $\overline{BC}$는 원 O의 지름이고 ∠CBD=37°일 때, ∠x의 크기를 구하시오.

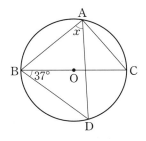

08 다음 그림에서 $\overline{PB}$는 원 O의 지름이고 $\overparen{AB}$=15 cm, $\overparen{BC}$=9 cm, ∠AOB=110°일 때, ∠x의 크기를 구하시오.

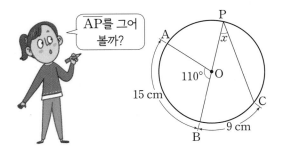

$\overline{AP}$를 그어 볼까?

09 다음 보기 중 네 점 A, B, C, D가 한 원 위에 있는 것을 모두 고르시오.

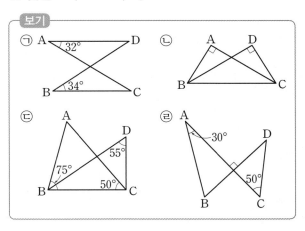

10 다음 그림에서 □ABCD가 원 O에 내접할 때, ∠x, ∠y의 크기를 각각 구하시오.

(1)
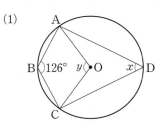

(2)
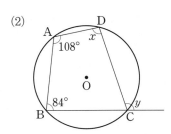

1 다음 ☐ 안에 알맞은 것을 써넣으시오.

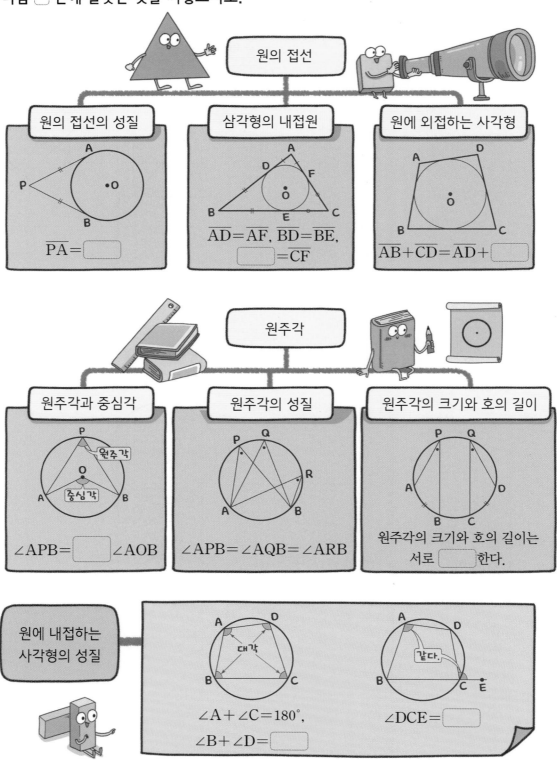

원의 접선

원의 접선의 성질

$\overline{PA} = $ ☐

삼각형의 내접원

$\overline{AD} = \overline{AF}$, $\overline{BD} = \overline{BE}$,
☐ $= \overline{CF}$

원에 외접하는 사각형

$\overline{AB} + \overline{CD} = \overline{AD} + $ ☐

원주각

원주각과 중심각

원주각

중심각

$\angle APB = $ ☐ $\angle AOB$

원주각의 성질

$\angle APB = \angle AQB = \angle ARB$

원주각의 크기와 호의 길이

원주각의 크기와 호의 길이는
서로 ☐ 한다.

원에 내접하는
사각형의 성질

대각

$\angle A + \angle C = 180°$,
$\angle B + \angle D = $ ☐

같다.

$\angle DCE = $ ☐

2 다음 그림과 같이 원 모양의 잔디밭에 직사각형 모양의 무대가 있다. 점 C에서 무대의 양 끝 A 지점과 B 지점을 바라본 각의 크기가 30°이고 A 지점과 B 지점 사이의 거리가 40 m 일 때, 다음 물음에 답하시오. (단, 점 O는 잔디밭의 중심이다.)

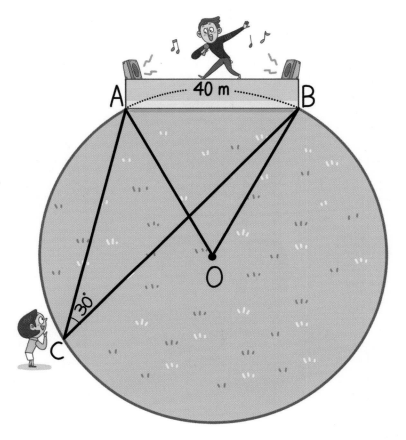

(1) ∠AOB의 크기를 구하시오.

(2) △AOB는 어떤 삼각형인지 말하시오.

(3) 이 잔디밭의 지름의 길이를 구하시오.

3 다음 그림을 보고 물음에 답하시오.

⑴ 준희와 정우 중 원의 접선의 성질을 바르게 말한 학생을 말하시오.

⑵ $\overline{PA}=10\ cm$일 때, $\overline{PC}$의 길이를 구하시오.

4 은하가 학교 사물함의 비밀번호를 잊어버렸다. 사물함의 비밀번호는 다음 그림에서 x의 값을 구하여 만들 수 있는 가장 큰 네 자리의 자연수라고 할 때, 사물함의 비밀번호를 구하시오.

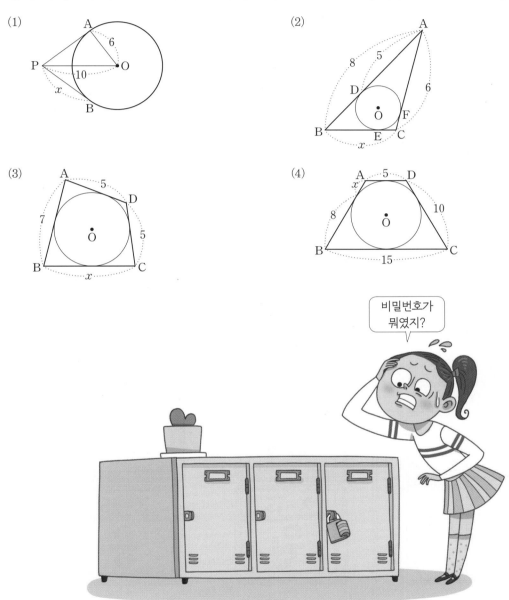

(1)

(2)

(3)

(4)

5 다음 그림에서 x의 값을 구한 후 x의 값이 있는 카드를 찾아 카드에 적힌 글자를 이용하여 문장을 완성하시오.

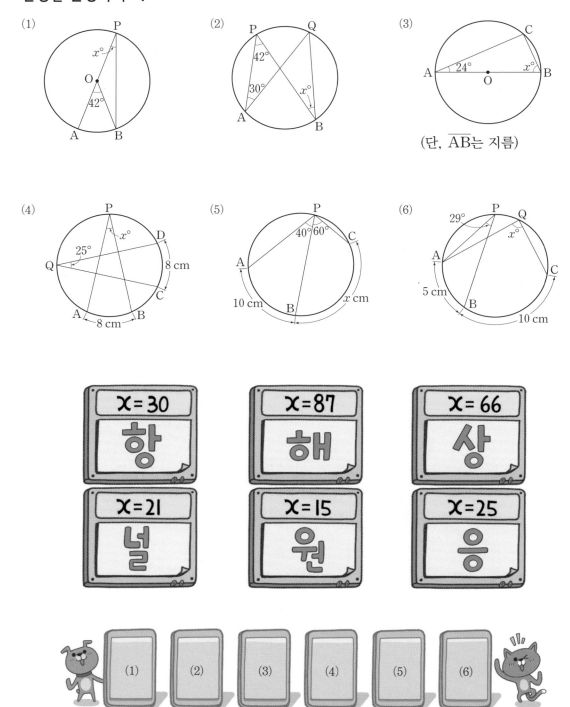

(3) (단, $\overline{AB}$는 지름)

○ 정답과 풀이 **39**쪽

6 다음 그림에서 □ABCD가 원에 내접할 때, ∠x의 크기를 구하여 역사적 사건과 인물을 짝 지으시오.

(1)
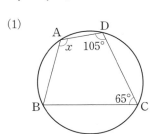

(2)
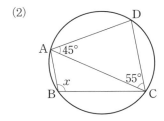

(3)
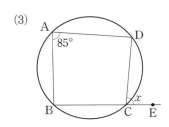

(4)
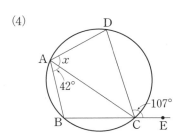

동학농민운동   임진왜란   3 · 1 운동   측우기 발명
(1)   (2)   (3)   (4)

•   •   •   •

•   •   •   •

㉠ 85°   ㉡ 65°   ㉢ 115°   ㉣ 100°
유관순   장영실   전봉준   이순신

4주에는 무엇을 공부할까? ❶

• 이번 주에 공부할 내용
원의 접선과 현 / 평균, 중앙값, 최빈값 / 분산과 표준편차 / 산점도와 상관관계

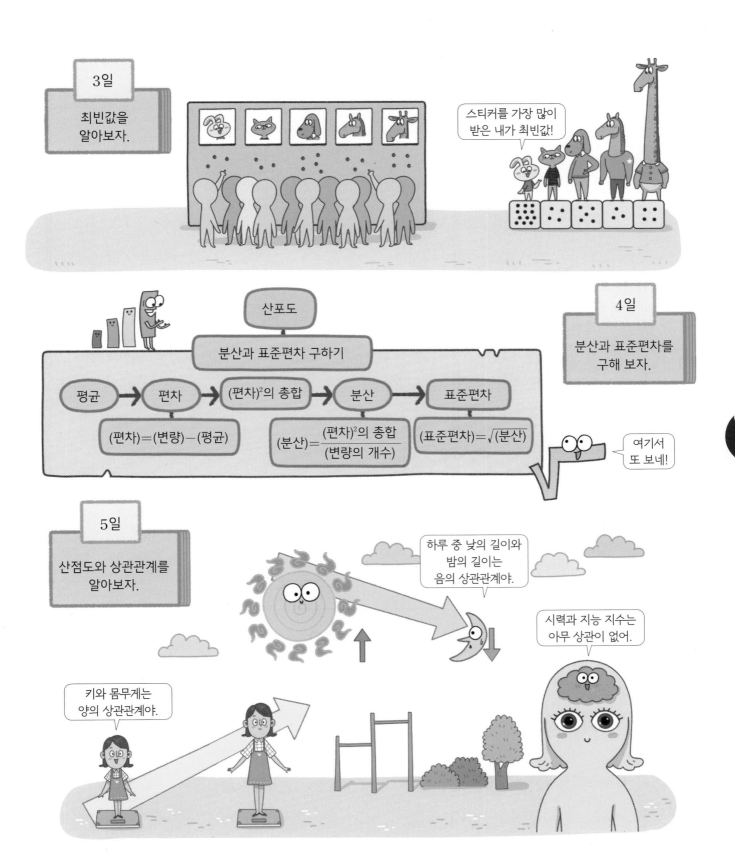

3일

최빈값을 알아보자.

스티커를 가장 많이 받은 내가 최빈값!

4일

분산과 표준편차를 구해 보자.

산포도

분산과 표준편차 구하기

평균 → 편차 → (편차)²의 총합 → 분산 → 표준편차

$(편차)=(변량)-평균$

$(분산)=\dfrac{(편차)^2의\ 총합}{(변량의\ 개수)}$

$(표준편차)=\sqrt{(분산)}$

여기서 또 보네!

5일

산점도와 상관관계를 알아보자.

하루 중 낮의 길이와 밤의 길이는 음의 상관관계야.

시력과 지능 지수는 아무 상관이 없어.

키와 몸무게는 양의 상관관계야.

4주에는 무엇을 공부할까? ❷

🔍 원에 내접하는 사각형의 성질을 알고 있는가?

1-1

다음 그림에서 □ABCD가 원에 내접할 때, ∠x의 크기를 구하시오.

(1)
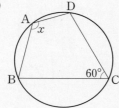

(2)
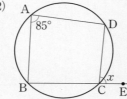

• 원에 내접하는 사각형의 성질

(1) 원에 내접하는 사각형에서 한 쌍의 대각의 크기의 합은 180°이다.
➡ ∠A + ∠C = 180° 또는 ∠B + ∠D = 180°

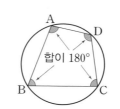

(2) 원에 내접하는 사각형의 한 외각의 크기는 그와 이웃한 내각의 대각의 크기와 같다.
➡ ∠DCE = ∠BAD

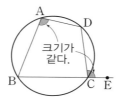

1-2

다음 그림에서 □ABCD가 원에 내접할 때, ∠x의 크기를 구하시오.

(1)
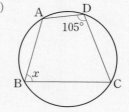

(2)
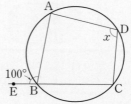

🔍 평균을 구할 수 있는가?

2-1

다음 자료의 평균을 구하시오.

(1) 3, 9, 4, 8

(2) 7, 15, 8, 9, 11

• 평균 : 변량의 총합을 변량의 개수로 나눈 값

➡ (평균) = $\dfrac{(변량의\ 총합)}{(변량의\ 개수)}$

2-2

다음 자료의 평균을 구하시오.

(1) 6, 5, 8, 1

(2) 11, 6, 5, 14, 9

(3) 22, 17, 5, 27, 9

줄기와 잎 그림을 알고 있는가?

3-1

다음은 현지네 반 학생 20명의 체육 수행 평가 점수를 조사하여 나타낸 줄기와 잎 그림이다. 가장 많은 학생이 받은 체육 수행 평가 점수를 말하시오.

체육 수행 평가 점수　(2|8은 28점)

줄기	잎
2	8　9
3	3　5　8
4	1　3　4　8　9　9
5	1　3　4　5　5　5　8　8　9

- 줄기와 잎 그림 : 줄기와 잎을 이용하여 자료를 나타낸 그림

　[자료]　　　　　　[줄기와 잎 그림]

（단위 : 회）　　　　　　（1|2는 12회）

24	17	12
17	30	25

줄기	잎
1	2　7　7 → 중복된 변량은 중복된 횟수만큼 나열한다.
2	4　5
3	0

3-2

다음은 현수네 반 학생 20명의 줄넘기 기록을 조사하여 나타낸 줄기와 잎 그림이다. 줄넘기 기록이 10번째로 좋은 학생의 줄넘기 기록을 말하시오.

줄넘기 기록　　（1|2는 12회）

줄기	잎
1	2　3　5
2	3　5　5　8　9
3	0　1　3　6　7　8
4	2　3　4　9
5	0　7

 순서쌍을 이용하여 좌표평면 위에 점의 위치를 나타낼 수 있는가?

4-1

오른쪽 좌표평면을 보고, 다음 물음에 답하시오.

(1) 점 A의 좌표를 기호로 나타내시오.

(2) 점 $B(1, -4)$를 좌표평면 위에 나타내시오.

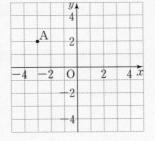

- 순서쌍 : 두 수의 순서를 정하여 짝 지어 나타낸 것
- 좌표평면 위의 점의 좌표

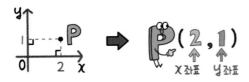

4-2

오른쪽은 어느 동물원에서 동물의 위치를 좌표평면 위에 나타낸 것이다. 다음 물음에 답하시오.

(1) 코끼리의 위치를 나타낸 점의 좌표를 기호로 나타내시오.

(2) 사자의 위치를 나타낸 점의 좌표가 $(2, -1)$일 때, 사자의 위치를 좌표평면 위에 나타내시오.

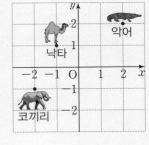

(1) 한 쌍의 대각의 크기의 합이 180°인 사각형은 원에 내접한다.

➡ $\angle A + \angle C = 180°$ 또는 $\angle B + \angle D = 180°$인 □ABCD는 원에 내접한다.

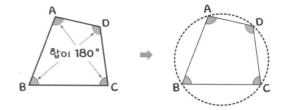

(2) 한 외각의 크기와 그와 이웃한 내각의 대각의 크기가 같은 사각형은 원에 내접한다.

➡ $\angle DCE = \angle BAD$인 □ABCD는 원에 내접한다.

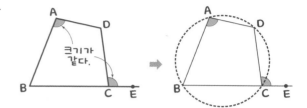

사각형이 원에 내접하기 위한 조건을 정리해보자.

한 변에 대하여 같은 쪽에 있는 각의 크기가 서로 같을 때

$\angle BAC = \angle BDC$

한 쌍의 대각의 크기의 합이 180°일 때

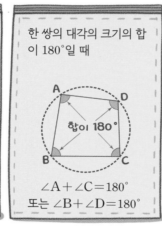

$\angle A + \angle C = 180°$
또는 $\angle B + \angle D = 180°$

한 외각의 크기와 그와 이웃한 내각의 대각의 크기가 같을 때

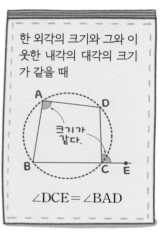

$\angle DCE = \angle BAD$

회색 글씨를 따라 쓰면서 개념을 정리해 보세요.

1 한 쌍의 [대각의 크기의 합이 180°]인 사각형은 원에 내접한다.

➡ $\angle A + \angle C = 180°$ 또는 $\angle B + \angle D = 180°$인 □ABCD는 원에 내접한다.

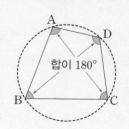

2 한 [외각의 크기]와 그와 이웃한 [내각의 대각의 크기]가 같은 사각형은 원에 내접한다.

➡ $\angle DCE = \angle BAD$인 □ABCD는 원에 내접한다.

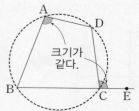

개념 원리 확인

○정답과 풀이 **40쪽**

사각형이 원에 내접하기 위한 조건

1-1 다음 그림에서 □ABCD가 원에 내접하는 것에는 ○표, 내접하지 않는 것에는 ×표를 ( ) 안에 써넣으시오.

(1)

A 100°
D
B 80° C

( )

(2)

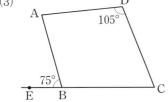

A 55°
D
B 100°
55°
C

( )

(3)

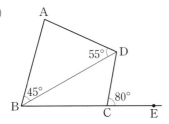

A D 105°
75°
E B C

( )

(4)

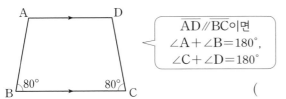

A
55° D
45° 80°
B C E

( )

(5)

A D
80° 80°
B C

$\overline{AD}/\!/\overline{BC}$이면
$\angle A + \angle B = 180°$,
$\angle C + \angle D = 180°$

( )

1-2 다음 그림에서 □ABCD가 원에 내접하도록 하는 $\angle x$의 크기를 구하시오.

(1)

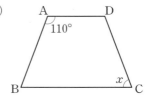

A 110° D
B x C

(2)

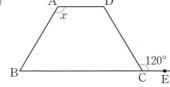

A x D
B 120°
C E

(3)

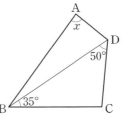

A x
D 50°
B 35° C

(4)

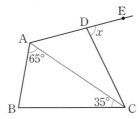

E
D x
A 65°
B 35° C

(5)

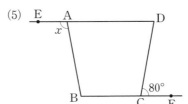

E A D
x
B 80°
C F

원의 접선과 그 접점을 지나는 현이 이루는 각의 크기는 그 각의 내부에 있는
호에 대한 원주각의 크기와 같다.

➡ ∠BAT = ∠BCA

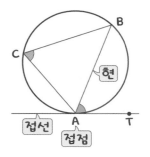

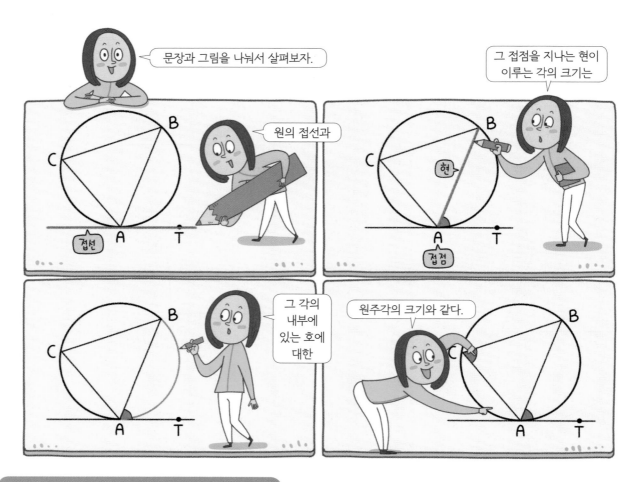

회색 글씨를 따라 쓰면서 개념을 정리해 보세요.

❖ 원의 접선 과 그 접점을 지나는 현이 이루는 각의 크기 는 그 각의 내부에
있는 호에 대한 원주각의 크기와 같다 .

➡ ∠BAT = ∠BCA

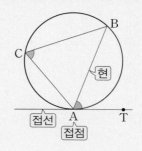

개념 원리 확인

○정답과 풀이 **41**쪽

원의 접선과 현이 이루는 각 (1)

2-1 다음 그림에서 $\overleftrightarrow{AT}$는 원의 접선이고 점 A는 접점일 때, $\angle x$의 크기를 구하시오.

(1)
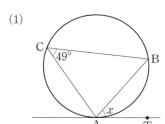

(2)
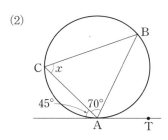

2-2 다음 그림에서 $\overleftrightarrow{AT}$는 원의 접선이고 점 A는 접점일 때, $\angle x$의 크기를 구하시오.

(1)
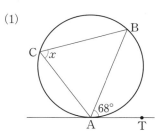

(2)
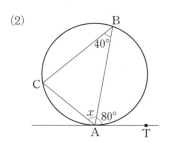

원의 접선과 현이 이루는 각 (2)

3-1 다음 그림에서 $\overleftrightarrow{AT}$는 원 O의 접선이고 점 A는 접점일 때, $\angle x$의 크기를 구하시오.

(1)
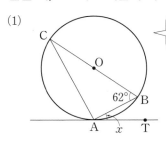
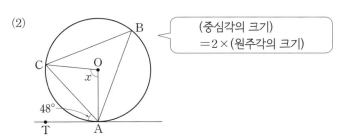

$\overline{BC}$가 원 O의 지름이므로 원주각의 크기는 90°이다.

(2)
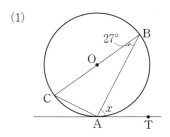

(중심각의 크기)
=2×(원주각의 크기)

3-2 다음 그림에서 $\overleftrightarrow{AT}$는 원 O의 접선이고 점 A는 접점일 때, $\angle x$의 크기를 구하시오.

(1)
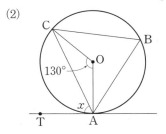

(2)

개념01 사각형이 원에 내접하기 위한 조건

다음과 같은 경우에 □ABCD는 원에 내접한다.

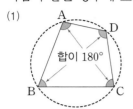

(1) ➡ ∠A+∠C=180°
또는 ∠B+∠D=180°

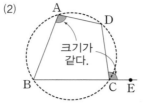

(2) ➡ ∠DCE=∠BAD

1-1

다음 중 □ABCD가 원에 내접하는 것은?

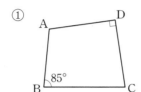

①

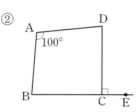

②

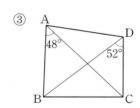

③

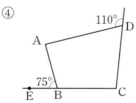

④

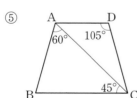

⑤

1-2

오른쪽 그림과 같은 □ABCD
가 원에 내접하도록 하는 ∠x의
크기를 구하시오.

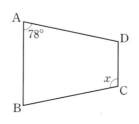

1-3

오른쪽 그림에서 점 P는
$\overline{AD}$와 $\overline{BC}$의 연장선의 교
점이고 ∠ABC=88°,
∠DPC=32°이다.
□ABCD가 원에 내접하
도록 하는 ∠x의 크기를 구하시오.

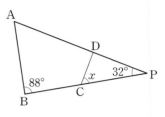

1-4

다음 중 오른쪽 그림의 □ABCD
가 원에 내접하기 위한 조건이
아닌 것은?

① ∠ABD=∠ACD
② ∠BAC=∠BDC
③ ∠BAD=∠DCE
④ ∠ABC=∠ADC
⑤ ∠BAD+∠BCD=180°

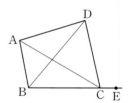

1-5

다음 **보기** 중 항상 원에 내접하는 사각형을 모두 고르
시오.

보기

㉠ 직사각형　　　㉡ 평행사변형
㉢ 사다리꼴　　　㉣ 정사각형
㉤ 마름모　　　　㉥ 등변사다리꼴

개념 02 원의 접선과 현이 이루는 각

원의 접선과 그 접점을 지나는
현이 이루는 각의 크기는 그 각
의 내부에 있는 호에 대한 원주
각의 크기와 같다.

➡ ∠BAT=∠BCA

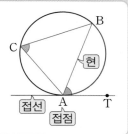

2-1

오른쪽 그림에서 $\overleftrightarrow{CT}$는 원의
접선이고 점 C는 접점이다.
∠BAC=43°, ∠ACB=62°일
때, ∠x의 크기를 구하시오.

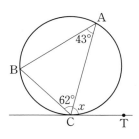

2-2

오른쪽 그림에서 $\overline{BP}$는
원의 접선이고 점 B는 접
점이다. ∠ACB=85°,
∠APB=40°일 때,
∠x의 크기를 구하시오.

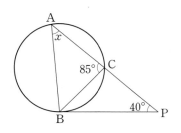

2-3

오른쪽 그림에서 $\overleftrightarrow{PT}$는 원
의 접선이고 점 T는 접점이
다. $\overline{AP}=\overline{AT}$일 때, ∠$x$의
크기를 구하시오.

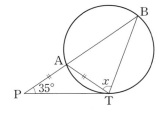

2-4

오른쪽 그림에서 $\overleftrightarrow{CT}$는 원의
접선이고 점 C는 접점이다.
∠BAD=100°, ∠BDC=38°
일 때, ∠x의 크기를 구하시오.

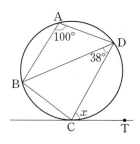

2-5

다음 그림에서 $\overleftrightarrow{PT}$는 원 O의 접선이고 점 C는 접점이
다. $\overline{AB}$는 원 O의 지름이고 ∠ABC=35°일 때, ∠x의
크기를 구하시오.

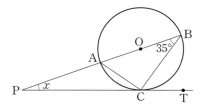

2-6

오른쪽 그림에서 $\overleftrightarrow{PT}$는 원 O
의 접선이고 점 C는 접점이
다. $\overline{AB}$는 원 O의 지름이고
∠BCT=64°일 때, 다음 물
음에 답하시오.

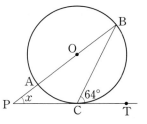

(1) $\overline{AC}$를 긋고, ∠ACB와 ∠ACP의 크기를 각각 구하
시오.

(2) ∠x의 크기를 구하시오.

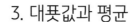

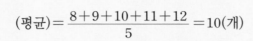

5일 동안 SNS에 올린 게시물 개수의 평균은?

< 유준이가 5일 동안 SNS에 올린 게시물 개수 >

요일	월	화	수	목	금
개수(개)	8	9	10	11	12

$$(평균) = \frac{8+9+10+11+12}{5} = 10(개)$$

대푯값과 평균

(1) 대푯값 : 일반적으로 자료 전체의 특징을 대표적으로 나타 내는 값

➡ 대푯값에는 평균, 중앙값, 최빈값 등이 있다.

(2) 평균 : 변량의 총합을 변량의 개수로 나눈 값

➡ $(평균) = \dfrac{(변량의\ 총합)}{(변량의\ 개수)}$

참고 ① 대푯값 중에서 가장 많이 사용하는 것은 평균이다.

② 변량 : 자료를 수량으로 나타낸 것

우리 키를 모두 더한 다음, 4로 나누면 그게 우리 키의 평균!

회색 글씨를 따라 쓰면서 개념을 정리해 보세요.

---

1 대푯값 : 일반적으로 [자료 전체의 특징]을 대표적으로 나타내는 값

2 평균 : 변량의 총합을 변량의 개수로 나눈 값

➡ $([평균]) = \dfrac{(변량의\ [총합])}{(변량의\ [개수])}$

○정답과 풀이 **42쪽**

평균 구하기

1-1 다음 자료의 평균을 구하시오.

(1) 9, 8, 12, 7

(2) 18, 28, 30, 22, 27

(3) 4, 2, 3, 1, 5, 3

(4) 10, 17, 19, 16, 18, 16

1-2 다음 자료의 평균을 구하시오.

(1) 8, 10, 17, 9

(2) 15, 18, 20, 17, 10

(3) 2, 4, 8, 9, 7, 6

(4) 9, 10, 39, 4, 5, 11

평균을 이용하여 미지수의 값 구하기

2-1 다음 자료의 평균이 [　] 안의 수와 같을 때, x의 값을 구하시오.

(1) 8, x, 17, 5 　 [10]

(2) 4, 8, x, 12, 16 　 [9]

(3) 19, 1, 11, 3, x, 9 　 [11]

(4) 75, x, 82, 86, 80 　 [80]

2-2 다음 자료의 평균이 [　] 안의 수와 같을 때, x의 값을 구하시오.

(1) 4, 2, x, 6 　 [5]

(2) 8, 3, 6, x, 11 　 [7]

(3) 15, 11, 21, 6, 10, x 　 [12]

(4) x, 94, 91, 89, 92 　 [90]

⑴ 중앙값 : 변량을 작은 값부터 크기순으로 나열할 때 중앙에 놓인 값

⑵ 중앙값 구하기

    ① 변량의 개수가 홀수일 때 : 중앙에 놓이는 값

    ② 변량의 개수가 짝수일 때 : 중앙에 놓이는 두 변량의 평균

회색 글씨를 따라 쓰면서 개념을 정리해 보세요.

1 중앙값 : 변량을 작은 값부터 [크기순으로 나열] 할 때 [중앙]에 놓인 값

2 중앙값 구하기

    ① 변량의 개수가 [홀수]일 때 : 중앙에 놓이는 값

    ② 변량의 개수가 짝수일 때 : 중앙에 놓이는 [두 변량의 평균]

개념 원리 확인

○정답과 풀이 **43**쪽

중앙값 구하기

3-1 다음 자료의 중앙값을 구하시오.

(1) 9, 7, 10, 8, 27

(2) 14, 20, 23, 6, 11, 20, 18

(3) 6, 15, 17, 9, 9, 19

(4) 8, 5, 22, 19, 12, 5

3-2 다음 자료의 중앙값을 구하시오.

(1) 13, 8, 7, 10, 11

(2) 14, 21, 23, 5, 11, 21, 17

(3) 4, 13, 25, 9, 6, 15

(4) 20, 16, 12, 23, 13, 29

중앙값을 이용하여 미지수의 값 구하기

4-1 다음은 자료를 작은 값부터 크기순으로 나열한 것이다. 이 자료의 중앙값이 [ ] 안의 수와 같을 때, x의 값을 구하시오.

(1) 3, 4, x, 9, 10   [6]

(2) 2, 5, x, 8, 10   [7]

(3) 8, x, 10, 16   [9]

(4) 4, 5, 6, x, 8, 9   [6.5]

4-2 다음은 자료를 작은 값부터 크기순으로 나열한 것이다. 이 자료의 중앙값이 [ ] 안의 수와 같을 때, x의 값을 구하시오.

(1) 6, 9, x, 11, 15   [10]

(2) 5, 8, x, 12, 15   [12]

(3) 3, 6, x, 11   [8]

(4) 3, 5, x, 8, 8, 9   [7.5]

개념 01 대푯값과 평균

(1) 대푯값 : 일반적으로 자료 전체의 특징을 대표적으로 나타내는 값
(2) 평균 : 변량의 총합을 변량의 개수로 나눈 값

➡ (평균)$= \dfrac{(변량의\ 총합)}{(변량의\ 개수)}$

(3) 대푯값으로 평균이 가장 많이 사용되지만 극단적인 값이 있는 경우에 평균은 자료의 특징을 제대로 나타낼 수 없다.

1-1

다음 자료의 평균을 구하시오.

(1) 2, 9, 7, 8, 9

(2) 8, 4, 1, 11, 6

(3) 9, 8, 6, 10, 13, 8

(4) 15, 16, 20, 15, 10, 56

우리 키를 모두 더한 다음, 4로 나누면 그게 우리 키의 평균!

1-2

다음은 학생 10명의 윗몸일으키기 기록을 조사하여 나타낸 줄기와 잎 그림이다. 이 자료의 평균을 구하시오.

(0|6은 6회)

줄기	잎
0	6 8
1	1 3 5 8
2	2 6 7
3	4

1-3

다음 자료의 평균이 [   ] 안의 수와 같을 때, x의 값을 구하시오.

(1) 2, 4, 5, x, 9   [6]

(2) 8, 9, 14, x, 11, 13   [12]

1-4

다음 표는 어느 반 학생 5명의 몸무게를 조사하여 나타낸 것이다. 학생 5명의 몸무게의 평균이 50 kg일 때, 학생 C의 몸무게를 구하시오.

학생	A	B	C	D	E
몸무게(kg)	44	55		56	53

개념 02 중앙값

(1) 중앙값 : 변량을 작은 값부터 크기순으로 나열할 때 중앙에 놓인 값
(2) 중앙값 구하기
　① 변량의 개수가 홀수일 때 : 중앙에 놓이는 값
　② 변량의 개수가 짝수일 때 : 중앙에 놓이는 두 변량의 평균
(3) 자료에 극단적인 값이 있으면 대푯값으로 평균보다 중앙값이 적당하다.

2-1

다음 자료의 중앙값을 구하시오.

(1) 7, 2, 5, 4, 7

(2) 18, 17, 15, 19, 12, 13

2-2

다음은 자료를 작은 값부터 크기순으로 나열한 것이다. 이 자료의 중앙값이 [　　] 안의 수와 같을 때, x의 값을 구하시오.

(1) 4, 7, x, 11, 20　　　[8]

(2) 5, 10, x, 13, 14, 19　　[12]

2-3

4개의 변량 6, 9, 15, x의 중앙값이 11일 때, x의 값을 구하시오.

2-4

다음은 일주일 동안 미세먼지 지수를 측정하여 나타낸 자료이다. 물음에 답하시오.

> 20, 25, 28, 26, 140, 19, 22

(1) 미세먼지 지수의 평균을 구하시오.

(2) 미세먼지 지수의 중앙값을 구하시오.

(3) 위의 자료에 대하여 평균과 중앙값 중 어떤 값이 대푯값으로 적당한지 말하시오.

2-5

다음은 학생 4명의 키를 조사하여 나타낸 자료이다. 키의 평균이 165 cm일 때, 물음에 답하시오.

(단위 : cm)

> 162, 159, x, 173

(1) x의 값을 구하시오.

(2) 이 학생들의 키의 중앙값을 구하시오.

4주
2일

⑴ 최빈값 : 변량 중 가장 많이 나타나는 값

⑵ 최빈값의 특징

　① 최빈값은 자료에 따라 두 개 이상일 수도 있다.

　② 최빈값은 자료가 수치로 주어지지 않은 경우에도 사용할 수 있다.

변량 중에서 가장 많이
나타나는 값
(최빈값)＝떡볶이

가장 많이 나타나는 값이
두 개 이상일 수도 있다.
(최빈값)＝떡볶이, 김밥

회색 글씨를 따라 쓰면서 개념을 정리해 보세요.

1 최빈값 : 변량 중 ⌈가장 많이⌋ 나타나는 값

2 최빈값의 특징

　① 최빈값은 자료에 따라 ⌈두 개 이상일 수도⌋ 있다.

　② 최빈값은 자료가 수치로 주어지지 않은 경우에도 사용할 수 있다.

개념 원리 확인

○ 정답과 풀이 **44**쪽

최빈값 구하기

1-1 다음 자료의 최빈값을 구하시오.

(1) 1, 3, 3, 3, 1, 3

(2) 2, 4, 4, 6, 8, 8, 9

(3) 20, 25, 21, 30, 26, 21, 25

(4) 14, 32, 21, 29, 29, 24, 29

1-2 다음 자료의 최빈값을 구하시오.

(1) 4, 1, 4, 3, 1, 5

(2) 7, 8, 6, 6, 8, 10, 8

(3) 9, 10, 9, 11, 12, 10, 13

(4) 20, 23, 18, 18, 23, 35, 23

적당한 대푯값 찾기

2-1 다음은 어느 모자 가게에서 하루 동안 판매한 모자의 크기를 조사하여 나타낸 자료이다. 물음에 답하시오.

(단위 : cm)

55, 51, 56, 55, 56, 53, 56, 60, 52, 56

(1) 모자의 크기의 평균, 중앙값, 최빈값을 각각 구하시오.

(2) 이 가게의 주인이 공장에 모자를 주문할 때, 어떤 크기의 모자를 가장 많이 주문해야 하는지 구하시오.

2-2 다음은 친구들이 사용하는 USB의 용량을 조사하여 나타낸 자료이다. 물음에 답하시오.

(단위 : GB)

32, 16, 8, 32, 16, 8, 64, 32

(1) USB의 용량의 평균, 중앙값, 최빈값을 각각 구하시오.

(2) 평균, 중앙값, 최빈값 중 어떤 값이 대푯값으로 적당한지 말하시오.

(1) 산포도 : 변량이 흩어져 있는 정도를 하나의 수로 나타낸 값
(2) 산포도와 분포 상태

　　① 변량이 대푯값에 가까이 모여 있다. ➡ 산포도가 작다.

　　② 변량이 대푯값에서 멀리 흩어져 있다. ➡ 산포도가 크다.

< 유준이와 선미가 5일 동안 SNS에 올린 게시물 개수 >

학생 ＼ 요일	월	화	수	목	금	평균
유준	8	9	10	11	12	10
선미	1	6	10	14	19	10

평균이 같다.

산포도가 작다.

산포도가 크다.

회색 글씨를 따라 쓰면서 개념을 정리해 보세요.

1 산포도 : 변량이 ⌈ 흩어져 있는 정도 ⌋ 를 하나의 수로 나타낸 값

2 산포도와 분포 상태

　　① 변량이 대푯값에 ⌈ 가까이 모여 ⌋ 있다. ➡ 산포도가 ⌈ 작다 ⌋.

　　② 변량이 대푯값에서 ⌈ 멀리 흩어져 ⌋ 있다. ➡ 산포도가 ⌈ 크다 ⌋.

개념 원리 확인

ㅇ 정답과 풀이 **45쪽**

산포도 (1)

3-1 다음은 두 영화 A, B를 관람한 10명의 평점을 조사하여 나타낸 표이다. 물음에 답하시오.

(단위 : 점)

A 영화	3	3	4	4	2	4	3	3	1	3
B 영화	2	1	5	4	4	5	2	1	5	1

(1) 두 영화의 평점을 막대그래프로 각각 나타내시오.

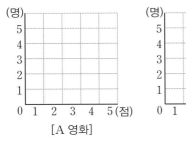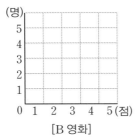

(2) 두 영화 A, B의 평점의 평균을 각각 구하시오.

(3) 어느 영화의 평점의 산포도가 더 작은지 말하시오.

3-2 다음은 두 선수 A, B의 양궁 점수를 나타낸 것이다. 물음에 답하시오.

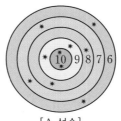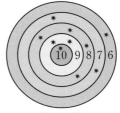

[A 선수]   [B 선수]

(1) 두 선수의 점수를 막대그래프로 각각 나타내시오.

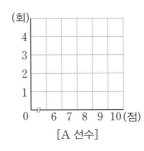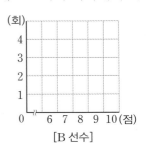

(2) 두 선수 A, B의 점수의 평균을 각각 구하시오.

(3) 어느 선수의 점수의 산포도가 더 큰지 말하시오.

산포도 (2)

4-1 다음 중 옳은 것에는 ○표, 옳지 않은 것에는 ×표를 ( ) 안에 써넣으시오.

(1) 변량이 흩어져 있는 정도를 하나의 수로 나타낸 값은 산포도이다. ( )

(2) 변량이 평균에 가까이 모여 있으면 산포도가 크다. ( )

4-2 다음 중 옳은 것에는 ○표, 옳지 않은 것에는 ×표를 ( ) 안에 써넣으시오.

(1) 평균이 작을수록 산포도가 작아진다. ( )

(2) 변량이 평균에서 멀리 흩어져 있으면 산포도가 크다. ( )

개념01 최빈값

(1) 최빈값 : 변량 중 가장 많이 나타나는 값
(2) 최빈값의 특징
   ① 최빈값은 자료에 따라 두 개 이상일 수도 있다.
   ② 최빈값은 자료가 수치로 주어지지 않은 경우에도 사용할 수 있다.

1-1

다음 자료의 최빈값을 구하시오.

(1) 7, 12, 7, 13, 12, 12

(2) 2, 5, 5, 6, 2, 8, 7

1-2

다음은 준호네 반 학생 25명이 좋아하는 스포츠를 조사하여 나타낸 표이다. 좋아하는 스포츠의 최빈값을 구하시오.

스포츠	골프	농구	배구	야구	축구
학생 수(명)	2	5	3	5	10

스티커를 가장 많이 받은 내가 최빈값!

1-3

다음은 어느 옷가게에서 하루 동안 판매한 10장의 티셔츠의 치수를 조사하여 나타낸 자료이다. 이 가게에서 가장 많이 준비해 두어야 할 티셔츠의 치수를 알고자 할 때, 평균, 중앙값, 최빈값 중 어떤 값이 대푯값으로 적당한지 말하고, 그 값을 구하시오.

(단위 : 호)

90, 95, 90, 85, 95, 100, 85, 105, 95, 95

1-4

다음은 어느 해 우리나라 20개 지역의 상대 습도를 조사하여 나타낸 줄기와 잎 그림이다. 상대 습도의 중앙값과 최빈값을 각각 구하시오.

(6|8은 68 %)

줄기	잎
6	8 9
7	1 6 7 8
8	2 3 3 3 4 4 5 5 6 6 7
9	0 1 4

1-5

다음 자료의 평균과 최빈값이 같을 때, x의 값을 구하시오.

6, x, 5, 6, 9, 3, 6

개념 02 **산포도**

(1) 산포도 : 변량이 흩어져 있는 정도를 하나의 수로 나타낸 값
(2) 산포도와 분포 상태
  ① 변량이 대푯값에 가까이 모여 있다.
    ➡ 산포도가 작다.
  ② 변량이 대푯값에서 멀리 흩어져 있다.
    ➡ 산포도가 크다.

2-1

다음은 두 학생 A, B의 수학 수행 평가 점수를 막대그래프로 나타낸 것이다. 물음에 답하시오.

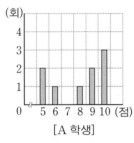
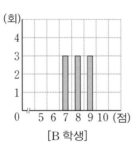

[A 학생] · [B 학생]

(1) 두 학생 A, B의 수학 수행 평가 점수의 평균을 각각 구하시오.

(2) 어느 학생의 수학 수행 평가 점수가 평균에서 더 멀리 흩어져 있는지 말하시오.

(3) 어느 학생의 수학 수행 평가 점수의 산포도가 더 큰지 말하시오.

2-2

다음은 전국체육대회의 사격 종목에 참가한 미주와 수민이가 각각 5발씩 사격한 결과를 나타낸 것이다. 물음에 답하시오.

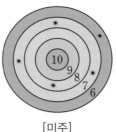
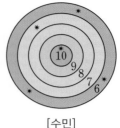

[미주] · [수민]

(1) 미주와 수민이의 사격 점수를 막대그래프로 각각 나타내시오.

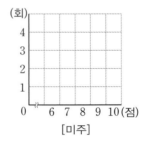
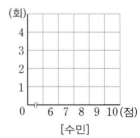

[미주] · [수민]

(2) 미주와 수민이의 사격 점수의 평균을 각각 구하시오.

(3) 미주와 수민이의 점수 중 누구의 산포도가 더 작은지 말하시오.

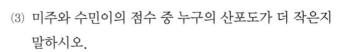

(1) 편차 : 어떤 자료의 각 변량에서 평균을 뺀 값

　➡ (편차)＝(변량)－(평균)

(2) 편차의 성질

　① 편차의 총합은 항상 0이다.

　② 평균보다 큰 변량의 편차는 양수이고, 평균보다 작은 변량의 편차는 음수이다.

　③ 편차의 절댓값이 클수록 그 변량은 평균에서 멀리 떨어져 있고, 편차의 절댓값이 작을수록 그 변량은 평균에 가까이 있다.

〈유준이가 5일 동안 SNS에 올린 게시물 개수〉

개수(개)	8	9	10	11	12
평균(개)	$\dfrac{8+9+10+11+12}{5}=10$				
편차(개)	$8-10=-2$	$9-10=-1$	$10-10=0$	$11-10=1$	$12-10=2$

편차의 총합은 항상 0이야.

평균보다 작은 변량의 편차는 음수!

평균보다 큰 변량의 편차는 양수!

회색 글씨를 따라 쓰면서 개념을 정리해 보세요.

1 편차 : 어떤 자료의 각 변량에서 평균을 뺀 값 ➡ (편차)＝(변량)－(평균)

2 편차의 성질

　① 편차의 총합 은 항상 0 이다.

　② 평균보다 큰 변량의 편차는 양수 이고, 평균보다 작은 변량의 편차는 음수 이다.

　③ 편차의 절댓값이 클수록 그 변량은 평균에서 멀리 떨어져 있고, 편차의 절댓값이 작을수록 그 변량은 평균에 가까이 있다.

개념 원리 확인

○ 정답과 풀이 **46**쪽

편차의 뜻

1-1 주어진 자료의 평균이 다음과 같을 때, 표를 완성하시오.

(1) (평균)=5

변량	8	4	5	3
편차				

(2) (평균)=16

변량	12	19	18	14	17
편차					

1-2 주어진 자료의 평균이 다음과 같을 때, 표를 완성하시오.

(1) (평균)=11

변량	9	14	8	13
편차				

(2) (평균)=7

변량	4	9	7	10	5
편차					

편차를 이용하여 미지수의 값 구하기

2-1 다음은 학생 6명의 키의 편차를 조사하여 나타낸 것이다. 이때 x의 값을 구하시오.

(단위 : cm)

$$0, \quad -3, \quad 6, \quad -1, \quad 4, \quad x$$

2-2 다음은 학생 5명이 윗몸일으키기를 한 횟수의 편차를 조사하여 나타낸 표이다. 이때 x의 값을 구하시오.

학생	A	B	C	D	E
편차(회)	4	x	0	-2	1

편차의 뜻과 성질

3-1 다음 중 옳은 것에는 ○표, 옳지 않은 것에는 ×표를 ( ) 안에 써넣으시오.

(1) 편차는 평균에서 변량을 뺀 값이다. ( )

(2) 편차의 절댓값이 클수록 그 변량은 평균에서 멀리 떨어져 있다. ( )

3-2 다음 중 옳은 것에는 ○표, 옳지 않은 것에는 ×표를 ( ) 안에 써넣으시오.

(1) 편차의 총합은 항상 0이다. ( )

(2) 평균보다 큰 변량의 편차는 음수이다. ( )

분산과 표준편차는 변량이 흩어져 있는 정도를 나타내는 산포도이다.

다음 자료에 대하여 순서에 따라 표준편차를 구해 보자.

$$1, 11, 3, 5, 10$$

❶ 평균 구하기

➡ (평균) = $\dfrac{(변량의\ 총합)}{(변량의\ 개수)}$

(평균) = $\dfrac{1+11+3+5+10}{5} = \dfrac{30}{5} = 6$

❷ 편차 구하기

➡ (편차) = (변량) − (평균)

변량	1	11	3	5	10
편차	−5	5	−3	−1	4

❸ 분산 구하기

➡ (분산) = $\dfrac{(편차)^2의\ 총합}{(변량의\ 개수)}$

$\{(편차)^2의\ 총합\} = (-5)^2 + 5^2 + (-3)^2 + (-1)^2 + 4^2 = 76$

∴ (분산) = $\dfrac{76}{5} = 15.2$

❹ 표준편차 구하기

➡ (표준편차) = $\sqrt{(분산)}$

분산이 15.2이므로
(표준편차) = $\sqrt{15.2}$

회색 글씨를 따라 쓰면서 개념을 정리해 보세요.

1 분산 : 어떤 자료의 편차의 제곱의 평균 ➡ (분산) = $\dfrac{(편차)^2의\ 총합}{(변량의\ 개수)}$

2 표준편차 : 분산의 음이 아닌 제곱근 ➡ (표준편차) = $\sqrt{(분산)}$

3 자료의 이해

① 분산과 표준편차가 작으면 변량이 평균에 가까이 모여 있어 자료의 분포가 고르다 .

② 분산과 표준편차가 크면 변량이 평균에서 멀리 흩어져 있어 자료의 분포가 고르지 않다 .

개념 원리 확인

○정답과 풀이 **47쪽**

분산과 표준편차 구하기

4-1 다음은 학생 5명의 수행 평가 점수를 조사하여 나타낸 자료이다. 물음에 답하시오.

(단위 : 점)

17, 18, 9, 11, 15

(1) 평균을 구하시오.

(2) 표를 완성하고, ☐ 안에 알맞은 수를 써넣으시오.

점수(점)	17	18	9	11	15
편차(점)	3			−3	

∴ {(편차)²의 총합}

$$= 3^2 + \boxed{}^2 + (\boxed{})^2 + (-3)^2 + \boxed{}^2 = \boxed{}$$

(3) 분산을 구하시오.

(4) 표준편차를 구하시오. ◁ 표준편차는 변량과 같은 단위를 사용해.

4-2 다음 자료의 평균, 분산, 표준편차를 각각 구하시오.

(1) 6, 8, 9, 10, 7

(2) 4, 6, 2, 10, 8

자료의 이해

5-1 아래는 두 반 A, B의 미술 성적의 평균과 표준편차를 나타낸 표이다. 다음 중 옳은 것에는 ○표, 옳지 않은 것에는 ×표를 ( ) 안에 써넣으시오.

반	A	B
평균(점)	77	82
표준편차(점)	5	8

(1) A반의 미술 성적이 B반의 미술 성적보다 우수하다.

( )

(2) 미술 성적이 가장 좋은 학생은 B반에 있다.

( )

(3) A반의 미술 성적이 B반의 미술 성적보다 더 고르다.

( )

5-2 아래는 어느 중학교 3학년 세 반 학생들의 수학 성적의 평균과 표준편차를 조사하여 나타낸 표이다. 다음을 구하시오.

반	A	B	C
평균(점)	75	70	72
표준편차(점)	8	6	10

(1) 수학 성적이 가장 우수한 반

(2) 수학 성적이 가장 고른 반

(3) 수학 성적이 가장 고르지 않은 반

4주

4일

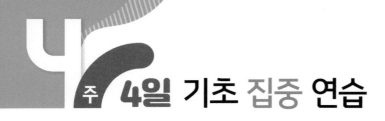
개념 01 편차

(1) 편차 : 어떤 자료의 각 변량에서 평균을 뺀 값

➡ (편차)＝(변량)－(평균)

(2) 편차의 성질

① 편차의 총합은 항상 0이다.

② (변량)≥(평균)이면 (편차)≥0

  (변량)≤(평균)이면 (편차)≤0

③ 편차의 절댓값이 클수록 그 변량은 평균에서 멀리 떨어져 있고, 편차의 절댓값이 작을수록 그 변량은 평균에 가까이 있다.

1-1

5개의 변량 18, 25, 22, 19, 16에 대하여 다음 물음에 답하시오.

(1) 평균을 구하시오.

(2) 표를 완성하시오.

변량	18	25	22	19	16
편차					

1-2

다음은 어느 반 학생 4명의 몸무게의 편차를 조사한 자료이다. 이때 x의 값을 구하시오.

(단위 : kg)

$$-3, \quad x, \quad 2, \quad -1$$

1-3

다음 보기 중 옳은 것을 모두 고르시오.

보기

㉠ 편차의 총합은 항상 0이다.

㉡ 편차의 평균으로 변량이 흩어져 있는 정도를 알 수 있다.

㉢ 편차의 절댓값이 작을수록 그 변량은 평균에서 멀리 떨어져 있다.

㉣ 편차는 변량에서 평균을 뺀 값이다.

1-4

다음은 학생 5명의 수면 시간의 편차를 조사하여 나타낸 표이다. 수면 시간의 평균이 7시간일 때, 표를 완성하시오.

학생	A	B	C	D	E
편차(시간)	1	−2	−1	−1	3
수면 시간(시간)					

1-5

아래는 학생 6명의 키의 편차를 조사하여 나타낸 표이다. 6명의 키의 평균이 162 cm일 때, 다음을 구하시오.

학생	영지	보라	영수	태우	은주	영지
편차(cm)	−5	1	8	6	x	−3

(1) x의 값

(2) 은주의 키

개념 02 분산과 표준편차

(1) 분산 : 어떤 자료의 편차의 제곱의 평균

$$\Rightarrow (\text{분산}) = \frac{(\text{편차})^2 \text{의 총합}}{(\text{변량의 개수})}$$

(2) 표준편차 : 분산의 음이 아닌 제곱근

$$\Rightarrow (\text{표준편차}) = \sqrt{(\text{분산})}$$

2-1

아래는 학생 5명의 신발 크기의 편차를 조사하여 나타낸 표이다. 다음을 구하시오.

학생	A	B	C	D	E
편차(cm)	1	−3	−1	3	0

(1) (편차)^{2}의 총합

(2) 분산

(3) 표준편차

2-2

아래는 동현이가 5회에 걸쳐 치른 국어 시험 성적을 조사한 자료이다. 다음을 구하시오.

(단위 : 점)

$$70, \quad 70, \quad 65, \quad 80, \quad 85$$

(1) 평균

(2) 분산

(3) 표준편차

2-3

아래는 5회에 걸쳐 치른 수학 시험 성적의 편차를 조사하여 나타낸 자료이다. 다음을 구하시오.

(단위 : 점)

$$-3, \quad 5, \quad -2, \quad 1, \quad x$$

(1) x의 값

(2) 분산

2-4

아래 자료의 평균이 10일 때, 다음을 구하시오.

$$9, \quad x, \quad 15, \quad 7$$

(1) x의 값

(2) 표준편차

2-5

아래는 어느 중학교 네 학급의 수학 성적의 평균과 표준편차를 조사하여 나타낸 표이다. 다음 중 옳은 것을 모두 고르면? (정답 2개)

학급	A	B	C	D
평균(점)	75	72	71	74
표준편차(점)	7.1	7.6	4.9	6.5

① 수학 성적이 가장 높은 학생은 A반에 있다.

② 수학 성적이 가장 우수한 반은 D반이다.

③ B반의 성적이 평균에서 가장 멀리 떨어져 있다.

④ 표준편차만으로는 산포도가 가장 큰 학급을 알 수 없다.

⑤ 수학 성적이 가장 고른 반은 C반이다.

산점도 : 두 변량의 순서쌍을 좌표로 하는 점을 좌표평면 위에 나타낸 그래프

다음은 경아네 반 학생 10명의 중간고사 수학 점수와 국어 점수를 조사하여 나타낸 표이다.

수학 점수(점)	60	65	70	70	75	80	80	90	90	95
국어 점수(점)	60	65	75	85	65	80	85	75	95	95

위 표의 수학 점수를 x점, 국어 점수를 y점이라고 할 때, 순서쌍 (x, y)를 좌표평면 위에 나타내면 다음과 같다.

$(60, 60), (65, 65), (70, 75), (70, 85), (75, 65),$
$(80, 80), (80, 85), (90, 75), (90, 95), (95, 95)$

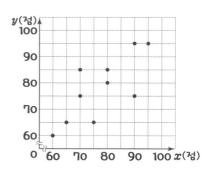

회색 글씨를 따라 쓰면서 개념을 정리해 보세요.

❖ 산점도 : 두 변량의 순서쌍 을 좌표로 하는 점을 좌표평면 위에 나타낸 그래프

개념 원리 확인

○정답과 풀이 **48**쪽

산점도 그리기

1-1 다음은 정인이네 반 학생 6명의 키와 몸무게를 조사하여 나타낸 표이다. 물음에 답하고, 알맞은 것에 ○표 하시오.

키(cm)	165	155	170	160	150	145
몸무게(kg)	55	50	60	45	40	40

(1) 위의 표에서 키를 x cm, 몸무게를 y kg이라고 할 때, 6명의 키와 몸무게를 순서쌍 (x, y)로 나타내시오.

(2) 다음 좌표평면 위에 x, y에 대한 산점도를 그리시오.

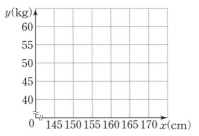

(3) 키가 클수록 몸무게가 대체로 (적게 , 많이) 나가는 경향이 있다.

1-2 다음은 영준이네 반 학생 6명의 하루 동안의 스마트폰 사용 시간과 수면 시간을 조사하여 나타낸 표이다. 물음에 답하고, 알맞은 것에 ○표 하시오.

스마트폰(시간)	12	5	10	7	8	4
수면(시간)	4	10	5	6	8	12

(1) 위의 표에서 스마트폰 사용 시간을 x시간, 수면 시간을 y시간이라고 할 때, 6명의 스마트폰 사용 시간과 수면 시간을 순서쌍 (x, y)로 나타내시오.

(2) 다음 좌표평면 위에 x, y에 대한 산점도를 그리시오.

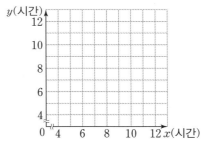

(3) 스마트폰 사용 시간이 길수록 수면 시간이 대체로 (긴 , 짧은) 경향이 있다.

산점도의 이해

2-1 오른쪽 그림은 수미네 반 학생 16명의 사회 성적과 과학 성적을 조사하여 나타낸 산점도이다. 다음을 구하시오.

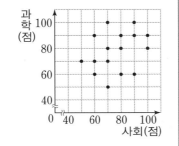

(1) 사회 성적이 90점 이상인 학생 수

(2) 사회 성적과 과학 성적이 같은 학생 수

(3) 과학 성적이 사회 성적보다 높은 학생 수

2-2 오른쪽 그림은 어느 중학교 학생 15명의 수학 성적과 영어 성적을 조사하여 나타낸 산점도이다. 다음을 구하시오.

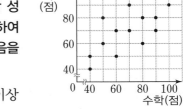

(1) 영어 성적이 90점 이상인 학생 수

(2) 수학 성적과 영어 성적이 같은 학생 수

(3) 수학 성적이 영어 성적보다 높은 학생 수

상관관계 : 두 변량 x, y 사이에 x의 값이 증가함에 따라 y의 값이 증가하거나 감소하는 경향이 있을 때, 두 변량 x, y 사이에 상관관계가 있다고 한다.

(1) 양의 상관관계 : x의 값이 증가함에 따라 y의 값도 대체로 증가하는 관계

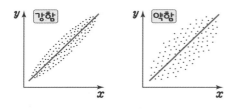

(2) 음의 상관관계 : x의 값이 증가함에 따라 y의 값이 대체로 감소하는 관계

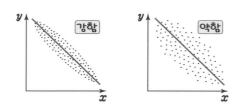

(3) 상관관계가 없다. : x의 값이 증가함에 따라 y의 값이 증가하는 경향이 있는지 감소하는 경향이 있는지 분명하지 않은 관계

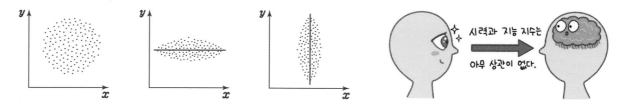

회색 글씨를 따라 쓰면서 개념을 정리해 보세요.

1 양의 상관관계 : 〔 x의 값이 증가 〕함에 따라 〔 y의 값도 대체로 증가 〕하는 관계

2 음의 상관관계 : 〔 x의 값이 증가 〕함에 따라 〔 y의 값이 대체로 감소 〕하는 관계

3 상관관계가 없다. : x의 값이 증가함에 따라 y의 값이 증가하는 경향이 있는지 감소하는 경향이 있는지 〔 분명하지 않은 〕 관계

개념 원리 확인

○정답과 풀이 **49쪽**

상관관계 (1)

3-1 다음 보기 의 산점도에 대하여 물음에 답하시오.

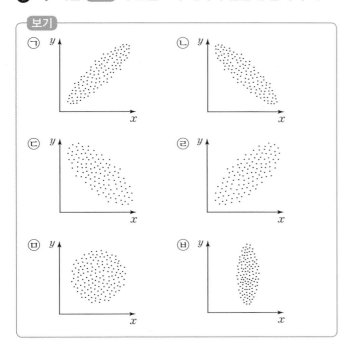

(1) 양의 상관관계가 있는 것을 모두 고르시오.

(2) 가장 강한 음의 상관관계가 있는 것을 고르시오.

(3) 상관관계가 없는 것을 모두 고르시오.

3-2 다음 보기 의 산점도에 대하여 물음에 답하시오.

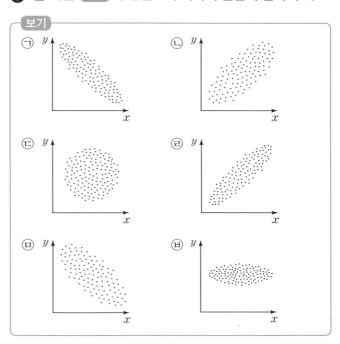

(1) 음의 상관관계가 있는 것을 모두 고르시오.

(2) 가장 강한 양의 상관관계가 있는 것을 고르시오.

(3) 상관관계가 없는 것을 모두 고르시오.

상관관계 (2)

4-1 다음 중 두 변량 사이에 양의 상관관계가 있으면 '양', 음의 상관관계가 있으면 '음', 상관관계가 없으면 '무'를 ( ) 안에 써넣으시오.

(1) 키와 몸무게 ( )

(2) 하루 중 낮과 밤의 길이 ( )

(3) 시력과 지능 지수 ( )

4-2 다음 중 두 변량 사이에 양의 상관관계가 있으면 '양', 음의 상관관계가 있으면 '음', 상관관계가 없으면 '무'를 ( ) 안에 써넣으시오.

(1) 쌀 생산량과 쌀의 가격 ( )

(2) 신발의 크기와 그 신발의 가격 ( )

(3) 통학 거리와 통학 시간 ( )

개념01 산점도

(1) 산점도 : 두 변량의 순서쌍을 좌표로 하는 점을 좌표 평면 위에 나타낸 그래프
(2) 산점도에서 두 자료를 비교할 때에는 기준이 되는 보조선을 긋는다.
  ① 'a 이상', 'a 이하'가 나오는 경우
    ➡ 가로선 또는 세로선을 긋는다.

  ② '같은', '높은', '낮은'이 나오는 경우
    ➡ 대각선을 긋는다.

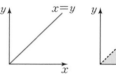

1-1

다음은 진수네 반 학생 6명이 1차와 2차에 걸쳐 자유투를 10개씩 던져서 성공시킨 개수를 조사하여 나타낸 표이다. 물음에 답하시오.

1차	2	3	4	6	7	9
2차	5	4	6	7	9	10

(1) 1차에 성공한 개수를 x, 2차에 성공한 개수를 y라고 할 때, 6명이 1차와 2차에 걸쳐 성공시킨 자유투의 개수를 순서쌍 (x, y)로 나타내시오.

(2) 오른쪽 좌표평면 위에 x, y에 대한 산점도를 그리시오.

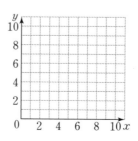

1-2

오른쪽은 준서네 반 학생 15명의 수학 성적과 영어 성적을 조사하여 나타낸 산점도이다. 다음을 구하시오.

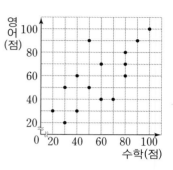

(1) 수학 성적이 90점 이상인 학생 수

(2) 영어 성적이 30점 이하인 학생 수

(3) 수학 성적과 영어 성적이 모두 80점 이상인 학생 수

(4) 수학 성적과 영어 성적이 같은 학생 수

1-3

오른쪽 그림은 어느 중학교 3학년 학생 20명의 과학 성적과 수학 성적을 조사하여 나타낸 산점도이다. 다음을 구하시오.

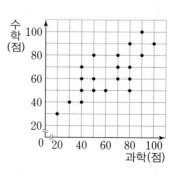

(1) 과학 성적이 가장 낮은 학생의 수학 성적

(2) 과학 성적이 수학 성적보다 높은 학생 수

개념 02 상관관계

(1) 상관관계 : 두 변량 x, y 사이에 x의 값이 증가함에 따라 y의 값이 증가하거나 감소하는 경향이 있을 때, 두 변량 x, y 사이에 상관관계가 있다고 한다.

(2) 상관관계의 종류

  ① 양의 상관관계 : x의 값이 증가함에 따라 y의 값도 대체로 증가하는 관계

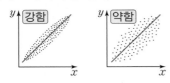

  ② 음의 상관관계 : x의 값이 증가함에 따라 y의 값이 대체로 감소하는 관계

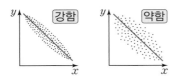

  ③ 상관관계가 없다. : x의 값이 증가함에 따라 y의 값이 증가하는 경향이 있는지 감소하는 경향이 있는지 분명하지 않은 관계

2-1

다음 보기 에 대하여 물음에 답하시오.

보기
㉠ 산의 높이와 정상에서의 온도
㉡ 여름철 기온과 전력 소비량
㉢ 옷의 사이즈와 가격
㉣ 눈의 크기와 시력
㉤ 가족의 수와 물의 사용량
㉥ 근로 시간과 여가 시간

(1) 양의 상관관계가 있는 것을 모두 고르시오.

(2) 음의 상관관계가 있는 것을 모두 고르시오.

(3) 상관관계가 없는 것을 모두 고르시오.

2-2

다음 중 두 변량을 산점도로 나타내었을 때, 오른쪽 그림과 같은 것은?

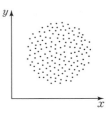

① 도시의 인구수와 학교 수
② 가방의 무게와 성적
③ 나이와 기초 대사량
④ 자동차의 이동 거리와 남은 기름의 양
⑤ 겨울철 일평균 기온과 도시가스 사용량

2-3

다음 산점도 중 겨울철 기온과 감기 환자 수 사이의 상관관계를 나타내는 것은?

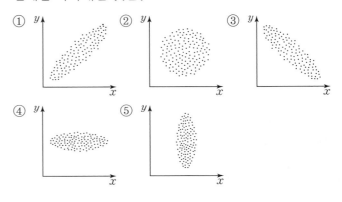

2-4

오른쪽 그림은 지우네 학교 학생들의 멀리뛰기 기록과 던지기 기록을 조사하여 나타낸 산점도이다. 5명의 학생 A, B, C, D, E 중에서 던지기 기록에 비해 멀리뛰기 기록이 좋은 학생은 누구인지 고르시오.

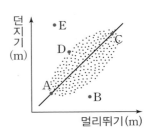

01 다음 중 □ABCD가 원에 내접하는 것은?

①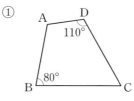

②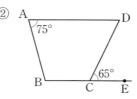

③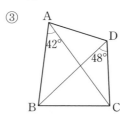

④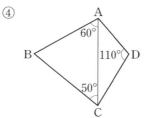

⑤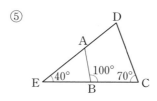

02 다음 그림에서 $\overrightarrow{PT}$는 원 O의 접선이고 점 P는 접점일 때, ∠x의 크기를 구하시오.

(1)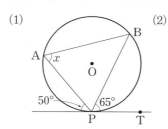

(2)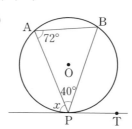

(3)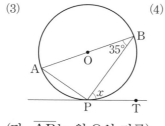

(4)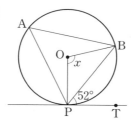

(단, $\overline{AB}$는 원 O의 지름)

03 다음은 학생 7명이 한 학기 동안 읽은 책의 수를 조사하여 나타낸 것이다. 물음에 답하시오.

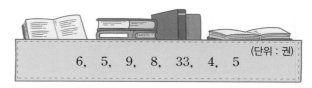

(단위 : 권)

$$6, \quad 5, \quad 9, \quad 8, \quad 33, \quad 4, \quad 5$$

(1) 평균, 중앙값, 최빈값을 각각 구하시오.

(2) 위의 자료에 대하여 평균과 중앙값 중 어떤 값이 대푯값으로 적당한지 말하시오.

04 다음은 자료를 작은 값부터 크기순으로 나열한 것이다. 이 자료의 중앙값이 16일 때, x의 값을 구하시오.

$$7, \quad 12, \quad x, \quad 18, \quad 20, \quad 31$$

05 다음은 준호네 모둠 7명의 일주일 동안의 운동 시간을 조사하여 나타낸 자료이다. 운동 시간의 평균이 6시간일 때, 다음을 구하시오.

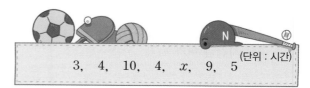

(단위 : 시간)

$$3, \quad 4, \quad 10, \quad 4, \quad x, \quad 9, \quad 5$$

(1) x의 값

(2) 최빈값

06 아래는 학생 5명의 영어 성적의 편차를 나타낸 표이다. 영어 성적의 평균이 75점일 때, 다음을 구하시오.

학생	A	B	C	D	E
편차(점)	−1		3	−2	5

(1) 학생 B의 편차

(2) 학생 B의 영어 성적

07 다음은 가인이가 5회의 사격에서 얻은 점수를 조사하여 나타낸 자료이다. 이 자료의 분산을 구하시오.

(단위 : 점)

> 8, 10, 9, 8, 5

08 아래는 A, B 두 반의 중간고사 성적의 평균과 분산을 나타낸 표이다. 다음 중 옳은 것은?

반	A	B
평균(점)	70	68
분산	6	10

① B반의 성적이 A반의 성적보다 우수하다.
② B반의 성적이 A반의 성적보다 고르다.
③ A반의 표준편차가 B반의 표준편차보다 작다.
④ 점수가 가장 높은 학생은 A반에 있다.
⑤ A, B 두 반의 성적의 산포도는 비교할 수 없다.

09 오른쪽 그림은 은수네 반 학생 18명의 사회 성적과 과학 성적을 조사하여 나타낸 산점도이다. 다음을 구하시오.

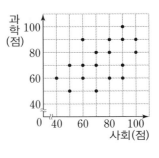

(1) 사회 성적이 80점 이상인 학생 수

(2) 과학 성적이 70점 이하인 학생 수

(3) 사회 성적과 과학 성적이 같은 학생 수

(4) 과학 성적이 사회 성적보다 높은 학생 수

(5) 사회 성적과 과학 성적이 모두 90점 이상인 학생 수

10 두 변량 x, y의 산점도가 오른쪽 그림과 같을 때, 다음 보기 에서 옳은 것을 모두 고르시오.

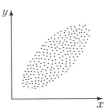

보기
㉠ x의 값이 커지면 y의 값도 대체로 커진다.
㉡ 두 변량 사이에는 음의 상관관계가 있다.
㉢ 두 변량 사이의 상관관계는 예금액과 이자 사이의 상관관계와 같다.

특강 | 창의, 융합, 코딩

1 다음 ☐ 안에 알맞은 것을 써넣으시오.

사각형이 원에 내접하기 위한 조건

(1) 한 변에 대하여 같은 쪽에 있는 각의 크기가 서로 같을 때

$\angle BAC = \angle$ ☐

(2) 한 쌍의 대각의 크기의 합이 $180°$일 때

합이 $180°$

$\angle A + \angle C = $ ☐ $°$

또는 $\angle B + \angle D = 180°$

(3) 한 외각의 크기와 그 외각에 이웃한 내각에 대한 대각의 크기가 같을 때

크기가 같다.

$\angle DCE = \angle$ ☐

원의 접선과 현이 이루는 각

원의 접선과 그 접점을 지나는 현이 이루는 각의 크기는 그 각의 내부에 있는 호에 대한 원주각의 크기와 같다.

➡ $\angle BAT = \angle$ ☐

현

접선

접점

○정답과 풀이 **51**쪽

2 다음 그림에서 $\overleftrightarrow{AT}$는 원 O의 접선이고 점 A는 접점이다. $\angle x$의 크기에 해당하는 글자를 보기 에서 찾아 차례대로 나열하여 수학자의 이름을 쓰시오.

(1)
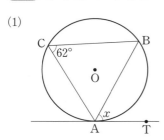

(2)
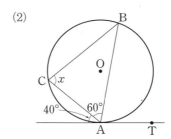

(3)
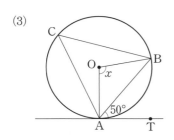

(4)
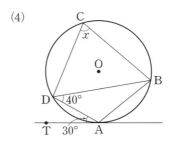

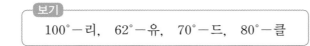

보기
$100°-$리, $62°-$유, $70°-$드, $80°-$클

(1)	(2)	(3)	(4)

기하학에는 왕도가 없다.

3 다음 ☐ 안에 알맞은 것을 써넣으시오.

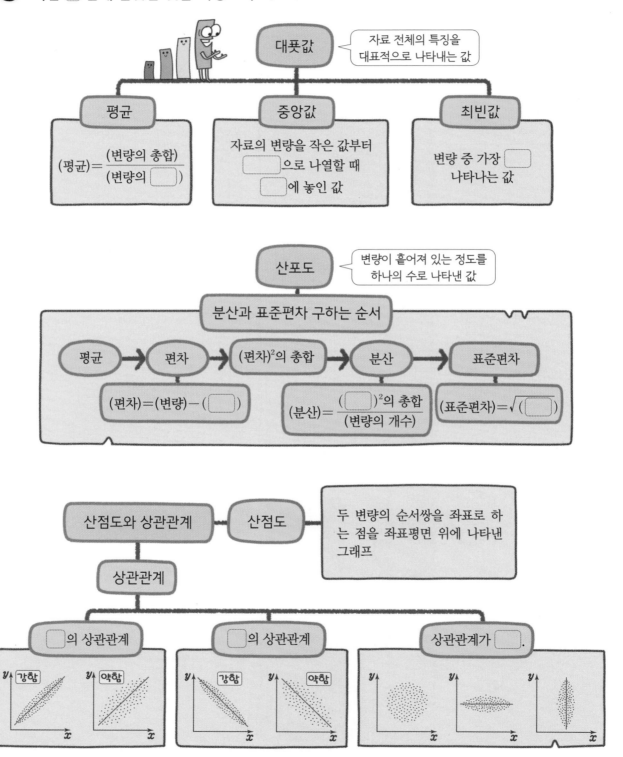

대푯값 — 자료 전체의 특징을 대표적으로 나타내는 값

평균

$$(평균) = \frac{(변량의 총합)}{(변량의 \boxed{})}$$

중앙값

자료의 변량을 작은 값부터 ☐으로 나열할 때 ☐에 놓인 값

최빈값

변량 중 가장 ☐ 나타나는 값

산포도 — 변량이 흩어져 있는 정도를 하나의 수로 나타낸 값

분산과 표준편차 구하는 순서

평균 ➡ 편차 ➡ (편차)²의 총합 ➡ 분산 ➡ 표준편차

$(편차) = (변량) - (\boxed{})$

$$(분산) = \frac{(\boxed{})^2의 총합}{(변량의 개수)}$$

$(표준편차) = \sqrt{(\boxed{})}$

산점도와 상관관계 — **산점도** — 두 변량의 순서쌍을 좌표로 하는 점을 좌표평면 위에 나타낸 그래프

상관관계

☐의 상관관계 [강함] [약함]

☐의 상관관계 [강함] [약함]

상관관계가 ☐.

● 정답과 풀이 51쪽

4 다음은 동요 「나비야」의 악보의 일부이다. 물음에 답하시오.

(1) 위의 악보를 보고 아래 표를 완성하시오.

계이름	도	레	미	파	솔
횟수					

(2) 계이름의 최빈값을 구하시오.

5 다음 자료의 평균, (편차)²의 총합, 분산, 표준편차를 각각 구하고 그 답을 연결하여 각 꽃의 꽃말을 찾으시오.

> 3, 3, 4, 11, 12, 6, 8, 9, 13, 11

(1) 평균 •

• ㉠ $\sqrt{13}$

개나리

존경과 감사

(2) (편차)²의 총합 •

• ㉡ 8

나팔꽃

기대와 달성

(3) 분산 •

• ㉢ 130

라일락

기쁜 소식

(4) 표준편차 •

• ㉣ 13

카네이션

젊은 날의 추억

6 다음은 우식이의 기말고사 전 14일 동안의 공부 시간과 친구한테 받은 SNS 메시지 개수를 조사하여 나타낸 것이다. 물음에 답하시오.

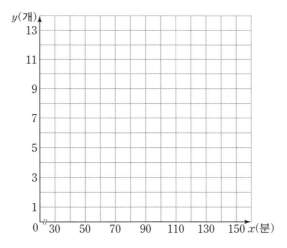

(1) 공부 시간을 x분, 친구한테 받은 SNS 메시지 개수를 y개라고 할 때, 순서쌍 (x, y)를 다음 좌표평면 위에 나타내시오.

(2) 공부 시간과 친구한테 받은 SNS 메시지 개수 사이에는 어떤 상관관계가 있는지 말하시오.

Memo

Memo

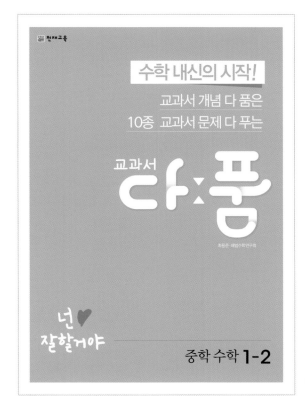

시작해 봐, 하루시리즈로!

#기초력_쌓고!
#공부습관_만들고!

시작은 하루 중학 국어

- 시
- 소설(개념)
- 소설(작품)
- 문법
- 비문학
- 수필

이 교재도 추천해요!

- 중학 국어 DNA 깨우기 시리즈 (비문학 독해 / 문법 / 어휘)

시작은 하루 중학 수학

- 1-1, 1-2
- 2-1, 2-2
- 3-1, 3-2

이 교재도 추천해요!

- 해결의 법칙 (개념 / 유형)
- 빅터연산

정답과 풀이

중학 ★ 바탕 학습
수학 3-2

시작은
하루
수학

정답과 풀이

▶ 혼자서도 이해할 수 있는 친절한 문제 풀이

중3-2

하루 수학

정답과 풀이

정답과 풀이

1주

p8 ~ p9

1주에는 무엇을 공부할까? ❷

1-1 $\sqrt{6}$, $\sqrt{6}$, $3\sqrt{6}$, 6, $\dfrac{\sqrt{6}}{2}$

1-2 (1) $\dfrac{2\sqrt{7}}{7}$ (2) $\dfrac{\sqrt{3}}{6}$ (3) $\dfrac{2\sqrt{2}}{3}$ (4) $\dfrac{\sqrt{6}}{10}$

2-1 (1) 5 (2) $\sqrt{21}$

2-2 (1) 10 (2) $\sqrt{7}$

3-1 2, SSS

3-2 (1) 2, D, DEF, SAS (2) ADE, A, ADE, AA

4-1 4, 8, 2, 4

4-2 (1) 12, 6, 6, 3 (2) 12, 12, 9

1-2 (1) $\dfrac{2}{\sqrt{7}}=\dfrac{2\times\sqrt{7}}{\sqrt{7}\times\sqrt{7}}=\dfrac{2\sqrt{7}}{7}$

(2) $\dfrac{1}{\sqrt{12}}=\dfrac{1}{2\sqrt{3}}=\dfrac{1\times\sqrt{3}}{2\sqrt{3}\times\sqrt{3}}=\dfrac{\sqrt{3}}{6}$

(3) $\dfrac{4}{\sqrt{18}}=\dfrac{4}{3\sqrt{2}}=\dfrac{4\times\sqrt{2}}{3\sqrt{2}\times\sqrt{2}}=\dfrac{4\sqrt{2}}{6}=\dfrac{2\sqrt{2}}{3}$

(4) $\dfrac{\sqrt{3}}{\sqrt{50}}=\dfrac{\sqrt{3}}{5\sqrt{2}}=\dfrac{\sqrt{3}\times\sqrt{2}}{5\sqrt{2}\times\sqrt{2}}=\dfrac{\sqrt{6}}{10}$

2-1 (1) $x=\sqrt{4^2+3^2}=\sqrt{25}=5$

(2) $x=\sqrt{5^2-2^2}=\sqrt{21}$

2-2 (1) $x=\sqrt{8^2+6^2}=\sqrt{100}=10$

(2) $x=\sqrt{5^2-(3\sqrt{2})^2}=\sqrt{7}$

1일

1. 삼각비의 뜻

개념 원리 확인

p11

1-1 (1) $\dfrac{4}{5}$ (2) $\dfrac{3}{5}$ (3) $\dfrac{4}{3}$

1-2 (1) $\dfrac{\sqrt{7}}{4}$ (2) $\dfrac{3}{4}$ (3) $\dfrac{\sqrt{7}}{3}$

2-1 (1) 4, 3 (2) ① $\dfrac{3}{5}$ ② $\dfrac{4}{5}$ ③ $\dfrac{3}{4}$

2-2 (1) $\sqrt{7}$, 3 (2) ① $\dfrac{3}{4}$ ② $\dfrac{\sqrt{7}}{4}$ ③ $\dfrac{3\sqrt{7}}{7}$

3-1 (1) $\sqrt{5}$ (2) ① $\dfrac{\sqrt{5}}{5}$ ② $\dfrac{2\sqrt{5}}{5}$ ③ $\dfrac{1}{2}$

3-2 (1) $\sqrt{21}$ (2) ① $\dfrac{\sqrt{21}}{5}$ ② $\dfrac{2}{5}$ ③ $\dfrac{\sqrt{21}}{2}$

2-2 (2) ③ $\tan C=\dfrac{\overline{AB}}{\overline{BC}}=\dfrac{3}{\sqrt{7}}=\dfrac{3\sqrt{7}}{7}$

3-1 (1) $\overline{AC}=\sqrt{2^2+1^2}=\sqrt{5}$

(2) ① $\sin A=\dfrac{1}{\sqrt{5}}=\dfrac{\sqrt{5}}{5}$

② $\cos A=\dfrac{2}{\sqrt{5}}=\dfrac{2\sqrt{5}}{5}$

3-2 (1) $\overline{BC}=\sqrt{5^2-2^2}=\sqrt{21}$

2. 삼각비의 값이 주어질 때, 변의 길이 구하기

개념 원리 확인

p13

4-1 (1) ① 10, 6 ② 6, 8

(2) ① 6, 8 ② 8, $2\sqrt{7}$

(3) ① 4, $2\sqrt{5}$ ② $2\sqrt{5}$, 6

4-2 (1) $x=10$, $y=5\sqrt{3}$ (2) $x=3\sqrt{5}$, $y=6$

(3) $x=6$, $y=2\sqrt{13}$

4-2 (1) $\sin A = \dfrac{5}{x} = \dfrac{1}{2}$이므로 $x = 10$

$\therefore y = \sqrt{10^2 - 5^2} = \sqrt{75} = 5\sqrt{3}$

(2) $\cos A = \dfrac{x}{9} = \dfrac{\sqrt{5}}{3}$이므로 $x = 3\sqrt{5}$

$\therefore y = \sqrt{9^2 - (3\sqrt{5})^2} = \sqrt{36} = 6$

(3) $\tan A = \dfrac{4}{x} = \dfrac{2}{3}$이므로 $x = 6$

$\therefore y = \sqrt{6^2 + 4^2} = \sqrt{52} = 2\sqrt{13}$

1일 기초 집중 연습　　　　　　　p14~p15

1-1 (1) ① $\dfrac{8}{17}$ ② $\dfrac{15}{17}$ ③ $\dfrac{8}{15}$

(2) ① $\dfrac{2}{3}$ ② $\dfrac{\sqrt{5}}{3}$ ③ $\dfrac{2\sqrt{5}}{5}$

(3) ① $\dfrac{1}{2}$ ② $\dfrac{\sqrt{3}}{2}$ ③ $\dfrac{\sqrt{3}}{3}$

1-2 (1) $\sqrt{6}$, 2, $\sqrt{2}$ ① $\dfrac{\sqrt{3}}{3}$ ② $\dfrac{\sqrt{6}}{3}$ ③ $\dfrac{\sqrt{2}}{2}$

(2) 3, 2, $\sqrt{5}$ ① $\dfrac{\sqrt{5}}{3}$ ② $\dfrac{2}{3}$ ③ $\dfrac{\sqrt{5}}{2}$

(3) 15, $5\sqrt{5}$, 10 ① $\dfrac{2}{3}$ ② $\dfrac{\sqrt{5}}{3}$ ③ $\dfrac{2\sqrt{5}}{5}$

1-3 ⑤

1-4 (1) 5, 12 ① $\dfrac{5}{13}$ ② $\dfrac{12}{13}$ ③ $\dfrac{5}{12}$ ④ $\dfrac{12}{13}$ ⑤ $\dfrac{5}{13}$ ⑥ $\dfrac{12}{5}$

(2) 12, 6 ① $\dfrac{1}{2}$ ② $\dfrac{\sqrt{3}}{2}$ ③ $\dfrac{\sqrt{3}}{3}$ ④ $\dfrac{\sqrt{3}}{2}$ ⑤ $\dfrac{1}{2}$ ⑥ $\sqrt{3}$

1-5 ③, ⑤

2-1 (1) $x = 15$, $y = 9$ (2) $x = 3$, $y = 2\sqrt{3}$

2-2 (1) $4\sqrt{2}\,$cm (2) $4\sqrt{2}\,$cm (3) $16\,$cm²

1-1 (2) ① $\sin A = \dfrac{4}{6} = \dfrac{2}{3}$

② $\cos A = \dfrac{2\sqrt{5}}{6} = \dfrac{\sqrt{5}}{3}$

③ $\tan A = \dfrac{4}{2\sqrt{5}} = \dfrac{2}{\sqrt{5}} = \dfrac{2\sqrt{5}}{5}$

(3) ① $\sin A = \dfrac{\sqrt{3}}{2\sqrt{3}} = \dfrac{1}{2}$

② $\cos A = \dfrac{3}{2\sqrt{3}} = \dfrac{\sqrt{3}}{2}$

1-2 (1) ① $\sin C = \dfrac{\sqrt{2}}{\sqrt{6}} = \dfrac{1}{\sqrt{3}} = \dfrac{\sqrt{3}}{3}$

② $\cos C = \dfrac{2}{\sqrt{6}} = \dfrac{2\sqrt{6}}{6} = \dfrac{\sqrt{6}}{3}$

(3) ① $\sin B = \dfrac{10}{15} = \dfrac{2}{3}$

② $\cos B = \dfrac{5\sqrt{5}}{15} = \dfrac{\sqrt{5}}{3}$

③ $\tan B = \dfrac{10}{5\sqrt{5}} = \dfrac{2}{\sqrt{5}} = \dfrac{2\sqrt{5}}{5}$

1-3 ① $\sin A = \dfrac{a}{b}$ ② $\cos A = \dfrac{c}{b}$

③ $\tan A = \dfrac{a}{c}$ ④ $\sin C = \dfrac{c}{b}$

1-4 (2) ① $\sin A = \dfrac{6}{12} = \dfrac{1}{2}$

② $\cos A = \dfrac{6\sqrt{3}}{12} = \dfrac{\sqrt{3}}{2}$

③ $\tan A = \dfrac{6}{6\sqrt{3}} = \dfrac{1}{\sqrt{3}} = \dfrac{\sqrt{3}}{3}$

④ $\sin B = \dfrac{6\sqrt{3}}{12} = \dfrac{\sqrt{3}}{2}$

⑤ $\cos B = \dfrac{6}{12} = \dfrac{1}{2}$

⑥ $\tan B = \dfrac{6\sqrt{3}}{6} = \sqrt{3}$

1-5 $\overline{BC} = \sqrt{(\sqrt{21})^2 + 2^2} = \sqrt{25} = 5$

① $\sin B = \dfrac{2}{5}$ ② $\cos B = \dfrac{\sqrt{21}}{5}$ ④ $\cos C = \dfrac{2}{5}$

2-1 (1) $\cos A = \dfrac{12}{x} = \dfrac{4}{5}$이므로 $x = 15$

$\therefore y = \sqrt{15^2 - 12^2} = \sqrt{81} = 9$

(2) $\tan C = \dfrac{x}{\sqrt{3}} = \sqrt{3}$이므로 $x = 3$

$\therefore y = \sqrt{3^2 + (\sqrt{3})^2} = \sqrt{12} = 2\sqrt{3}$

2-2 (1) $\sin A = \dfrac{\overline{BC}}{8} = \dfrac{\sqrt{2}}{2}$이므로 $\overline{BC} = 4\sqrt{2}\ (\mathrm{cm})$

(2) $\overline{AB} = \sqrt{8^2 - (4\sqrt{2})^2} = \sqrt{32} = 4\sqrt{2}\ (\mathrm{cm})$

(3) $\triangle ABC = \dfrac{1}{2} \times 4\sqrt{2} \times 4\sqrt{2} = 16\ (\mathrm{cm}^2)$

2일

3. 한 삼각비의 값이 주어질 때, 다른 삼각비의 값 구하기

개념 원리 확인   p17

1-1 (1) 6 ① $\sqrt{11}$ ② $\dfrac{\sqrt{11}}{6}$ ③ $\dfrac{5\sqrt{11}}{11}$

      (2) 3 ① $\sqrt{7}$ ② $\dfrac{\sqrt{7}}{4}$ ③ $\dfrac{\sqrt{7}}{3}$

      (3) 3, 2 ① $\sqrt{13}$ ② $\dfrac{2\sqrt{13}}{13}$ ③ $\dfrac{3\sqrt{13}}{13}$

1-2 (1) 그림은 풀이 참조

      ① 2 ② $\dfrac{2}{3}$ ③ $\dfrac{\sqrt{5}}{2}$

      (2) 그림은 풀이 참조

      ① $2\sqrt{6}$ ② $\dfrac{2\sqrt{6}}{7}$ ③ $\dfrac{2\sqrt{6}}{5}$

      (3) 그림은 풀이 참조

      ① $\sqrt{10}$ ② $\dfrac{3\sqrt{10}}{10}$ ③ $\dfrac{\sqrt{10}}{10}$

1-1 (1) ① $\overline{AB}=\sqrt{6^2-5^2}=\sqrt{11}$

      ③ $\tan A=\dfrac{5}{\sqrt{11}}=\dfrac{5\sqrt{11}}{11}$

      (2) ① $\overline{BC}=\sqrt{4^2-3^2}=\sqrt{7}$

      (3) ① $\overline{AC}=\sqrt{3^2+2^2}=\sqrt{13}$

      ② $\sin A=\dfrac{2}{\sqrt{13}}=\dfrac{2\sqrt{13}}{13}$

      ③ $\cos A=\dfrac{3}{\sqrt{13}}=\dfrac{3\sqrt{13}}{13}$

1-2 (1) $\sin A=\dfrac{\sqrt{5}}{3}$를 만족하는 가장 간단한 직각삼각형 ABC를 그리면 오른쪽 그림과 같다.

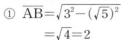

      ① $\overline{AB}=\sqrt{3^2-(\sqrt{5})^2}$
          $=\sqrt{4}=2$

      (2) $\cos A=\dfrac{5}{7}$를 만족하는 가장 간단한 직각삼각형 ABC를 그리면 오른쪽 그림과 같다.

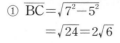

      ① $\overline{BC}=\sqrt{7^2-5^2}$
          $=\sqrt{24}=2\sqrt{6}$

      (3) $\tan A=3$을 만족하는 가장 간단한 직각삼각형 ABC를 그리면 오른쪽 그림과 같다.

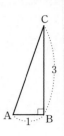

      ① $\overline{AC}=\sqrt{1^2+3^2}=\sqrt{10}$

      ② $\sin A=\dfrac{3}{\sqrt{10}}=\dfrac{3\sqrt{10}}{10}$

      ③ $\cos A=\dfrac{1}{\sqrt{10}}=\dfrac{\sqrt{10}}{10}$

---

4. 직각삼각형의 닮음을 이용한 삼각비의 값 구하기

개념 원리 확인   p19

2-1 (1) ① B, 10, $\dfrac{3}{5}$ ② B, 8, $\dfrac{4}{5}$ ③ B, 6, $\dfrac{3}{4}$

      (2) ① C, 9, $\dfrac{3}{5}$ ② C, 15, $\dfrac{4}{5}$ ③ C, 9, $\dfrac{3}{4}$

      (3) ① C, $\dfrac{12}{13}$ ② C, $\dfrac{5}{13}$ ③ C, $\dfrac{12}{5}$

2-2 (1) ① $\angle A$

      ② $\sin x=\dfrac{2\sqrt{13}}{13}$, $\cos x=\dfrac{3\sqrt{13}}{13}$, $\tan x=\dfrac{2}{3}$

      (2) ① $\angle B$

      ② $\sin x=\dfrac{3}{4}$, $\cos x=\dfrac{\sqrt{7}}{4}$, $\tan x=\dfrac{3\sqrt{7}}{7}$

      (3) ① $\angle B$

      ② $\sin x=\dfrac{15}{17}$, $\cos x=\dfrac{8}{17}$, $\tan x=\dfrac{15}{8}$

2-2 (1) ① $\triangle ABC \backsim \triangle DBE$이므로 $\angle A=\angle x$

      ② $\sin x=\sin A=\dfrac{2}{\sqrt{13}}=\dfrac{2\sqrt{13}}{13}$

         $\cos x=\cos A=\dfrac{3}{\sqrt{13}}=\dfrac{3\sqrt{13}}{13}$

         $\tan x=\tan A=\dfrac{2}{3}$

      (2) ① $\triangle ABC \backsim \triangle EDC$이므로 $\angle B=\angle x$

      ② $\sin x=\sin B=\dfrac{3}{4}$

         $\cos x=\cos B=\dfrac{\sqrt{7}}{4}$

         $\tan x=\tan B=\dfrac{3}{\sqrt{7}}=\dfrac{3\sqrt{7}}{7}$

(3) ① $\triangle ABC \backsim \triangle DAC$이므로 $\angle B = \angle x$

② $\sin x = \sin B = \dfrac{15}{17}$

$\cos x = \cos B = \dfrac{8}{17}$

$\tan x = \tan B = \dfrac{15}{8}$

2일 기초 집중 연습   p20 ~ p21

1-1 (1) 그림은 풀이 참조 ① $\dfrac{\sqrt{3}}{2}$ ② $\dfrac{\sqrt{3}}{3}$

(2) 그림은 풀이 참조 ① $\dfrac{\sqrt{21}}{5}$ ② $\dfrac{\sqrt{21}}{2}$

(3) 그림은 풀이 참조 ① $\dfrac{\sqrt{15}}{8}$ ② $\dfrac{7}{8}$

1-2 $\dfrac{\sqrt{5}}{5}$ **2-1** ②, ⑤

2-2 $\dfrac{4}{5}$ **2-3** $\dfrac{\sqrt{5}}{5}$

2-4 $\dfrac{5}{6}$

2-5 (1) $\overline{CD}, \overline{AC}$ (2) $\overline{AC}, \overline{AB}$ (3) $\overline{CD}, \overline{AB}$

2-6 $\dfrac{2\sqrt{13}}{13}$ **2-7** 1

2-8 (1) $\angle ABD$ (2) $\overline{AD} = 12, \overline{BD} = 15$ (3) $\dfrac{4}{5}$

1-1 (1) $\sin A = \dfrac{1}{2}$을 만족하는 가장

간단한 직각삼각형 ABC를
그리면 오른쪽 그림과 같으
므로

$\overline{AB} = \sqrt{2^2 - 1^2} = \sqrt{3}$

② $\tan A = \dfrac{1}{\sqrt{3}} = \dfrac{\sqrt{3}}{3}$

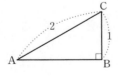

(2) $\cos A = \dfrac{2}{5}$를 만족하는 가장 간단한

직각삼각형 ABC를 그리면 오른쪽
그림과 같으므로

$\overline{BC} = \sqrt{5^2 - 2^2} = \sqrt{21}$

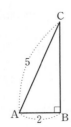

---

(3) $\tan A = \dfrac{\sqrt{15}}{7}$를 만족하

는 가장 간단한 직각삼각
형 ABC를 그리면 오른
쪽 그림과 같으므로

$\overline{AC} = \sqrt{7^2 + (\sqrt{15})^2} = \sqrt{64} = 8$

1-2 $\sin A = \dfrac{\sqrt{5}}{5}$를 만족하는 가

장 간단한 직각삼각형 ABC
를 그리면 오른쪽 그림과 같
으므로

$\overline{AB} = \sqrt{5^2 - (\sqrt{5})^2} = \sqrt{20} = 2\sqrt{5}$

즉 $\cos A = \dfrac{2\sqrt{5}}{5}$, $\tan A = \dfrac{\sqrt{5}}{2\sqrt{5}} = \dfrac{1}{2}$이므로

$\cos A \times \tan A = \dfrac{2\sqrt{5}}{5} \times \dfrac{1}{2} = \dfrac{\sqrt{5}}{5}$

2-1 $\triangle ABC \backsim \triangle DEC$이므로 $\angle A = \angle CDE$

$\therefore \cos A = \dfrac{\overline{AB}}{\overline{AC}} = \dfrac{\overline{DE}}{\overline{CD}}$

2-2 $\triangle EBD \backsim \triangle ABC$이므로 $\angle BDE = \angle x$

$\therefore \sin x = \sin(\angle BDE) = \dfrac{4}{5}$

2-3 $\triangle ABC \backsim \triangle EDC$이므로 $\angle B = \angle x$

$\therefore \cos x = \cos B = \dfrac{3}{3\sqrt{5}} = \dfrac{\sqrt{5}}{5}$

2-4 $\triangle ABC \backsim \triangle AED$이므로 $\angle C = \angle x$

$\triangle ABC$에서 $\overline{AB} = \sqrt{3^2 - 2^2} = \sqrt{5}$

$\therefore \sin x \times \tan x = \sin C \times \tan C$

$= \dfrac{\sqrt{5}}{3} \times \dfrac{\sqrt{5}}{2} = \dfrac{5}{6}$

2-5 $\triangle ABC \backsim \triangle DAC$이므로 $\angle B = \angle x$

2-6 $\triangle ABC \backsim \triangle DBA$이므로 $\angle C = \angle x$

$\triangle ABC$에서 $\overline{BC} = \sqrt{6^2 + 4^2} = \sqrt{52} = 2\sqrt{13}$

$\therefore \cos x = \cos C = \dfrac{4}{2\sqrt{13}} = \dfrac{2\sqrt{13}}{13}$

2-7 $\triangle ABC \backsim \triangle DBA \backsim \triangle DAC$이므로

$\angle C = \angle x$, $\angle B = \angle y$

$\therefore \sin x + \cos y = \sin C + \cos B = \dfrac{2}{4} + \dfrac{2}{4} = 1$

2-8 (1) $\triangle ABD \backsim \triangle HAD$이므로 $\angle ABD = \angle x$

(2) $\overline{AD} = \overline{BC} = 12$이므로 $\triangle ABD$에서
$\overline{BD} = \sqrt{9^2 + 12^2} = \sqrt{225} = 15$

(3) $\sin x = \sin(\angle ABD) = \dfrac{\overline{AD}}{\overline{BD}} = \dfrac{12}{15} = \dfrac{4}{5}$

3일

5. 30°, 45°, 60°의 삼각비의 값

개념 원리 확인 p23

1-1 (1) 0 (2) $\sqrt{2}$ (3) $\dfrac{\sqrt{3}}{2}$

1-2 (1) $\sqrt{3}$ (2) $\dfrac{1}{3}$ (3) $\dfrac{3}{2}$

2-1 (1) $\dfrac{9}{2}$ (2) 1 (3) $2\sqrt{3}$

2-2 (1) $\sqrt{2}$ (2) 3 (3) 0

3-1 (1) x, $\dfrac{1}{2}$, x, 6 (2) 12, $\dfrac{\sqrt{3}}{2}$, 12, $6\sqrt{3}$

3-2 (1) $x = 3\sqrt{2}$, $y = 3\sqrt{2}$ (2) $x = 6\sqrt{3}$, $y = 3\sqrt{3}$

1-1 (1) $\sin 30° - \cos 60° = \dfrac{1}{2} - \dfrac{1}{2} = 0$

(2) $\sin 45° + \cos 45° = \dfrac{\sqrt{2}}{2} + \dfrac{\sqrt{2}}{2} = \sqrt{2}$

(3) $\cos 30° \times \tan 45° = \dfrac{\sqrt{3}}{2} \times 1 = \dfrac{\sqrt{3}}{2}$

1-2 (1) $\sin 60° + \cos 30° = \dfrac{\sqrt{3}}{2} + \dfrac{\sqrt{3}}{2} = \sqrt{3}$

(2) $\tan 30° \div \tan 60° = \dfrac{\sqrt{3}}{3} \div \sqrt{3} = \dfrac{\sqrt{3}}{3} \times \dfrac{1}{\sqrt{3}} = \dfrac{1}{3}$

(3) $\cos 60° + \tan 45° = \dfrac{1}{2} + 1 = \dfrac{3}{2}$

2-1 (1) $3\cos 30° \div \tan 30°$
$= 3 \times \dfrac{\sqrt{3}}{2} \div \dfrac{\sqrt{3}}{3}$
$= \dfrac{3\sqrt{3}}{2} \times \dfrac{3}{\sqrt{3}} = \dfrac{9}{2}$

(2) $\sin 30° \times \tan 60° \div \cos 30°$
$= \dfrac{1}{2} \times \sqrt{3} \div \dfrac{\sqrt{3}}{2}$
$= \dfrac{\sqrt{3}}{2} \times \dfrac{2}{\sqrt{3}} = 1$

(3) $\tan 60° + \dfrac{\sin 60°}{\cos 60°}$
$= \sqrt{3} + \dfrac{\sqrt{3}}{2} \div \dfrac{1}{2}$
$= \sqrt{3} + \dfrac{\sqrt{3}}{2} \times 2$
$= \sqrt{3} + \sqrt{3} = 2\sqrt{3}$

2-2 (1) $(\sin 45° + \cos 45°) \times \tan 45°$
$= \left(\dfrac{\sqrt{2}}{2} + \dfrac{\sqrt{2}}{2} \right) \times 1 = \sqrt{2}$

(2) $\cos 30° \times \tan 60° \div \sin 30°$
$= \dfrac{\sqrt{3}}{2} \times \sqrt{3} \div \dfrac{1}{2}$
$= \dfrac{3}{2} \times 2 = 3$

(3) $\cos 30° \div \tan 30° - \sin 60° \times \tan 60°$
$= \dfrac{\sqrt{3}}{2} \div \dfrac{\sqrt{3}}{3} - \dfrac{\sqrt{3}}{2} \times \sqrt{3}$
$= \dfrac{\sqrt{3}}{2} \times \dfrac{3}{\sqrt{3}} - \dfrac{3}{2}$
$= \dfrac{3}{2} - \dfrac{3}{2} = 0$

3-2 (1) $\sin 45° = \dfrac{x}{6}$이므로
$\dfrac{\sqrt{2}}{2} = \dfrac{x}{6}$ $\therefore x = 3\sqrt{2}$
$\cos 45° = \dfrac{y}{6}$이므로
$\dfrac{\sqrt{2}}{2} = \dfrac{y}{6}$ $\therefore y = 3\sqrt{2}$

(2) $\sin 60° = \dfrac{9}{x}$이므로
$\dfrac{\sqrt{3}}{2} = \dfrac{9}{x}$ $\therefore x = 6\sqrt{3}$
$\tan 60° = \dfrac{9}{y}$이므로
$\sqrt{3} = \dfrac{9}{y}$ $\therefore y = 3\sqrt{3}$

개념 원리 확인

4-1 (1) $\overline{AB}$ (2) $\overline{OB}$ (3) $\overline{CD}$ (4) $\overline{OB}$, $\overline{OB}$, $\overline{OB}$

(5) $\overline{AB}$, $\overline{AB}$, $\overline{AB}$ (6) $\overline{OB}$ (7) $\overline{AB}$

4-2 (1) × (2) × (3) ○ (4) ○ (5) ○ (6) ○ (7) ×

5-1 (1) 0.7660 (2) 0.6428 (3) 1.1918

(4) $\overline{OB}$, 0.6428, 0.6428 (5) $\overline{AB}$, 0.7660, 0.7660

5-2 (1) 0.8480 (2) 0.5299 (3) 1.6003 (4) 0.5299

(5) 0.8480

4-1 (1) $\sin x = \dfrac{\overline{AB}}{\overline{OA}} = \dfrac{\overline{AB}}{1} = \overline{AB}$

(2) $\cos x = \dfrac{\overline{OB}}{\overline{OA}} = \dfrac{\overline{OB}}{1} = \overline{OB}$

(3) $\tan x = \dfrac{\overline{CD}}{\overline{OD}} = \dfrac{\overline{CD}}{1} = \overline{CD}$

(6) $\sin z = \sin y = \overline{OB}$

(7) $\cos z = \cos y = \overline{AB}$

4-2 (1) $\sin x = \dfrac{\overline{AB}}{\overline{OA}} = \dfrac{\overline{AB}}{1} = \overline{AB}$

(2) $\cos x = \dfrac{\overline{OB}}{\overline{OA}} = \dfrac{\overline{OB}}{1} = \overline{OB}$

(7) $\angle y = \angle z$이므로

$\cos z = \cos y = \dfrac{\overline{AB}}{\overline{OA}} = \dfrac{\overline{AB}}{1} = \overline{AB}$

5-1 (1) $\sin 50° = \dfrac{\overline{AB}}{\overline{OA}} = \dfrac{0.7660}{1} = 0.7660$

(2) $\cos 50° = \dfrac{\overline{OB}}{\overline{OA}} = \dfrac{0.6428}{1} = 0.6428$

(3) $\tan 50° = \dfrac{\overline{CD}}{\overline{OD}} = \dfrac{1.1918}{1} = 1.1918$

5-2 (1) $\sin 58° = \dfrac{\overline{AB}}{\overline{OA}} = \dfrac{0.8480}{1} = 0.8480$

(2) $\cos 58° = \dfrac{\overline{OB}}{\overline{OA}} = \dfrac{0.5299}{1} = 0.5299$

(3) $\tan 58° = \dfrac{\overline{CD}}{\overline{OD}} = \dfrac{1.6003}{1} = 1.6003$

(4) △AOB에서 $\angle OAB = 90° - 58° = 32°$이므로

$\sin 32° = \dfrac{\overline{OB}}{\overline{OA}} = \dfrac{0.5299}{1} = 0.5299$

(5) $\cos 32° = \dfrac{\overline{AB}}{\overline{OA}} = \dfrac{0.8480}{1} = 0.8480$

3일 기초 집중 연습

1-1 (1) $\dfrac{1}{2}$ (2) 0 (3) $\dfrac{\sqrt{3}}{2}$ (4) 2

1-2 (1) 45° (2) 30° (3) 45° (4) 30° (5) 60° (6) 60°

1-3 (1) $4\sqrt{3}$ (2) $2\sqrt{3}$ (3) $4\sqrt{2}$

1-4 $x = 3$, $y = 3\sqrt{2}$

1-5 $x = \sqrt{3}$, $y = 1$

1-6 $3\sqrt{6}$

2-1 (1) 0.6691 (2) 0.7431 (3) 0.9004

2-2 ③

2-3 (1) 0.7986 (2) 0.7986 (3) 1.9288

2-4 ⑤

1-1 (1) $\tan 45° \times \cos 60°$

$= 1 \times \dfrac{1}{2} = \dfrac{1}{2}$

(2) $\tan 60° \times \sin 30° - \cos 30°$

$= \sqrt{3} \times \dfrac{1}{2} - \dfrac{\sqrt{3}}{2} = \dfrac{\sqrt{3}}{2} - \dfrac{\sqrt{3}}{2} = 0$

(3) $\sin 45° \div \tan 30° \times \cos 45°$

$= \dfrac{\sqrt{2}}{2} \div \dfrac{\sqrt{3}}{3} \times \dfrac{\sqrt{2}}{2} = \dfrac{\sqrt{2}}{2} \times \dfrac{3}{\sqrt{3}} \times \dfrac{\sqrt{2}}{2} = \dfrac{\sqrt{3}}{2}$

(4) $\sin 60° \div \cos 30° + \tan 30° \times \tan 60°$

$= \dfrac{\sqrt{3}}{2} \div \dfrac{\sqrt{3}}{2} + \dfrac{\sqrt{3}}{3} \times \sqrt{3} = 1 + 1 = 2$

1-3 (1) $\cos 30° = \dfrac{x}{8}$이므로

$\dfrac{\sqrt{3}}{2} = \dfrac{x}{8}$ ∴ $x = 4\sqrt{3}$

(2) $\tan 60° = \dfrac{6}{x}$이므로

$\sqrt{3} = \dfrac{6}{x}$ ∴ $x = 2\sqrt{3}$

(3) $\sin 45° = \dfrac{4}{x}$이므로

$\dfrac{\sqrt{2}}{2} = \dfrac{4}{x}$ ∴ $x = 4\sqrt{2}$

1-4 △ABD에서 $\sin 30° = \dfrac{x}{6}$이므로

$\dfrac{1}{2} = \dfrac{x}{6}$ ∴ $x = 3$

$\triangle$ADC에서 $\sin 45°=\dfrac{3}{y}$이므로

$\dfrac{\sqrt{2}}{2}=\dfrac{3}{y}$ $\therefore y=3\sqrt{2}$

1-5 $\triangle$ABC에서 $\tan 45°=\dfrac{x}{\sqrt{3}}$이므로

$1=\dfrac{x}{\sqrt{3}}$ $\therefore x=\sqrt{3}$

$\triangle$BCD에서 $\tan 60°=\dfrac{\sqrt{3}}{y}$이므로

$\sqrt{3}=\dfrac{\sqrt{3}}{y}$ $\therefore y=1$

1-6 $\triangle$ABC에서 $\tan 60°=\dfrac{\overline{AC}}{6}$이므로

$\sqrt{3}=\dfrac{\overline{AC}}{6}$ $\therefore \overline{AC}=6\sqrt{3}$

$\triangle$ACD에서 $\sin 45°=\dfrac{x}{6\sqrt{3}}$이므로

$\dfrac{\sqrt{2}}{2}=\dfrac{x}{6\sqrt{3}}$ $\therefore x=3\sqrt{6}$

2-1 (1) $\sin 42°=\dfrac{\overline{AB}}{\overline{OA}}=\dfrac{0.6691}{1}=0.6691$

(2) $\cos 42°=\dfrac{\overline{OB}}{\overline{OA}}=\dfrac{0.7431}{1}=0.7431$

(3) $\tan 42°=\dfrac{\overline{CD}}{\overline{OD}}=\dfrac{0.9004}{1}=0.9004$

2-2 $\sin 33°=\dfrac{\overline{OB}}{\overline{OA}}=\dfrac{\overline{OB}}{1}=\overline{OB}$

2-3 (1) $\sin 53°=\dfrac{\overline{AB}}{\overline{OA}}=\dfrac{0.7986}{1}=0.7986$

(2) $\triangle$AOB에서 $\angle$OAB$=90°-53°=37°$

$\therefore \cos 37°=\dfrac{\overline{AB}}{\overline{OA}}=\dfrac{0.7986}{1}=0.7986$

(3) $\tan 53°=\dfrac{\overline{CD}}{\overline{OD}}=\dfrac{1.3270}{1}=1.3270$

$\sin 37°=\dfrac{\overline{OB}}{\overline{OA}}=\dfrac{0.6018}{1}=0.6018$

$\therefore \tan 53°+\sin 37°=1.3270+0.6018$
$=1.9288$

2-4 ⑤ $\tan z=\dfrac{\overline{OD}}{\overline{CD}}=\dfrac{1}{\overline{CD}}$

4일

7. 0°와 90°의 삼각비의 값

개념 원리 확인   p29

1-1 (1) 2 (2) 0 (3) 1   **1-2** (1) 0 (2) 0 (3) 1

2-1 (1) 1 (2) $\sqrt{3}$ (3) 1   **2-2** (1) $\dfrac{1}{2}$ (2) $\dfrac{3\sqrt{3}}{2}$ (3) 0

3-1 (1) ○ (2) × (3) ×   **3-2** (1) × (2) ○ (3) ×

1-1 (1) $\sin 90°+\cos 0°=1+1=2$

(2) $\cos 90°-\sin 90°\times\tan 0°=0-1\times0=0$

(3) $(1+\sin 0°)(1-\tan 0°)=(1+0)\times(1-0)=1$

1-2 (1) $\tan 0°-\cos 90°=0-0=0$

(2) $\sin 0°\times\cos 90°+\tan 0°=0\times0+0=0$

(3) $(\sin 0°+\cos 0°)(\sin 90°-\cos 90°)$
$=(0+1)\times(1-0)=1$

2-1 (1) $\cos 0°\times\tan 45°=1\times1=1$

(2) $\sin 0°+\tan 60°-\cos 90°=0+\sqrt{3}-0=\sqrt{3}$

(3) $\sin 90°\times\cos 60°+\cos 0°\times\sin 30°$
$=1\times\dfrac{1}{2}+1\times\dfrac{1}{2}=1$

2-2 (1) $\sin 30°+\cos 90°=\dfrac{1}{2}+0=\dfrac{1}{2}$

(2) $\sin 90°\div\tan 30°+\cos 30°$
$=1\div\dfrac{\sqrt{3}}{3}+\dfrac{\sqrt{3}}{2}=1\times\dfrac{3}{\sqrt{3}}+\dfrac{\sqrt{3}}{2}$
$=\sqrt{3}+\dfrac{\sqrt{3}}{2}=\dfrac{3\sqrt{3}}{2}$

(3) $\sin 45°\times\sin 90°-\cos 45°\times\cos 0°$
$=\dfrac{\sqrt{2}}{2}\times1-\dfrac{\sqrt{2}}{2}\times1=0$

3-1 (2) A의 크기가 커지면 $\cos A$의 값은 작아진다.

(3) $\tan 0°=0$

3-2 (1) $\sin A$의 최솟값은 0이고 최댓값은 1이다.

(3) $\tan 90°$의 값은 정할 수 없다.

개념 원리 확인   p31

4-1 (1) 0.6018 (2) 0.7771 (3) 0.7813

4-2 (1) 0.7880 (2) 0.6428 (3) 1.3764

5-1 (1) $64°$ (2) $62°$ (3) $63°$

5-2 (1) $28°$ (2) $29°$ (3) $25°$

5-1 (1) $\sin 64°=0.8988$이므로 $x=64°$

     (2) $\cos 62°=0.4695$이므로 $x=62°$

     (3) $\tan 63°=1.9626$이므로 $x=63°$

5-2 (1) $\sin 28°=0.4695$이므로 $x=28°$

     (2) $\cos 29°=0.8746$이므로 $x=29°$

     (3) $\tan 25°=0.4663$이므로 $x=25°$

4일 기초 집중 연습   p32 ~ p33

1-1 (1) -1 (2) 1 (3) 0 (4) 1 (5) $-\dfrac{\sqrt{3}}{2}$

1-2 ⑤   **1-3** 0

1-4 ④

2-1 (1) 0.3090 (2) 0.9563 (3) 0.3443

2-2 (1) $45°$ (2) $42°$ (3) $44°$

2-3 (1) 0.1233 (2) 0.5877

2-4 ③

1-1 (1) $\cos 90°-\sin 90°=0-1=-1$

     (2) $\cos 0°\times\sin 90°=1\times 1=1$

     (3) $\sin 0°+\cos 0°\times\tan 0°=0+1\times 0=0$

     (4) $\sin 90°\div\sin 30°-\tan 45°$

         $=1\div\dfrac{1}{2}-1=1\times 2-1=1$

     (5) $\tan 0°-\sin 60°\times\cos 0°$

         $=0-\dfrac{\sqrt{3}}{2}\times 1=-\dfrac{\sqrt{3}}{2}$

1-2 ① $\cos 60°\times\sin 45°=\dfrac{1}{2}\times\dfrac{\sqrt{2}}{2}=\dfrac{\sqrt{2}}{4}$

     ② $\sin 0°+\cos 0°=0+1=1$

     ③ $\cos 60°\div\sin 60°=\dfrac{1}{2}\div\dfrac{\sqrt{3}}{2}=\dfrac{1}{2}\times\dfrac{2}{\sqrt{3}}=\dfrac{\sqrt{3}}{3}$

④ $\tan 0°+\sin 30°\times\cos 45°=0+\dfrac{1}{2}\times\dfrac{\sqrt{2}}{2}=\dfrac{\sqrt{2}}{4}$

⑤ $\sin 90°\times(2\cos 30°-\cos 90°)$

     $=1\times\left(2\times\dfrac{\sqrt{3}}{2}-0\right)=\sqrt{3}$

따라서 옳지 않은 것은 ⑤이다.

1-3 $2\sin 60°\times\cos 0°-\sqrt{3}\sin 90°+\tan 0°$

     $=2\times\dfrac{\sqrt{3}}{2}\times 1-\sqrt{3}\times 1+0$

     $=\sqrt{3}-\sqrt{3}+0=0$

1-4 ① $\cos 0°=1$ ② $\sin 30°=\dfrac{1}{2}$ ③ $\cos 45°=\dfrac{\sqrt{2}}{2}$

     ④ $\tan 60°=\sqrt{3}$ ⑤ $\sin 90°=1$

따라서 삼각비의 값이 가장 큰 것은 ④이다.

2-2 (1) $\sin 45°=0.7071$이므로 $x=45°$

     (2) $\cos 42°=0.7431$이므로 $x=42°$

     (3) $\tan 44°=0.9657$이므로 $x=44°$

2-3 (1) $\tan 42°-\cos 39°=0.9004-0.7771=0.1233$

     (2) $\sin 40°+\cos 41°-\tan 39°$

         $=0.6428+0.7547-0.8098=0.5877$

2-4 $\sin 25°=0.4226$이므로 $x=25°$

     $\cos 28°=0.8829$이므로 $y=28°$

     $\therefore x+y=25°+28°=53°$

5일

개념 원리 확인   p35

1-1 (1) 10, 10, 8.6 (2) 10, 10, 5.2

1-2 $x=81,\ y=59$

2-1 (1) 5, 5 (2) 5, $5\tan 36°$

2-2 $x=\dfrac{9}{\cos 28°}$ $y=9\tan 28°$

3-1 (1) x, $\sin 62°$ (2) 8, 8

3-2 $x=\dfrac{7}{\sin 57°}$, $y=\dfrac{7}{\tan 57°}$

정답과 풀이

1-2 $\sin 54° = \dfrac{x}{100}$이므로

$x = 100 \sin 54° = 100 \times 0.81 = 81$

$\cos 54° = \dfrac{y}{100}$이므로

$y = 100 \cos 54° = 100 \times 0.59 = 59$

2-2 $\cos 28° = \dfrac{9}{x}$이므로 $x = \dfrac{9}{\cos 28°}$

$\tan 28° = \dfrac{y}{9}$이므로 $y = 9 \tan 28°$

3-2 $\sin 57° = \dfrac{7}{x}$이므로 $x = \dfrac{7}{\sin 57°}$

$\tan 57° = \dfrac{7}{y}$이므로 $y = \dfrac{7}{\tan 57°}$

---

10. 실생활에서 거리 구하기

개념 원리 확인   p37

4-1 292 m   **4-2** 8.8 km

5-1 (1) 2 m (2) 3.5 m   **5-2** (1) 5.6 m (2) 7.6 m

4-1 $\overline{BC} = 1000 \sin 17° = 1000 \times 0.292 = 292 \,(m)$

4-2 $\overline{BC} = 20 \sin 26° = 20 \times 0.44 = 8.8 \,(km)$

5-1 (1) $\overline{BC} = 5 \tan 22° = 5 \times 0.4 = 2 \,(m)$

(2) (가로등의 높이) $= \overline{BC} + \overline{BH} = 2 + 1.5 = 3.5 \,(m)$

5-2 (1) $\overline{BC} = 7 \tan 39° = 7 \times 0.8 = 5.6 \,(m)$

(2) (탑의 높이) $= \overline{BC} + \overline{BH} = 5.6 + 2 = 7.6 \,(m)$

5일   기초 집중 연습   p38 ~ p39

1-1 (1) 6.3 (2) 7.7 (3) 5.4

1-2 (1) 5, 10 (2) 5, $5\sqrt{3}$

1-3 19.7   **1-4** ⑤

2-1 ④   **2-2** 68 m

2-3 21.6 m

2-4 (1) $5\sqrt{3}$ m (2) 15 m (3) $(5\sqrt{3}+15)$ m

1-1 (1) $x = 9 \tan 35° = 9 \times 0.7 = 6.3$

(2) $x = 10 \cos 40° = 10 \times 0.77 = 7.7$

(3) $x = 6 \sin 66° = 6 \times 0.9 = 5.4$

1-2 (1) $\overline{AC} = \dfrac{\boxed{5}}{\sin 30°} = 5 \div \dfrac{1}{2} = 5 \times 2 = \boxed{10}$

(2) $\overline{BC} = \dfrac{\boxed{5}}{\tan 30°} = 5 \div \dfrac{\sqrt{3}}{3} = 5 \times \dfrac{3}{\sqrt{3}} = \boxed{5\sqrt{3}}$

1-3 $x = 100 \sin 53° = 100 \times 0.798 = 79.8$

$y = 100 \cos 53° = 100 \times 0.601 = 60.1$

$\therefore x - y = 79.8 - 60.1 = 19.7$

1-4 $\cos 49° = \dfrac{7}{\overline{AC}}$이므로 $\overline{AC} = \dfrac{7}{\cos 49°}$

2-1 $\overline{AB} = 100\sqrt{3} \tan 30° = 100\sqrt{3} \times \dfrac{\sqrt{3}}{3} = 100 \,(cm)$

$\overline{AC} = \dfrac{100\sqrt{3}}{\cos 30°} = 100\sqrt{3} \div \dfrac{\sqrt{3}}{2}$

$= 100\sqrt{3} \times \dfrac{2}{\sqrt{3}} = 200 \,(cm)$

$\therefore$ (나무의 높이) $= \overline{AB} + \overline{AC}$

$= 100 + 200 = 300 \,(cm)$

2-2 $\overline{AB} = 100 \tan 34° = 100 \times 0.68 = 68 \,(m)$

따라서 두 등대 A, B 사이의 거리는 68 m이다.

2-3 $\overline{AB} = 50 \sin 24° = 50 \times 0.4 = 20 \,(m)$

$\therefore$ (지면으로부터 연까지의 높이)

$= \overline{AB} + \overline{BH}$

$= 20 + 1.6 = 21.6 \,(m)$

2-4 (1) $\overline{AH} = \overline{BD} = 15 \,m$이므로

$\overline{CH} = 15 \tan 30° = 15 \times \dfrac{\sqrt{3}}{3} = 5\sqrt{3} \,(m)$

(2) $\overline{DH} = 15 \tan 45° = 15 \times 1 = 15 \,(m)$

(3) (빌딩의 높이) $= \overline{CH} + \overline{DH} = 5\sqrt{3} + 15 \,(m)$

01 ③   **02** $x=8$, $y=2\sqrt{11}$

03 $\dfrac{\sqrt{7}}{3}$ **04** (1) $\dfrac{4}{5}$ (2) $\dfrac{3\sqrt{13}}{13}$

05 ⑤   **06** (1) 1   (2) 0

07 (1) $\sin 31°=0.5150$, $\cos 34°=0.8290$,

     $\tan 32°=0.6249$

   (2) 33°

08 ③   **09** (1) 30 m   (2) $30\sqrt{3}$ m

10 9.3 m

---

01 $\overline{AC}=\sqrt{1^2+(\sqrt{3})^2}=\sqrt{4}=2$

   ① $\sin A=\dfrac{\overline{BC}}{\overline{AC}}=\dfrac{\sqrt{3}}{2}$

   ② $\cos A=\dfrac{\overline{AB}}{\overline{AC}}=\dfrac{1}{2}$

   ③ $\tan A=\dfrac{\overline{BC}}{\overline{AB}}=\sqrt{3}$

   ④ $\sin C=\dfrac{\overline{AB}}{\overline{AC}}=\dfrac{1}{2}$

   ⑤ $\tan C=\dfrac{\overline{AB}}{\overline{BC}}=\dfrac{1}{\sqrt{3}}=\dfrac{\sqrt{3}}{3}$

   따라서 옳은 것은 ③이다.

02 $\sin A=\dfrac{2\sqrt{5}}{x}=\dfrac{\sqrt{5}}{4}$이므로 $x=8$

   $\therefore y=\sqrt{8^2-(2\sqrt{5})^2}=\sqrt{44}=2\sqrt{11}$

03 $\cos A=\dfrac{3}{4}$을 만족하는 가장 간단한

   직각삼각형 ABC를 그리면 오른쪽

   그림과 같으므로

   $\overline{BC}=\sqrt{4^2-3^2}=\sqrt{7}$

   $\therefore \tan A=\dfrac{\sqrt{7}}{3}$

04 (1) $\triangle ABC \backsim \triangle EBD$이므로 $\angle C=\angle x$

     $\triangle ABC$에서 $\overline{AB}=\sqrt{10^2-6^2}=\sqrt{64}=8$

     $\therefore \sin x=\sin C=\dfrac{8}{10}=\dfrac{4}{5}$

   (2) $\triangle ABC \backsim \triangle DAC$이므로 $\angle B=\angle x$

     $\triangle ABC$에서 $\overline{BC}=\sqrt{2^2+3^2}=\sqrt{13}$

     $\therefore \sin x=\sin B=\dfrac{3}{\sqrt{13}}=\dfrac{3\sqrt{13}}{13}$

05 ⑤ $\angle y=\angle z$이므로

   $\cos z=\cos y=\dfrac{\overline{AB}}{\overline{OA}}=\dfrac{\overline{AB}}{1}=\overline{AB}$

06 (1) $\sin 90°-\cos 0°+\tan 45°=1-1+1=1$

   (2) $\sin 30°\times\tan 0°+\cos 90°\times\tan 60°$

     $=\dfrac{1}{2}\times 0+0\times\sqrt{3}=0$

07 (2) $\tan 33°=0.6494$이므로 $x=33°$

08 $\sin 27°=\dfrac{\overline{BC}}{10}$이므로 $\overline{BC}=10\sin 27°$

09 (1) $\overline{AB}=60\sin 30°=60\times\dfrac{1}{2}=30$ (m)

     따라서 A 지점과 B 지점 사이의 거리는 30 m이다.

   (2) $\overline{BC}=60\cos 30°=60\times\dfrac{\sqrt{3}}{2}=30\sqrt{3}$ (m)

     따라서 B 지점과 C 지점 사이의 거리는 $30\sqrt{3}$ m이다.

10 $\overline{BC}=10\tan 38°=10\times 0.78=7.8$ (m)

   $\therefore$ (나무의 높이)$=\overline{BC}+\overline{BH}=7.8+1.5=9.3$ (m)

---

1 $\dfrac{a}{c}$ / $\dfrac{\sqrt{2}}{2}$, 1, $\dfrac{\sqrt{3}}{2}$, 0, $\sqrt{3}$ / $b\cos A$ / $c\tan A$ / $\dfrac{a}{\tan A}$

2 우산   **3** (1) 직각   (2) $\dfrac{3}{5}$

4 (1) $\sin A=\dfrac{\sqrt{101}}{101}$, $\cos A=\dfrac{10\sqrt{101}}{101}$, $\tan A=\dfrac{1}{10}$

   (2) 6°

5 (1) $\sqrt{2}$ (2) 1   (3) 2   (4) $-\dfrac{3}{2}$ (5) $\dfrac{\sqrt{3}}{2}$ (6) $\sqrt{3}$

   그림은 풀이 참조

6 (1) ㉠   (2) ㉢   (3) ㉣   (4) ㉡

2

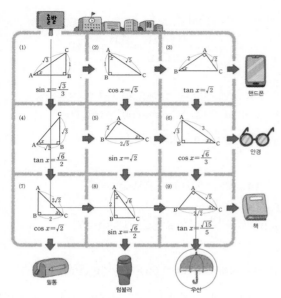

(1) $\sin x = \dfrac{1}{\sqrt{3}} = \dfrac{\sqrt{3}}{3}$ (↓)

(4) $\tan x = \dfrac{\sqrt{3}}{\sqrt{2}} = \dfrac{\sqrt{6}}{2}$ (↓)

(7) $\cos x = \dfrac{2}{2\sqrt{2}} = \dfrac{1}{\sqrt{2}} = \dfrac{\sqrt{2}}{2}$ (→)

(8) $\overline{BC} = \sqrt{(\sqrt{6})^2 - 2^2} = \sqrt{2}$이므로

$\sin x = \dfrac{\sqrt{2}}{\sqrt{6}} = \dfrac{1}{\sqrt{3}} = \dfrac{\sqrt{3}}{3}$ (→)

(9) $\overline{AB} = \sqrt{(2\sqrt{2})^2 - (\sqrt{5})^2} = \sqrt{3}$이므로

$\tan x = \dfrac{\sqrt{3}}{\sqrt{5}} = \dfrac{\sqrt{15}}{5}$ (↓)

3 (2) $\cos B = \dfrac{6}{10} = \dfrac{3}{5}$

4 (1) $\dfrac{(수직\ 거리)}{(수평\ 거리)}$ 의 값은 탄젠트의 값을 의미하므로

$\tan A = \dfrac{1}{10}$

오른쪽 그림과 같이

$\tan A = \dfrac{1}{10}$ 을 만족하는 가장

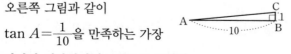

간단한 직각삼각형 ABC를 그리면

$\overline{AC} = \sqrt{10^2 + 1^2} = \sqrt{101}$이므로

$\sin A = \dfrac{1}{\sqrt{101}} = \dfrac{\sqrt{101}}{101}$

$\cos A = \dfrac{10}{\sqrt{101}} = \dfrac{10\sqrt{101}}{101}$

$\tan A = \dfrac{1}{10}$

(2) $\dfrac{1}{10} = 0.1$이므로 주어진 삼각비의 표에서 0.1에 가장 가까운 tan의 값의 각도는 $6°$이다. 따라서 도로의 경사각 ∠A의 크기는 약 $6°$이다.

5 (1) $\sin 45° + \cos 45° = \dfrac{\sqrt{2}}{2} + \dfrac{\sqrt{2}}{2} = \sqrt{2}$

(2) $\tan 45° - \sin 0° = 1 - 0 = 1$

(3) $\cos 0° - \tan 0° + \sin 90° = 1 - 0 + 1 = 2$

(4) $\cos 90° - \sin 60° \times \tan 60° = 0 - \dfrac{\sqrt{3}}{2} \times \sqrt{3} = -\dfrac{3}{2}$

(5) $\sin 30° \times \cos 30° + \dfrac{\tan 60°}{4}$

$= \dfrac{1}{2} \times \dfrac{\sqrt{3}}{2} + \dfrac{\sqrt{3}}{4} = \dfrac{\sqrt{3}}{4} + \dfrac{\sqrt{3}}{4} = \dfrac{\sqrt{3}}{2}$

(6) $\cos 60° \div \tan 30° + \sin 60° \times \tan 45°$

$= \dfrac{1}{2} \div \dfrac{\sqrt{3}}{3} + \dfrac{\sqrt{3}}{2} \times 1$

$= \dfrac{1}{2} \times \dfrac{3}{\sqrt{3}} + \dfrac{\sqrt{3}}{2}$

$= \dfrac{\sqrt{3}}{2} + \dfrac{\sqrt{3}}{2} = \sqrt{3}$

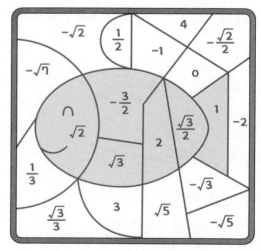

6 (1) $x = 10 \sin 60° = 10 \times \dfrac{\sqrt{3}}{2} = 5\sqrt{3}$ → ㉠

(2) $x = \dfrac{5}{\cos 45°} = 5 \div \dfrac{\sqrt{2}}{2} = 5 \times \dfrac{2}{\sqrt{2}} = 5\sqrt{2}$ → ㉢

(3) $x = 3 \tan 30° = 3 \times \dfrac{\sqrt{3}}{3} = \sqrt{3}$ → ㉣

(4) △ABD에서

$\overline{AD} = 4 \sin 45° = 4 \times \dfrac{\sqrt{2}}{2} = 2\sqrt{2}$

△ADC에서

$x = \dfrac{2\sqrt{2}}{\sin 30°} = 2\sqrt{2} \div \dfrac{1}{2} = 2\sqrt{2} \times 2 = 4\sqrt{2}$ → ㉡

2주

3-2 △BCD=$\frac{1}{2}$□ABCD

$\quad\quad\quad =\frac{1}{2}\times26=13\,(\text{cm}^2)$

2주에는 무엇을 공부할까? ❷　　　　p50 ~ p51

1-1 $x=5\sqrt{2}$, $y=5\sqrt{2}$

1-2 (1) $x=4\sqrt{3}$, $y=4$　(2) $x=6\sqrt{2}$, $y=6$

　　　(3) $x=8$, $y=4\sqrt{3}$

2-1 (1) 10 cm²　(2) 6 cm²

2-2 (1) 20 cm²　(2) 9 cm²

3-1 12 cm²

3-2 13 cm²

4-1 (1) ㉡　(2) ㉠　(3) ㉢

4-2 (1) ◯　(2) ◯　(3) ×, 반원의 중심각의 크기는 180°이다.

1-1 $x=10\sin45°=10\times\dfrac{\sqrt{2}}{2}=5\sqrt{2}$

　　$y=10\cos45°=10\times\dfrac{\sqrt{2}}{2}=5\sqrt{2}$

1-2 (1) $x=8\sin60°=8\times\dfrac{\sqrt{3}}{2}=4\sqrt{3}$

　　　　$y=8\cos60°=8\times\dfrac{1}{2}=4$

　　(2) $x=\dfrac{6}{\cos45°}=6\div\dfrac{\sqrt{2}}{2}=6\sqrt{2}$

　　　　$y=6\tan45°=6\times1=6$

　　(3) $x=\dfrac{4}{\sin30°}=4\div\dfrac{1}{2}=8$

　　　　$y=\dfrac{4}{\tan30°}=4\div\dfrac{\sqrt{3}}{3}=4\sqrt{3}$

2-1 (1) △ABC=$\dfrac{1}{2}\times(3+2)\times4=10\,(\text{cm}^2)$

　　(2) △ABC=$\dfrac{1}{2}\times4\times3=6\,(\text{cm}^2)$

2-2 (1) △ABC=$\dfrac{1}{2}\times8\times5=20\,(\text{cm}^2)$

　　(2) △ABC=$\dfrac{1}{2}\times3\times6=9\,(\text{cm}^2)$

3-1 □ABCD=2△ABC

　　　　　=$2\times6=12\,(\text{cm}^2)$

1일

1. 일반 삼각형의 변의 길이 구하기⑴

개념 원리 확인　　　　p53

1-1 (1) 풀이 참조　(2) $\overline{\text{AH}}=3$, $\overline{\text{BH}}=3\sqrt{3}$

　　　(3) $2\sqrt{3}$　(4) $\sqrt{21}$

1-2 $\sqrt{10}$

2-1 (1) 풀이 참조　(2) $\overline{\text{AH}}=5\sqrt{3}$ m, $\overline{\text{BH}}=5$ m

　　　(3) 10 m　(4) $5\sqrt{7}$ m

2-2 $2\sqrt{7}$ km

1-1 (1)

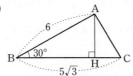

　　(2) △ABH에서

　　　　$\overline{\text{AH}}=6\sin30°=6\times\dfrac{1}{2}=3$

　　　　$\overline{\text{BH}}=6\cos30°=6\times\dfrac{\sqrt{3}}{2}=3\sqrt{3}$

　　(3) $\overline{\text{CH}}=\overline{\text{BC}}-\overline{\text{BH}}=5\sqrt{3}-3\sqrt{3}=2\sqrt{3}$

　　(4) △AHC에서 $\overline{\text{AC}}=\sqrt{3^2+(2\sqrt{3})^2}=\sqrt{21}$

1-2 오른쪽 그림과 같이 꼭짓점 A
에서 $\overline{\text{BC}}$에 내린 수선의 발을
H라고 하면 △ABH에서
$\overline{\text{AH}}=3\sqrt{2}\sin45°$

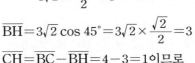

　　　　$=3\sqrt{2}\times\dfrac{\sqrt{2}}{2}=3$

　　$\overline{\text{BH}}=3\sqrt{2}\cos45°=3\sqrt{2}\times\dfrac{\sqrt{2}}{2}=3$

　　$\overline{\text{CH}}=\overline{\text{BC}}-\overline{\text{BH}}=4-3=1$이므로

　　△AHC에서 $\overline{\text{AC}}=\sqrt{3^2+1^2}=\sqrt{10}$

정답과 풀이

2-1 (1)
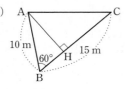

(2) △ABH에서

$$\overline{AH}=10\sin 60°=10\times\frac{\sqrt{3}}{2}=5\sqrt{3}\,(\text{m})$$

$$\overline{BH}=10\cos 60°=10\times\frac{1}{2}=5\,(\text{m})$$

(3) $\overline{CH}=\overline{BC}-\overline{BH}=15-5=10\,(\text{m})$

(4) △AHC에서

$$\overline{AC}=\sqrt{(5\sqrt{3})^2+10^2}=\sqrt{175}=5\sqrt{7}\,(\text{m})$$

2-2 오른쪽 그림과 같이 꼭짓점 A에서 $\overline{BC}$에 내린 수선의 발을 H라고 하면 △ABH에서

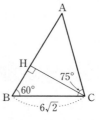

$$\overline{AH}=4\sqrt{3}\sin 30°$$
$$=4\sqrt{3}\times\frac{1}{2}$$
$$=2\sqrt{3}\,(\text{km})$$

$$\overline{BH}=4\sqrt{3}\cos 30°=4\sqrt{3}\times\frac{\sqrt{3}}{2}=6\,(\text{km})$$

$\overline{CH}=\overline{BC}-\overline{BH}=10-6=4\,(\text{km})$이므로

△AHC에서
$$\overline{AC}=\sqrt{(2\sqrt{3})^2+4^2}=\sqrt{28}=2\sqrt{7}\,(\text{km})$$

따라서 두 지점 A, C 사이의 거리는 $2\sqrt{7}$ km이다.

---

2. 일반 삼각형의 변의 길이 구하기 (2)

개념 원리 확인　　　　　　　　　p55

3-1 (1) 풀이 참조　(2) $3\sqrt{6}$　(3) $45°$　(4) $6\sqrt{3}$

3-2 $4\sqrt{2}$

4-1 (1) 풀이 참조　(2) $30\sqrt{2}$ m　(3) $60°$　(4) $20\sqrt{6}$ m

4-2 $50\sqrt{2}$ m

3-1 (1)
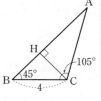

(2) △BCH에서

$$\overline{CH}=6\sqrt{2}\sin 60°=6\sqrt{2}\times\frac{\sqrt{3}}{2}=3\sqrt{6}$$

(3) $\angle A=180°-(60°+75°)=45°$

(4) △AHC에서

$$\overline{AC}=\frac{3\sqrt{6}}{\sin 45°}=3\sqrt{6}\div\frac{\sqrt{2}}{2}=6\sqrt{3}$$

3-2 오른쪽 그림과 같이 꼭짓점 C에서 $\overline{AB}$에 내린 수선의 발을 H라고 하면 △BCH에서
$$\overline{CH}=4\sin 45°$$

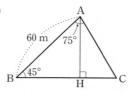

$$=4\times\frac{\sqrt{2}}{2}=2\sqrt{2}$$

$\angle A=180°-(45°+105°)=30°$이므로

△AHC에서

$$\overline{AC}=\frac{2\sqrt{2}}{\sin 30°}=2\sqrt{2}\div\frac{1}{2}=4\sqrt{2}$$

4-1 (1)
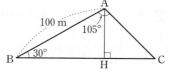

(2) △ABH에서

$$\overline{AH}=60\sin 45°=60\times\frac{\sqrt{2}}{2}=30\sqrt{2}\,(\text{m})$$

(3) $\angle C=180°-(75°+45°)=60°$

(4) △AHC에서

$$\overline{AC}=\frac{30\sqrt{2}}{\sin 60°}=30\sqrt{2}\div\frac{\sqrt{3}}{2}=20\sqrt{6}\,(\text{m})$$

4-2 오른쪽 그림과 같이 꼭짓점 A에서 $\overline{BC}$에 내린 수선의 발을 H라고 하면 △ABH에서

$$\overline{AH}=100\sin 30°=100\times\frac{1}{2}=50\,(\text{m})$$

$\angle C = 180° - (105° + 30°) = 45°$이므로
$\triangle$AHC에서

$$\overline{AC} = \frac{50}{\sin 45°} = 50 \div \frac{\sqrt{2}}{2} = 50\sqrt{2} \text{ (m)}$$

따라서 두 기지국 A, C 사이의 거리는 $50\sqrt{2}$ m이다.

1일 기초 집중 연습 p56 ~ p57

1-1 $3\sqrt{7}$ cm   **1**-2 $3\sqrt{5}$ cm

1-3 $2\sqrt{7}$ cm   **1**-4 $10\sqrt{5}$ m

1-5 $\sqrt{37}$ km   **2**-1 $6\sqrt{3}$ cm

2-2 $8\sqrt{2}$ m   **2**-3 $5\sqrt{2}$ m

2-4 (1) 풀이 참조 (2) 60° (3) $20\sqrt{3}$ cm (4) $20\sqrt{6}$ cm

---

1-1 오른쪽 그림과 같이 꼭짓점 A에서 $\overline{BC}$에 내린 수선의 발을 H라고 하면 $\triangle$ABH에서

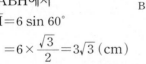

$\overline{AH} = 6 \sin 60°$

$\quad = 6 \times \frac{\sqrt{3}}{2} = 3\sqrt{3}$ (cm)

$\overline{BH} = 6 \cos 60° = 6 \times \frac{1}{2} = 3$ (cm)

$\overline{CH} = \overline{BC} - \overline{BH} = 9 - 3 = 6$ (cm)이므로
$\triangle$AHC에서
$\overline{AC} = \sqrt{(3\sqrt{3})^2 + 6^2} = \sqrt{63} = 3\sqrt{7}$ (cm)

1-2 오른쪽 그림과 같이 꼭짓점 A에서 $\overline{BC}$에 내린 수선의 발을 H라고 하면 $\triangle$ABH에서

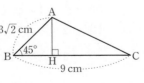

$\overline{AH} = 3\sqrt{2} \sin 45° = 3\sqrt{2} \times \frac{\sqrt{2}}{2} = 3$ (cm)

$\overline{BH} = 3\sqrt{2} \cos 45° = 3\sqrt{2} \times \frac{\sqrt{2}}{2} = 3$ (cm)

$\overline{CH} = \overline{BC} - \overline{BH} = 9 - 3 = 6$ (cm)이므로
$\triangle$AHC에서
$\overline{AC} = \sqrt{3^2 + 6^2} = \sqrt{45} = 3\sqrt{5}$ (cm)

1-3 오른쪽 그림과 같이 꼭짓점 B에서 $\overline{AC}$에 내린 수선의 발을 H라고 하면 $\triangle$ABH에서
$\overline{AH} = 8 \cos 30°$

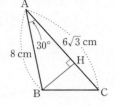

$\quad = 8 \times \frac{\sqrt{3}}{2} = 4\sqrt{3}$ (cm)

$\overline{BH} = 8 \sin 30° = 8 \times \frac{1}{2} = 4$ (cm)

$\overline{CH} = \overline{AC} - \overline{AH} = 6\sqrt{3} - 4\sqrt{3} = 2\sqrt{3}$ (cm)이므로
$\triangle$BCH에서
$\overline{BC} = \sqrt{4^2 + (2\sqrt{3})^2} = \sqrt{28} = 2\sqrt{7}$ (cm)

1-4 오른쪽 그림과 같이 꼭짓점 A에서 $\overline{BC}$에 내린 수선의 발을 H라고 하면 $\triangle$ABH에서
$\overline{AH} = 30 \sin 45°$

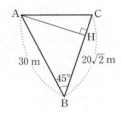

$\quad = 30 \times \frac{\sqrt{2}}{2} = 15\sqrt{2}$ (m)

$\overline{BH} = 30 \cos 45° = 30 \times \frac{\sqrt{2}}{2} = 15\sqrt{2}$ (m)

$\overline{CH} = \overline{BC} - \overline{BH} = 20\sqrt{2} - 15\sqrt{2} = 5\sqrt{2}$ (m)이므로
$\triangle$AHC에서
$\overline{AC} = \sqrt{(15\sqrt{2})^2 + (5\sqrt{2})^2} = \sqrt{500} = 10\sqrt{5}$ (m)

1-5 오른쪽 그림과 같이 꼭짓점 A에서 $\overline{BC}$에 내린 수선의 발을 H라고 하면 $\triangle$AHC에서
$\overline{AH} = 10 \sin 30°$

$\quad = 10 \times \frac{1}{2} = 5$ (km)

$\overline{CH} = 10 \cos 30° = 10 \times \frac{\sqrt{3}}{2} = 5\sqrt{3}$ (km)

$\overline{BH} = \overline{BC} - \overline{CH} = 7\sqrt{3} - 5\sqrt{3} = 2\sqrt{3}$ (km)이므로
$\triangle$ABH에서
$\overline{AB} = \sqrt{5^2 + (2\sqrt{3})^2} = \sqrt{37}$ (km)
따라서 터널의 길이는 $\sqrt{37}$ km이다.

2-1 오른쪽 그림과 같이 꼭짓점 C에서 $\overline{AB}$에 내린 수선의 발을 H라고 하면 $\triangle$BCH에서
$\overline{CH} = 9\sqrt{2} \sin 45°$

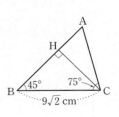

$\quad = 9\sqrt{2} \times \frac{\sqrt{2}}{2} = 9$ (cm)

$\angle A = 180° - (45° + 75°) = 60°$이므로

$\triangle AHC$에서

$\overline{AC} = \dfrac{9}{\sin 60°} = 9 \div \dfrac{\sqrt{3}}{2} = 6\sqrt{3}\,(\text{cm})$

2-2 오른쪽 그림과 같이 꼭 짓점 A에서 $\overline{BC}$에 내린 수선의 발을 H라고 하면 $\triangle ABH$에서

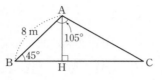

$\overline{AH} = 8\sin 45° = 8 \times \dfrac{\sqrt{2}}{2} = 4\sqrt{2}\,(\text{m})$

$\angle C = 180° - (105° + 45°) = 30°$이므로

$\triangle AHC$에서

$\overline{AC} = \dfrac{4\sqrt{2}}{\sin 30°} = 4\sqrt{2} \div \dfrac{1}{2} = 8\sqrt{2}\,(\text{m})$

따라서 텐트 A에서 식수대 C까지의 거리는 $8\sqrt{2}\,\text{m}$이다.

2-3 오른쪽 그림과 같이 꼭짓점 B에서 $\overline{AC}$에 내린 수선의 발을 H라고 하면 $\triangle BCH$에서

$\overline{BH} = 10\sin 30°$

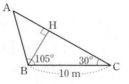

$= 10 \times \dfrac{1}{2} = 5\,(\text{m})$

$\angle A = 180° - (105° + 30°) = 45°$이므로

$\triangle ABH$에서

$\overline{AB} = \dfrac{5}{\sin 45°} = 5 \div \dfrac{\sqrt{2}}{2} = 5\sqrt{2}\,(\text{m})$

따라서 두 지점 A, B 사이의 거리는 $5\sqrt{2}\,\text{m}$이다.

2-4 (1)

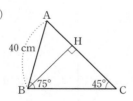

(2) $\angle A = 180° - (75° + 45°) = 60°$

(3) $\triangle ABH$에서

$\overline{BH} = 40\sin 60° = 40 \times \dfrac{\sqrt{3}}{2} = 20\sqrt{3}\,(\text{cm})$

(4) $\triangle BCH$에서

$\overline{BC} = \dfrac{20\sqrt{3}}{\sin 45°} = 20\sqrt{3} \div \dfrac{\sqrt{2}}{2} = 20\sqrt{6}\,(\text{cm})$

2일

3. 일반 삼각형의 변의 길이 구하기(3)

개념 원리 확인   p59

1-1 (1) 풀이 참조   (2) $\overline{BH}=3,\ \overline{CH}=3\sqrt{3}$

     (3) $45°$ (4) $3\sqrt{3}$ (5) $3\sqrt{3}+3$

1-2 $\sqrt{6}+\sqrt{2}$

2-1 (1) 풀이 참조   (2) $\overline{AH}=30\,\text{m},\ \overline{CH}=30\,\text{m}$

     (3) $60°$ (4) $10\sqrt{3}\,\text{m}$ (5) $(10\sqrt{3}+30)\,\text{m}$

2-2 $(6+6\sqrt{3})\,\text{m}$

1-1 (1)

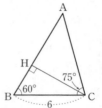

(2) $\triangle BCH$에서

$\overline{BH} = 6\cos 60° = 6 \times \dfrac{1}{2} = 3$

$\overline{CH} = 6\sin 60° = 6 \times \dfrac{\sqrt{3}}{2} = 3\sqrt{3}$

(3) $\angle A = 180° - (60° + 75°) = 45°$

(4) $\triangle AHC$에서

$\overline{AH} = \dfrac{3\sqrt{3}}{\tan 45°} = \dfrac{3\sqrt{3}}{1} = 3\sqrt{3}$

(5) $\overline{AB} = \overline{AH} + \overline{BH} = 3\sqrt{3} + 3$

1-2 오른쪽 그림과 같이 꼭짓점 C에서 $\overline{AB}$에 내린 수선의 발을 H라고 하면 $\triangle BCH$에서

$\overline{BH} = 2\cos 45°$

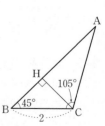

$= 2 \times \dfrac{\sqrt{2}}{2} = \sqrt{2}$

$\overline{CH} = 2\sin 45° = 2 \times \dfrac{\sqrt{2}}{2} = \sqrt{2}$

$\angle A = 180° - (45° + 105°) = 30°$이므로

$\triangle AHC$에서

$\overline{AH} = \dfrac{\sqrt{2}}{\tan 30°} = \sqrt{2} \div \dfrac{\sqrt{3}}{3} = \sqrt{6}$

$\therefore\ \overline{AB} = \overline{AH} + \overline{BH} = \sqrt{6} + \sqrt{2}$

2-1 (1)

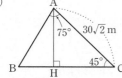

(2) △AHC에서

$$\overline{AH}=30\sqrt{2}\sin 45°=30\sqrt{2}\times\frac{\sqrt{2}}{2}=30\,(m)$$

$$\overline{CH}=30\sqrt{2}\cos 45°=30\sqrt{2}\times\frac{\sqrt{2}}{2}=30\,(m)$$

(3) ∠B=180°−(75°+45°)=60°

(4) △ABH에서

$$\overline{BH}=\frac{30}{\tan 60°}=\frac{30}{\sqrt{3}}=10\sqrt{3}\,(m)$$

(5) $\overline{BC}=\overline{BH}+\overline{CH}=10\sqrt{3}+30\,(m)$

2-2 오른쪽 그림과 같이 꼭짓점 A에서 $\overline{BC}$에 내린 수선의 발을 H라고 하면 △AHC에서

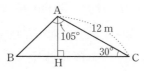

$$\overline{AH}=12\sin 30°=12\times\frac{1}{2}=6\,(m)$$

$$\overline{CH}=12\cos 30°=12\times\frac{\sqrt{3}}{2}=6\sqrt{3}\,(m)$$

∠B=180°−(105°+30°)=45°이므로

△ABH에서

$$\overline{BH}=\frac{6}{\tan 45°}=\frac{6}{1}=6\,(m)$$

$$∴\ \overline{BC}=\overline{BH}+\overline{CH}=6+6\sqrt{3}\,(m)$$

따라서 두 조명 B, C 사이의 거리는 $(6+6\sqrt{3})$ m이다.

---

4. 일반 삼각형의 높이 구하기(1)

개념 원리 확인   **p61**

3-1 (1) 45° (2) h (3) 60° (4) $\sqrt{3}h$ (5) 1

3-2 $\sqrt{3}$

4-1 $10(3-\sqrt{3})$ m

4-2 $15\sqrt{3}$ m

3-1 (1) ∠BAH=90°−45°=45°

(2) $\overline{BH}=h\tan 45°=h$

(3) ∠CAH=90°−30°=60°

(4) $\overline{CH}=h\tan 60°=\sqrt{3}h$

(5) $\overline{BH}+\overline{CH}=\overline{BC}$이므로

$$h+\sqrt{3}h=1+\sqrt{3}$$

$$(1+\sqrt{3})h=1+\sqrt{3}\qquad∴\ h=1$$

3-2 △ABH에서 ∠BAH=60°이므로

$$\overline{BH}=h\tan 60°=\sqrt{3}h$$

△AHC에서 ∠CAH=30°이므로

$$\overline{CH}=h\tan 30°=\frac{\sqrt{3}}{3}h$$

$\overline{BH}+\overline{CH}=\overline{BC}$이므로

$$\sqrt{3}h+\frac{\sqrt{3}}{3}h=4$$

$$\frac{4\sqrt{3}}{3}h=4\qquad∴\ h=\sqrt{3}$$

4-1 $\overline{AH}=h$ m라고 하면

△ABH에서 ∠BAH=30°이므로

$$\overline{BH}=h\tan 30°=\frac{\sqrt{3}}{3}h\,(m)$$

△AHC에서 ∠CAH=45°이므로

$$\overline{CH}=h\tan 45°=h\,(m)$$

$\overline{BH}+\overline{CH}=\overline{BC}$이므로

$$\frac{\sqrt{3}}{3}h+h=20,\ \frac{(\sqrt{3}+3)h}{3}=20$$

$$∴\ h=\frac{60}{3+\sqrt{3}}=10(3-\sqrt{3})$$

따라서 나무의 높이는 $10(3-\sqrt{3})$ m이다.

4-2 $\overline{AH}=h$ m라고 하면

△ABH에서 ∠BAH=30°이므로

$$\overline{BH}=h\tan 30°=\frac{\sqrt{3}}{3}h\,(m)$$

△AHC에서 ∠CAH=60°이므로

$$\overline{CH}=h\tan 60°=\sqrt{3}h\,(m)$$

$\overline{BH}+\overline{CH}=\overline{BC}$이므로

$$\frac{\sqrt{3}}{3}h+\sqrt{3}h=60$$

$$\frac{4\sqrt{3}}{3}h=60\qquad∴\ h=15\sqrt{3}$$

따라서 지면에서 기구까지의 높이는 $15\sqrt{3}$ m이다.

1-1 (1) 6 cm   (2) 6 cm   (3) 60°   (4) $2\sqrt{3}$ cm

      (5) $(2\sqrt{3}+6)$ cm

1-2 $(5+5\sqrt{3})$ cm   **1-3** $(6\sqrt{3}+6)$ km

1-4 $(15\sqrt{2}+15\sqrt{6})$ m

2-1 ① 50, tan 50° ② 20, tan 20°

      ③ tan 50°, tan 20°, $\dfrac{100}{\tan 50° + \tan 20°}$

2-2 $4(\sqrt{3}-1)$ cm   **2-3** $6(3-\sqrt{3})$ cm

2-4 $10\sqrt{3}$ m

1-1 (1) $\overline{\text{BH}}=6\sqrt{2}\cos 45°=6\sqrt{2}\times\dfrac{\sqrt{2}}{2}=6$ (cm)

(2) $\overline{\text{CH}}=6\sqrt{2}\sin 45°=6\sqrt{2}\times\dfrac{\sqrt{2}}{2}=6$ (cm)

(3) $\angle\text{A}=180°-(45°+75°)=60°$

(4) $\overline{\text{AH}}=\dfrac{6}{\tan 60°}=\dfrac{6}{\sqrt{3}}=2\sqrt{3}$ (cm)

(5) $\overline{\text{AB}}=\overline{\text{AH}}+\overline{\text{BH}}=2\sqrt{3}+6$ (cm)

1-2 오른쪽 그림과 같이 꼭짓점 B에서 $\overline{\text{AC}}$에 내린 수선의 발을 H라고 하면 △BCH에서

$\overline{\text{BH}}=10\sin 30°$

     $=10\times\dfrac{1}{2}=5$ (cm)

$\overline{\text{CH}}=10\cos 30°=10\times\dfrac{\sqrt{3}}{2}=5\sqrt{3}$ (cm)

$\angle\text{A}=180°-(105°+30°)=45°$이므로

△ABH에서

$\overline{\text{AH}}=\dfrac{5}{\tan 45°}=\dfrac{5}{1}=5$ (cm)

∴ $\overline{\text{AC}}=\overline{\text{AH}}+\overline{\text{CH}}=5+5\sqrt{3}$ (cm)

1-3 오른쪽 그림과 같이 꼭짓점 A에서 $\overline{\text{BC}}$에 내린 수선의 발을 H라고 하면 △AHC에서

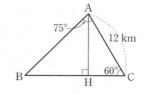

$\overline{\text{AH}}=12\sin 60°$

     $=12\times\dfrac{\sqrt{3}}{2}=6\sqrt{3}$ (km)

$\overline{\text{CH}}=12\cos 60°=12\times\dfrac{1}{2}=6$ (km)

$\angle\text{B}=180°-(75°+60°)=45°$이므로

△ABH에서

$\overline{\text{BH}}=\dfrac{6\sqrt{3}}{\tan 45°}=\dfrac{6\sqrt{3}}{1}=6\sqrt{3}$ (km)

∴ $\overline{\text{BC}}=\overline{\text{BH}}+\overline{\text{CH}}=6\sqrt{3}+6$ (km)

따라서 두 지점 B, C 사이의 거리는 $(6\sqrt{3}+6)$ km이다.

1-4 오른쪽 그림과 같이 꼭짓점 B에서 $\overline{\text{AC}}$에 내린 수선의 발을 H라고 하면 △ABH에서

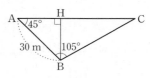

$\overline{\text{AH}}=30\cos 45°=30\times\dfrac{\sqrt{2}}{2}=15\sqrt{2}$ (m)

$\overline{\text{BH}}=30\sin 45°=30\times\dfrac{\sqrt{2}}{2}=15\sqrt{2}$ (m)

$\angle\text{C}=180°-(45°+105°)=30°$이므로

△BCH에서

$\overline{\text{CH}}=\dfrac{15\sqrt{2}}{\tan 30°}=15\sqrt{2}\div\dfrac{\sqrt{3}}{3}=15\sqrt{6}$ (m)

∴ $\overline{\text{AC}}=\overline{\text{AH}}+\overline{\text{CH}}=15\sqrt{2}+15\sqrt{6}$ (m)

따라서 두 지점 A, C 사이의 거리는 $(15\sqrt{2}+15\sqrt{6})$ m 이다.

2-2 $\overline{\text{AH}}=h$ cm라고 하면

△ABH에서 $\angle\text{BAH}=60°$이므로

$\overline{\text{BH}}=h\tan 60°=\sqrt{3}h$ (cm)

△AHC에서 $\angle\text{CAH}=45°$이므로

$\overline{\text{CH}}=h\tan 45°=h$ (cm)

$\overline{\text{BH}}+\overline{\text{CH}}=\overline{\text{BC}}$이므로

$\sqrt{3}h+h=8$, $(\sqrt{3}+1)h=8$

∴ $h=\dfrac{8}{\sqrt{3}+1}=4(\sqrt{3}-1)$

따라서 높이는 $4(\sqrt{3}-1)$ cm이다.

2-3 $\overline{\text{AH}}=h$ cm라고 하면

△ABH에서 $\angle\text{BAH}=45°$이므로

$\overline{\text{BH}}=h\tan 45°=h$ (cm)

△AHC에서 $\angle\text{CAH}=30°$이므로

$\overline{\text{CH}}=h\tan 30°=\dfrac{\sqrt{3}}{3}h$ (cm)

$\overline{BH}+\overline{CH}=\overline{BC}$이므로

$h+\dfrac{\sqrt{3}}{3}h=12$, $\dfrac{(3+\sqrt{3})h}{3}=12$

$\therefore h=\dfrac{36}{3+\sqrt{3}}=6(3-\sqrt{3})$

따라서 높이는 $6(3-\sqrt{3})$ cm이다.

2-4 $\overline{AH}=h$ m라고 하면

△ABH에서 ∠BAH=60°이므로

$\overline{BH}=h\tan 60°=\sqrt{3}h$ (m)

△AHC에서 ∠CAH=30°이므로

$\overline{CH}=h\tan 30°=\dfrac{\sqrt{3}}{3}h$ (m)

$\overline{BH}+\overline{CH}=\overline{BC}$이므로

$\sqrt{3}h+\dfrac{\sqrt{3}}{3}h=40$, $\dfrac{4\sqrt{3}}{3}h=40$ $\therefore h=10\sqrt{3}$

따라서 $\overline{AH}$의 길이는 $10\sqrt{3}$ m이다.

3일

1-1 (1) ∠BAH=90°−45°=45°

(2) $\overline{BH}=h\tan 45°=h$

(3) ∠CAH=90°−60°=30°

(4) $\overline{CH}=h\tan 30°=\dfrac{\sqrt{3}}{3}h$

(5) $\overline{BH}-\overline{CH}=\overline{BC}$이므로

$h-\dfrac{\sqrt{3}}{3}h=3-\sqrt{3}$

$\dfrac{(3-\sqrt{3})h}{3}=3-\sqrt{3}$ $\therefore h=3$

1-2 △ABH에서 ∠BAH=60°이므로

$\overline{BH}=h\tan 60°=\sqrt{3}h$

△ACH에서 ∠CAH=30°이므로

$\overline{CH}=h\tan 30°=\dfrac{\sqrt{3}}{3}h$

$\overline{BH}-\overline{CH}=\overline{BC}$이므로

$\sqrt{3}h-\dfrac{\sqrt{3}}{3}h=20$

$\dfrac{2\sqrt{3}}{3}h=20$　　$\therefore h=10\sqrt{3}$

2-1 $\overline{AH}=h$ m라고 하면

△ABH에서 ∠BAH=60°이므로

$\overline{BH}=h\tan 60°=\sqrt{3}h$ (m)

△ACH에서 ∠CAH=45°이므로

$\overline{CH}=h\tan 45°=h$ (m)

$\overline{BH}-\overline{CH}=\overline{BC}$이므로

$\sqrt{3}h-h=10$, $(\sqrt{3}-1)h=10$

$\therefore h=\dfrac{10}{\sqrt{3}-1}=5(\sqrt{3}+1)$

따라서 나무의 높이는 $5(\sqrt{3}+1)$ m이다.

2-2 $\overline{AH}=h$ m라고 하면

△ABH에서 ∠BAH=45°이므로

$\overline{BH}=h\tan 45°=h$ (m)

△ACH에서 ∠CAH=30°이므로

$\overline{CH}=h\tan 30°=\dfrac{\sqrt{3}}{3}h$ (m)

$\overline{BH}-\overline{CH}=\overline{BC}$이므로

$h-\dfrac{\sqrt{3}}{3}h=8$, $\dfrac{(3-\sqrt{3})h}{3}=8$

$\therefore h=\dfrac{24}{3-\sqrt{3}}=4(3+\sqrt{3})$

따라서 탑의 높이는 $4(3+\sqrt{3})$ m이다.

정답과 풀이

3-1 (1) $\triangle ABC = \dfrac{1}{2} \times 5 \times 4 \times \sin 30°$

$= \dfrac{1}{2} \times 5 \times 4 \times \dfrac{1}{2}$

$= 5$

(2) $\triangle ABC = \dfrac{1}{2} \times 8 \times 10 \times \sin 60°$

$= \dfrac{1}{2} \times 8 \times 10 \times \dfrac{\sqrt{3}}{2}$

$= 20\sqrt{3}$

(3) $\triangle ABC = \dfrac{1}{2} \times 4 \times 6 \times \sin 45°$

$= \dfrac{1}{2} \times 4 \times 6 \times \dfrac{\sqrt{2}}{2}$

$= 6\sqrt{2}$

3-2 (1) $\triangle ABC = \dfrac{1}{2} \times 4 \times 7 \times \sin 60°$

$= \dfrac{1}{2} \times 4 \times 7 \times \dfrac{\sqrt{3}}{2}$

$= 7\sqrt{3}$

(2) $\triangle ABC = \dfrac{1}{2} \times 6 \times 9 \times \sin 45°$

$= \dfrac{1}{2} \times 6 \times 9 \times \dfrac{\sqrt{2}}{2}$

$= \dfrac{27\sqrt{2}}{2}$

(3) $\triangle ABC = \dfrac{1}{2} \times 7 \times 8 \times \sin 30°$

$= \dfrac{1}{2} \times 7 \times 8 \times \dfrac{1}{2}$

$= 14$

4-1 $\triangle ABC = \dfrac{1}{2} \times 9 \times 12 \times \sin B$

$= 54 \sin B$

즉 $54 \sin B = 27$ $\therefore \sin B = \dfrac{1}{2}$

이때 $0° < \angle B < 90°$이므로 $\angle B = 30°$

4-2 $\triangle ABC = \dfrac{1}{2} \times 6 \times \overline{BC} \times \sin 60°$

$= \dfrac{1}{2} \times 6 \times \overline{BC} \times \dfrac{\sqrt{3}}{2}$

$= \dfrac{3\sqrt{3}}{2}\overline{BC}$

즉 $\dfrac{3\sqrt{3}}{2}\overline{BC} = 12\sqrt{3}$ $\therefore \overline{BC} = 8$

3일 기초 집중 연습 p68 ~ p69

1-1 ① 50, $\tan 50°$ ② 35, $\tan 35°$

③ $\tan 50°$, $\tan 35°$, $\dfrac{100}{\tan 50° - \tan 35°}$

1-2 $3(3+\sqrt{3})$ cm **1-3** $4(\sqrt{3}+1)$ cm

1-4 $6\sqrt{3}$ m

2-1 (1) 18 cm² (2) 21 cm² (3) $30\sqrt{3}$ cm²

2-2 9 cm² **2-3** 9 cm

2-4 $60°$

1-2 $\overline{AH} = h$ cm라고 하면

$\triangle ABH$에서 $\angle BAH = 45°$이므로

$\overline{BH} = h \tan 45° = h$ (cm)

$\triangle ACH$에서 $\angle CAH = 30°$이므로

$\overline{CH} = h \tan 30° = \dfrac{\sqrt{3}}{3}h$ (cm)

$\overline{BH} - \overline{CH} = \overline{BC}$이므로

$h - \dfrac{\sqrt{3}}{3}h = 6$, $\dfrac{(3-\sqrt{3})h}{3} = 6$

$\therefore h = \dfrac{18}{3-\sqrt{3}} = 3(3+\sqrt{3})$

따라서 높이는 $3(3+\sqrt{3})$ cm이다.

1-3 $\overline{AH} = h$ cm라고 하면

$\triangle ABH$에서 $\angle BAH = 60°$이므로

$\overline{BH} = h \tan 60° = \sqrt{3}h$ (cm)

$\triangle ACH$에서 $\angle CAH = 45°$이므로

$\overline{CH} = h \tan 45° = h$ (cm)

$\overline{BH} - \overline{CH} = \overline{BC}$이므로

$\sqrt{3}h - h = 8$, $(\sqrt{3}-1)h = 8$

$\therefore h = \dfrac{8}{\sqrt{3}-1} = 4(\sqrt{3}+1)$

따라서 높이는 $4(\sqrt{3}+1)$ cm이다.

1-4 $\overline{AH} = h$ m라고 하면

$\triangle ABH$에서 $\angle BAH = 60°$이므로

$\overline{BH} = h \tan 60° = \sqrt{3}h$ (m)

$\triangle ACH$에서 $\angle CAH = 30°$이므로

$\overline{CH} = h \tan 30° = \dfrac{\sqrt{3}}{3}h$ (m)

$\overline{BH} - \overline{CH} = \overline{BC}$이므로

$$\sqrt{3}\,h-\frac{\sqrt{3}}{3}\,h=12$$

$$\frac{2\sqrt{3}}{3}\,h=12 \qquad \therefore \ h=6\sqrt{3}$$

따라서 타워의 높이는 $6\sqrt{3}$ m이다.

2-1 (1) $\triangle ABC=\dfrac{1}{2}\times 8\times 9\times \sin 30°$
$\qquad\quad =\dfrac{1}{2}\times 8\times 9\times \dfrac{1}{2}$
$\qquad\quad =18\,(\mathrm{cm}^2)$

(2) $\triangle ABC=\dfrac{1}{2}\times 6\times 7\sqrt{2}\times \sin 45°$
$\qquad\quad =\dfrac{1}{2}\times 6\times 7\sqrt{2}\times \dfrac{\sqrt{2}}{2}$
$\qquad\quad =21\,(\mathrm{cm}^2)$

(3) $\triangle ABC=\dfrac{1}{2}\times 15\times 8\times \sin 60°$
$\qquad\quad =\dfrac{1}{2}\times 15\times 8\times \dfrac{\sqrt{3}}{2}$
$\qquad\quad =30\sqrt{3}\,(\mathrm{cm}^2)$

2-2 $\triangle ABC$는 $\overline{AB}=\overline{AC}$인 이등변삼각형이므로
$\angle A=180°-2\times 75°=30°$
$\therefore \ \triangle ABC=\dfrac{1}{2}\times 6\times 6\times \sin 30°$
$\qquad\quad =\dfrac{1}{2}\times 6\times 6\times \dfrac{1}{2}$
$\qquad\quad =9\,(\mathrm{cm}^2)$

2-3 $\triangle ABC=\dfrac{1}{2}\times 4\sqrt{2}\times \overline{BC}\times \sin 45°$
$\qquad\quad =\dfrac{1}{2}\times 4\sqrt{2}\times \overline{BC}\times \dfrac{\sqrt{2}}{2}$
$\qquad\quad =2\overline{BC}\,(\mathrm{cm}^2)$
즉 $2\overline{BC}=18 \qquad \therefore \ \overline{BC}=9\,(\mathrm{cm})$

2-4 $\triangle ABC=\dfrac{1}{2}\times 12\times 20\times \sin B$
$\qquad\quad =120\sin B\,(\mathrm{cm}^2)$
즉 $120\sin B=60\sqrt{3} \qquad \therefore \ \sin B=\dfrac{\sqrt{3}}{2}$
이때 $0°<\angle B<90°$이므로 $\angle B=60°$

4일

7. 삼각형의 넓이 구하기(2)

개념 원리 확인 p71

1-1 (1) $3\sqrt{2}$ (2) $\dfrac{9\sqrt{3}}{2}$ (3) 7

1-2 (1) $5\sqrt{3}$ (2) 12 (3) 3

2-1 $120°$ **2-2** $3\sqrt{2}$

1-1 (1) $\triangle ABC=\dfrac{1}{2}\times 4\times 3\times \sin(180°-135°)$
$\qquad\quad =\dfrac{1}{2}\times 4\times 3\times \dfrac{\sqrt{2}}{2}$
$\qquad\quad =3\sqrt{2}$

(2) $\triangle ABC=\dfrac{1}{2}\times 3\times 6\times \sin(180°-120°)$
$\qquad\quad =\dfrac{1}{2}\times 3\times 6\times \dfrac{\sqrt{3}}{2}$
$\qquad\quad =\dfrac{9\sqrt{3}}{2}$

(3) $\triangle ABC=\dfrac{1}{2}\times 7\times 4\times \sin(180°-150°)$
$\qquad\quad =\dfrac{1}{2}\times 7\times 4\times \dfrac{1}{2}$
$\qquad\quad =7$

1-2 (1) $\triangle ABC=\dfrac{1}{2}\times 4\times 5\times \sin(180°-120°)$
$\qquad\quad =\dfrac{1}{2}\times 4\times 5\times \dfrac{\sqrt{3}}{2}$
$\qquad\quad =5\sqrt{3}$

(2) $\triangle ABC=\dfrac{1}{2}\times 6\times 8\times \sin(180°-150°)$
$\qquad\quad =\dfrac{1}{2}\times 6\times 8\times \dfrac{1}{2}$
$\qquad\quad =12$

(3) $\triangle ABC=\dfrac{1}{2}\times 2\times 3\sqrt{2}\times \sin(180°-135°)$
$\qquad\quad =\dfrac{1}{2}\times 2\times 3\sqrt{2}\times \dfrac{\sqrt{2}}{2}$
$\qquad\quad =3$

2-1 $\triangle ABC=\dfrac{1}{2}\times 20\times 8\times \sin(180°-A)$
$\qquad\quad =80\sin(180°-A)$
즉 $80\sin(180°-A)=40\sqrt{3}$

$$\therefore \sin(180° - A) = \frac{\sqrt{3}}{2}$$

이때 $90° < \angle A < 180°$에서

$0° < 180° - \angle A < 90°$이므로

$180° - \angle A = 60°$ $\therefore \angle A = 120°$

2-2 $\triangle ABC = \frac{1}{2} \times 8 \times \overline{AC} \times \sin(180° - 150°)$

$$= \frac{1}{2} \times 8 \times \overline{AC} \times \frac{1}{2}$$

$$= 2\overline{AC}$$

즉 $2\overline{AC} = 6\sqrt{2}$ $\therefore \overline{AC} = 3\sqrt{2}$

---

8. 사각형의 넓이 구하기

개념 원리 확인   p73

3-1 (1) $3\sqrt{3}$ (2) $9\sqrt{3}$ (3) $12\sqrt{3}$

3-2 (1) $28\sqrt{3}$ (2) $6+\sqrt{3}$

4-1 4, $\sin 60°$, 4, $\frac{\sqrt{3}}{2}$, $18\sqrt{3}$

4-2 (1) 12 (2) $20\sqrt{3}$

3-1 (1) $\triangle ABD = \frac{1}{2} \times 2\sqrt{3} \times 2\sqrt{3} \times \sin(180° - 120°)$

$$= \frac{1}{2} \times 2\sqrt{3} \times 2\sqrt{3} \times \frac{\sqrt{3}}{2}$$

$$= 3\sqrt{3}$$

(2) $\triangle BCD = \frac{1}{2} \times 6 \times 6 \times \sin 60°$

$$= \frac{1}{2} \times 6 \times 6 \times \frac{\sqrt{3}}{2}$$

$$= 9\sqrt{3}$$

(3) $\square ABCD = \triangle ABD + \triangle BCD$

$$= 3\sqrt{3} + 9\sqrt{3} = 12\sqrt{3}$$

3-2 (1) 오른쪽 그림과 같이 $\overline{BD}$
를 그으면

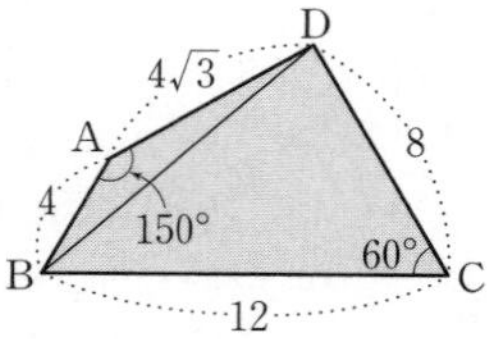

$\square ABCD$
$= \triangle ABD + \triangle BCD$
$= \frac{1}{2} \times 4 \times 4\sqrt{3} \times \sin(180° - 150°)$

$$+ \frac{1}{2} \times 12 \times 8 \times \sin 60°$$

$$= \frac{1}{2} \times 4 \times 4\sqrt{3} \times \frac{1}{2} + \frac{1}{2} \times 12 \times 8 \times \frac{\sqrt{3}}{2}$$

$$= 4\sqrt{3} + 24\sqrt{3} = 28\sqrt{3}$$

(2) 오른쪽 그림과 같이 $\overline{AC}$
를 그으면

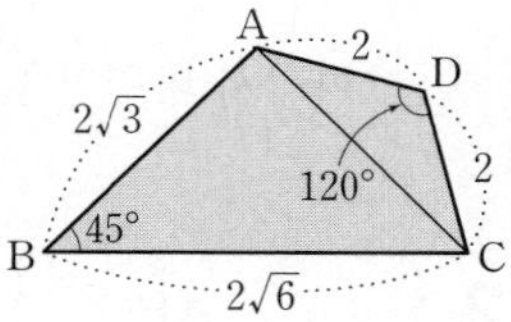

$\square ABCD$
$= \triangle ABC + \triangle ACD$
$= \frac{1}{2} \times 2\sqrt{3} \times 2\sqrt{6} \times \sin 45°$

$$+ \frac{1}{2} \times 2 \times 2 \times \sin(180° - 120°)$$

$$= \frac{1}{2} \times 2\sqrt{3} \times 2\sqrt{6} \times \frac{\sqrt{2}}{2} + \frac{1}{2} \times 2 \times 2 \times \frac{\sqrt{3}}{2}$$

$$= 6 + \sqrt{3}$$

4-2 (1) $\square ABCD = 4 \times 3\sqrt{2} \times \sin 45°$

$$= 4 \times 3\sqrt{2} \times \frac{\sqrt{2}}{2}$$

$$= 12$$

(2) $\overline{AD} = \overline{BC} = 8$이므로

$\square ABCD = 5 \times 8 \times \sin(180° - 120°)$

$$= 5 \times 8 \times \frac{\sqrt{3}}{2}$$

$$= 20\sqrt{3}$$

4월 **기초 집중 연습**   p74 ~ p75

1-1 (1) $5\sqrt{2}$ cm² (2) 14 cm² (3) 54 cm²

1-2 49 cm²   **1-3** 12 cm

1-4 135°   **2-1** 28 cm²

2-2 (1) $\frac{9\sqrt{3}}{2}$ cm² (2) $3\sqrt{3}$ cm

(3) $3\sqrt{3}$ cm² (4) $\frac{15\sqrt{3}}{2}$ cm²

2-3 $8\sqrt{3}$ cm²   **3-1** $28\sqrt{3}$ cm²

3-2 $32\sqrt{2}$ cm²   **3-3** 45°

1-1 (1) $\triangle ABC = \frac{1}{2} \times 4 \times 5 \times \sin(180° - 135°)$

$$= \frac{1}{2} \times 4 \times 5 \times \frac{\sqrt{2}}{2}$$

$$= 5\sqrt{2} \text{ (cm}^2)$$

(2) $\triangle \text{ABC} = \dfrac{1}{2} \times 7 \times 8 \times \sin(180° - 150°)$

$\qquad = \dfrac{1}{2} \times 7 \times 8 \times \dfrac{1}{2}$

$\qquad = 14 \ (\text{cm}^2)$

(3) $\triangle \text{ABC} = \dfrac{1}{2} \times 6\sqrt{3} \times 12 \times \sin(180° - 120°)$

$\qquad = \dfrac{1}{2} \times 6\sqrt{3} \times 12 \times \dfrac{\sqrt{3}}{2}$

$\qquad = 54 \ (\text{cm}^2)$

1-2 $\triangle \text{ABC}$는 $\overline{\text{AC}} = \overline{\text{BC}}$인 이등변삼각형이므로

$\angle\text{C} = 180° - 2 \times 15° = 150°$

$\therefore \ \triangle\text{ABC} = \dfrac{1}{2} \times 14 \times 14 \times \sin(180° - 150°)$

$\qquad = \dfrac{1}{2} \times 14 \times 14 \times \dfrac{1}{2}$

$\qquad = 49 \ (\text{cm}^2)$

1-3 $\triangle\text{ABC} = \dfrac{1}{2} \times \overline{\text{AB}} \times 8 \times \sin(180° - 120°)$

$\qquad = \dfrac{1}{2} \times \overline{\text{AB}} \times 8 \times \dfrac{\sqrt{3}}{2}$

$\qquad = 2\sqrt{3} \ \overline{\text{AB}} \ (\text{cm}^2)$

즉 $2\sqrt{3} \ \overline{\text{AB}} = 24\sqrt{3} \qquad \therefore \ \overline{\text{AB}} = 12 \ (\text{cm})$

1-4 $\triangle\text{ABC} = \dfrac{1}{2} \times 9 \times 12 \times \sin(180° - C)$

$\qquad = 54\sin(180° - C) \ (\text{cm}^2)$

즉 $54\sin(180° - C) = 27\sqrt{2}$

$\therefore \ \sin(180° - C) = \dfrac{\sqrt{2}}{2}$

이때 $90° < \angle\text{C} < 180°$에서

$0° < 180° - \angle\text{C} < 90°$이므로

$180° - \angle\text{C} = 45° \qquad \therefore \ \angle\text{C} = 135°$

2-1

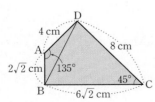

위의 그림과 같이 $\overline{\text{BD}}$를 그으면

$\square\text{ABCD} = \triangle\text{ABD} + \triangle\text{BCD}$

$\qquad = \dfrac{1}{2} \times 2\sqrt{2} \times 4 \times \sin(180° - 135°)$

$\qquad \quad + \dfrac{1}{2} \times 6\sqrt{2} \times 8 \times \sin 45°$

$\qquad = \dfrac{1}{2} \times 2\sqrt{2} \times 4 \times \dfrac{\sqrt{2}}{2} + \dfrac{1}{2} \times 6\sqrt{2} \times 8 \times \dfrac{\sqrt{2}}{2}$

$\qquad = 4 + 24 = 28 \ (\text{cm}^2)$

2-2 (1) $\triangle\text{ABC} = \dfrac{1}{2} \times 3 \times 6 \times \sin 60°$

$\qquad = \dfrac{1}{2} \times 3 \times 6 \times \dfrac{\sqrt{3}}{2}$

$\qquad = \dfrac{9\sqrt{3}}{2} \ (\text{cm}^2)$

(2) $\triangle\text{ABC}$에서 $\overline{\text{AC}} = 3\tan 60° = 3\sqrt{3} \ (\text{cm})$

(3) $\triangle\text{ACD} = \dfrac{1}{2} \times 3\sqrt{3} \times 4 \times \sin 30°$

$\qquad = \dfrac{1}{2} \times 3\sqrt{3} \times 4 \times \dfrac{1}{2}$

$\qquad = 3\sqrt{3} \ (\text{cm}^2)$

(4) $\square\text{ABCD} = \triangle\text{ABC} + \triangle\text{ACD}$

$\qquad = \dfrac{9\sqrt{3}}{2} + 3\sqrt{3} = \dfrac{15\sqrt{3}}{2} \ (\text{cm}^2)$

2-3 오른쪽 그림과 같이 꼭짓점 D에서 $\overline{\text{BC}}$에 내린 수선의 발을 H라고 하면

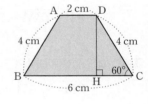

$\overline{\text{DH}} = 4\sin 60°$

$\qquad = 4 \times \dfrac{\sqrt{3}}{2}$

$\qquad = 2\sqrt{3} \ (\text{cm})$

$\therefore \ \square\text{ABCD} = \dfrac{1}{2} \times (2 + 6) \times 2\sqrt{3}$

$\qquad = 8\sqrt{3} \ (\text{cm}^2)$

3-1 $\square\text{ABCD} = 7 \times 8 \times \sin 60°$

$\qquad = 7 \times 8 \times \dfrac{\sqrt{3}}{2}$

$\qquad = 28\sqrt{3} \ (\text{cm}^2)$

3-2 $\overline{\text{AD}} = \overline{\text{AB}} = 8 \ \text{cm}$이고 마름모는 평행사변형이므로

$\square\text{ABCD} = 8 \times 8 \times \sin(180° - 135°)$

$\qquad = 8 \times 8 \times \dfrac{\sqrt{2}}{2}$

$\qquad = 32\sqrt{2} \ (\text{cm}^2)$

3-3 $\square\text{ABCD} = 10 \times 12 \times \sin B$

$\qquad = 120\sin B \ (\text{cm}^2)$

즉 $120\sin B = 60\sqrt{2} \qquad \therefore \ \sin B = \dfrac{\sqrt{2}}{2}$

이때 $0° < \angle\text{B} < 90°$이므로 $\angle\text{B} = 45°$

정답과 풀이

9. 원의 중심과 현의 수직이등분선

개념 원리 확인   p77

1-1 (1) 7 (2) 8

1-2 (1) 5 (2) 18

2-1 4, $2\sqrt{5}$, $2\sqrt{5}$, $4\sqrt{5}$, $4\sqrt{5}$

2-2 (1) $4\sqrt{3}$ (2) 13

3-1 $x-3$, 4, $x-3$, $\dfrac{25}{6}$

3-2 (1) $\dfrac{15}{2}$ (2) $\dfrac{13}{2}$

1-1 (1) $\overline{AM}=\overline{BM}$이므로

$\overline{AM}=\dfrac{1}{2}\overline{AB}=\dfrac{1}{2}\times14=7$ ∴ $x=7$

(2) $\overline{AM}=\overline{BM}$이므로

$\overline{AB}=2\overline{BM}=2\times4=8$ ∴ $x=8$

1-2 (1) $\overline{AM}=\overline{BM}$이므로

$\overline{BM}=\dfrac{1}{2}\overline{AB}=\dfrac{1}{2}\times10=5$ ∴ $x=5$

(2) $\overline{AM}=\overline{BM}$이므로

$\overline{AB}=2\overline{AM}=2\times9=18$ ∴ $x=18$

2-2 (1) △OAM에서 $\overline{AM}=\sqrt{4^2-2^2}=\sqrt{12}=2\sqrt{3}$

$\overline{AB}=2\overline{AM}=2\times2\sqrt{3}=4\sqrt{3}$ ∴ $x=4\sqrt{3}$

(2) $\overline{AM}=\dfrac{1}{2}\overline{AB}=\dfrac{1}{2}\times24=12$

따라서 △OAM에서

$\overline{OA}=\sqrt{12^2+5^2}=\sqrt{169}=13$ ∴ $x=13$

3-2 (1) $\overline{OC}=\overline{OA}=x$이므로 $\overline{OM}=x-3$

$\overline{AM}=\overline{BM}=6$

△OAM에서 $x^2=(x-3)^2+6^2$

$x^2=x^2-6x+9+36$, $6x=45$ ∴ $x=\dfrac{15}{2}$

(2) $\overline{OC}=\overline{OA}=x$이므로 $\overline{OM}=x-4$

$\overline{AM}=\overline{BM}=6$

△OAM에서 $x^2=(x-4)^2+6^2$

$x^2=x^2-8x+16+36$, $8x=52$ ∴ $x=\dfrac{13}{2}$

---

10. 원의 중심과 현의 길이

개념 원리 확인   p79

4-1 (1) 8 (2) 7 (3) 3 (4) 2

4-2 (1) 11 (2) 5 (3) 3 (4) 7

5-1 3, $\sqrt{7}$, $\sqrt{7}$, $2\sqrt{7}$, $2\sqrt{7}$, $2\sqrt{7}$

5-2 (1) 8 (2) 5

4-1 (1) $\overline{OM}=\overline{ON}$이므로 $\overline{CD}=\overline{AB}=8$

∴ $x=8$

(2) $\overline{OM}=\overline{ON}$이므로 $\overline{CD}=\overline{AB}=14$

$\overline{DN}=\dfrac{1}{2}\overline{CD}=\dfrac{1}{2}\times14=7$

∴ $x=7$

(3) $\overline{AB}=\overline{CD}$이므로 $\overline{OM}=\overline{ON}=3$

∴ $x=3$

(4) $\overline{CD}=2\overline{CN}=2\times3=6$

이때 $\overline{AB}=\overline{CD}$이므로 $\overline{OM}=\overline{ON}=2$

∴ $x=2$

4-2 (1) $\overline{OM}=\overline{ON}$이므로 $\overline{CD}=\overline{AB}=11$

∴ $x=11$

(2) $\overline{OM}=\overline{ON}$이므로 $\overline{AB}=\overline{CD}=10$

$\overline{AM}=\dfrac{1}{2}\overline{AB}=\dfrac{1}{2}\times10=5$

∴ $x=5$

(3) $\overline{AB}=\overline{CD}$이므로 $\overline{ON}=\overline{OM}=3$

∴ $x=3$

(4) $\overline{CD}=2\overline{CN}=2\times9=18$

이때 $\overline{AB}=\overline{CD}$이므로 $\overline{ON}=\overline{OM}=7$

∴ $x=7$

5-2 (1) △OAM에서 $\overline{AM}=\sqrt{(4\sqrt{2})^2-4^2}=\sqrt{16}=4$

∴ $\overline{AB}=2\overline{AM}=2\times4=8$

이때 $\overline{OM}=\overline{ON}$이므로 $\overline{CD}=\overline{AB}=8$

∴ $x=8$

(2) $\overline{BM}=\dfrac{1}{2}\overline{AB}=\dfrac{1}{2}\times12=6$

△OBM에서 $\overline{OM}=\sqrt{(\sqrt{61})^2-6^2}=\sqrt{25}=5$

이때 $\overline{AB}=\overline{CD}$이므로 $\overline{ON}=\overline{OM}=5$

∴ $x=5$

1-1 (1) 6 (2) 10   **1-2** $2\sqrt{3}$ cm

1-3 15 cm   **1-4** 30 cm

1-5 $8\sqrt{3}$ cm   **1-6** 16 cm

2-1 (1) 14 (2) 4   **2-2** 30 cm^2

2-3 $8\sqrt{2}$ cm   **2-4** 76

2-5 (1) 40° (2) 68°

2-6 (1) 정삼각형 (2) $12\sqrt{3}$ cm

1-1 (1) $\overline{AM}=\overline{BM}$이므로

$$\overline{AM}=\frac{1}{2}\overline{AB}=\frac{1}{2}\times12=6\,(\text{cm})$$

$$\therefore x=6$$

(2) $\overline{AM}=\overline{BM}$이므로

$$\overline{AB}=2\overline{BM}=2\times5=10\,(\text{cm})$$

$$\therefore x=10$$

1-2 △OAM에서 $\overline{AM}=\sqrt{2^2-1^2}=\sqrt{3}\,(\text{cm})$

$$\therefore \overline{AB}=2\overline{AM}=2\times\sqrt{3}=2\sqrt{3}\,(\text{cm})$$

1-3 $\overline{OA}=x$ cm라고 하면

$\overline{OC}=\overline{OA}=x$ cm이므로 $\overline{OM}=(x-3)$ cm

$$\overline{AM}=\frac{1}{2}\overline{AB}=\frac{1}{2}\times18=9\,(\text{cm})$$

△OAM에서 $x^2=(x-3)^2+9^2$

$x^2=x^2-6x+9+81,\ 6x=90$ $\therefore x=15$

따라서 $\overline{OA}$의 길이는 15 cm이다.

1-4 $\overline{AB}\perp\overline{OC}$이므로 △OAC에서

$\overline{AC}=\sqrt{17^2-8^2}=\sqrt{225}=15\,(\text{cm})$

$$\therefore \overline{AB}=2\overline{AC}=2\times15=30\,(\text{cm})$$

1-5 오른쪽 그림과 같이 원의 중심 O에서 $\overline{AB}$에 내린 수선의 발을 H, $\overline{OH}$의 연장선이 원과 만나는 점을 C라고 하면

$\overline{OC}=\overline{OA}=8$ cm이므로

$$\overline{OH}=\frac{1}{2}\overline{OC}=\frac{1}{2}\times8=4\,(\text{cm})$$

△OAH에서 $\overline{AH}=\sqrt{8^2-4^2}=\sqrt{48}=4\sqrt{3}\,(\text{cm})$

$$\therefore \overline{AB}=2\overline{AH}=2\times4\sqrt{3}=8\sqrt{3}\,(\text{cm})$$

1-6 오른쪽 그림과 같이 원의 중심을 O라고 하면 $\overline{CM}$이 현 AB의 수직이등분선이므로 $\overline{CM}$의 연장선은 원의 중심 O를 지난다.

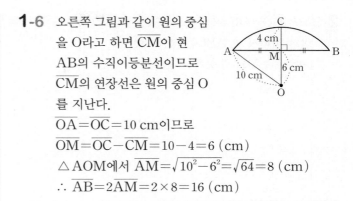

$\overline{OA}=\overline{OC}=10$ cm이므로

$\overline{OM}=\overline{OC}-\overline{CM}=10-4=6\,(\text{cm})$

△AOM에서 $\overline{AM}=\sqrt{10^2-6^2}=\sqrt{64}=8\,(\text{cm})$

$$\therefore \overline{AB}=2\overline{AM}=2\times8=16\,(\text{cm})$$

2-1 (1) $\overline{AB}=2\overline{AM}=2\times7=14\,(\text{cm})$

이때 $\overline{OM}=\overline{ON}$이므로 $\overline{CD}=\overline{AB}=14$ cm

$$\therefore x=14$$

(2) $\overline{AB}=2\overline{BM}=2\times6=12\,(\text{cm})$

$\overline{CD}=2\overline{CN}=2\times6=12\,(\text{cm})$

이때 $\overline{AB}=\overline{CD}$이므로 $\overline{ON}=\overline{OM}=4$ cm

$$\therefore x=4$$

2-2 $\overline{OM}=\overline{ON}$이므로 $\overline{CD}=\overline{AB}=24$ cm

$\overline{CN}=\frac{1}{2}\overline{CD}=\frac{1}{2}\times24=12\,(\text{cm})$이므로

△OCN에서 $\overline{ON}=\sqrt{13^2-12^2}=\sqrt{25}=5\,(\text{cm})$

$$\therefore \triangle OCN=\frac{1}{2}\times12\times5=30\,(\text{cm}^2)$$

2-3 $\overline{AB}=\overline{CD}$이므로 $\overline{ON}=\overline{OM}=8$ cm

$\overline{CN}=\frac{1}{2}\overline{CD}=\frac{1}{2}\times16=8\,(\text{cm})$

따라서 △OCN에서

$$\overline{OC}=\sqrt{8^2+8^2}=\sqrt{128}=8\sqrt{2}\,(\text{cm})$$

2-4 $\overline{OM}=\overline{ON}$이므로 $\overline{AC}=\overline{AB}=6$ cm $\therefore x=6$

△ABC는 $\overline{AB}=\overline{AC}$인 이등변삼각형이므로

$\angle C=\angle B=70°$ $\therefore y=70$

$$\therefore x+y=6+70=76$$

2-5 (1) $\overline{OM}=\overline{ON}$이므로 $\overline{AB}=\overline{AC}$

즉 △ABC는 이등변삼각형이므로

$$\angle x=180°-2\times70°=40°$$

(2) $\overline{OM}=\overline{ON}$이므로 $\overline{AB}=\overline{AC}$

즉 △ABC는 이등변삼각형이므로

$$\angle x=\frac{1}{2}\times(180°-44°)=68°$$

정답과 풀이

2-6 (1) $\overline{OD}=\overline{OE}=\overline{OF}$이므로 $\overline{AB}=\overline{BC}=\overline{CA}$
따라서 △ABC는 정삼각형이다.
(2) (△ABC의 둘레의 길이)$=3\times4\sqrt{3}$
$=12\sqrt{3}$ (cm)

누구나 **100점** 테스트	p82 ~ p83

01 $\sqrt{7}$ cm **02** $20\sqrt{6}$ m
03 $100(\sqrt{3}-1)$ m **04** $3\sqrt{3}$ cm
05 (1) $24\sqrt{2}$ cm² (2) $20\sqrt{3}$ cm² (3) $14\sqrt{3}$ cm² (4) 96 cm²
06 (1) 7 (2) 6 (3) 16 (4) 11
07 (1) $8\sqrt{5}$ (2) $2\sqrt{13}$ **08** 5 cm
09 (1) $6\sqrt{3}$ (2) $4\sqrt{2}$ **10** 50°

01 오른쪽 그림과 같이 꼭짓점 A에서 $\overline{BC}$에 내린 수선의 발을 H라고 하면
△ABH에서
$\overline{AH}=4\sin 30°$
$=4\times\dfrac{1}{2}=2$ (cm)

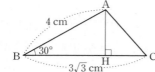

$\overline{BH}=4\cos 30°=4\times\dfrac{\sqrt{3}}{2}=2\sqrt{3}$ (cm)
$\overline{CH}=\overline{BC}-\overline{BH}=3\sqrt{3}-2\sqrt{3}=\sqrt{3}$ (cm)이므로
△AHC에서
$\overline{AC}=\sqrt{2^2+(\sqrt{3})^2}=\sqrt{7}$ (cm)

02 오른쪽 그림과 같이 꼭짓점 C에서 $\overline{AB}$에 내린 수선의 발을 H라고 하면 △BCH에서
$\overline{CH}=60\sin 45°$
$=60\times\dfrac{\sqrt{2}}{2}=30\sqrt{2}$ (m)

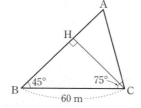

$\angle A=180°-(45°+75°)=60°$이므로
△AHC에서
$\overline{AC}=\dfrac{30\sqrt{2}}{\sin 60°}=30\sqrt{2}\div\dfrac{\sqrt{3}}{2}=20\sqrt{6}$ (m)
따라서 두 지점 A, C 사이의 거리는 $20\sqrt{6}$ m이다.

03 $\overline{AH}=h$ m라고 하면
△ABH에서 $\angle BAH=60°$이므로
$\overline{BH}=h\tan 60°=\sqrt{3}h$ (m)
△AHC에서 $\angle CAH=45°$이므로
$\overline{CH}=h\tan 45°=h$ (m)
$\overline{BH}+\overline{CH}=\overline{BC}$이므로
$\sqrt{3}h+h=200$, $(\sqrt{3}+1)h=200$
$\therefore h=\dfrac{200}{\sqrt{3}+1}=100(\sqrt{3}-1)$
따라서 나무의 높이는 $100(\sqrt{3}-1)$ m이다.

04 $\overline{AH}=h$ cm라고 하면
△ABH에서 $\angle BAH=60°$이므로
$\overline{BH}=h\tan 60°=\sqrt{3}h$ (cm)
△ACH에서 $\angle CAH=30°$이므로
$\overline{CH}=h\tan 30°=\dfrac{\sqrt{3}}{3}h$ (cm)
$\overline{BH}-\overline{CH}=\overline{BC}$이므로
$\sqrt{3}h-\dfrac{\sqrt{3}}{3}h=6$
$\dfrac{2\sqrt{3}}{3}h=6$ $\therefore h=3\sqrt{3}$
따라서 높이는 $3\sqrt{3}$ cm이다.

05 (1) $\triangle ABC=\dfrac{1}{2}\times8\times12\times\sin 45°$
$=\dfrac{1}{2}\times8\times12\times\dfrac{\sqrt{2}}{2}$
$=24\sqrt{2}$ (cm²)
(2) $\triangle ABC=\dfrac{1}{2}\times8\times10\times\sin(180°-120°)$
$=\dfrac{1}{2}\times8\times10\times\dfrac{\sqrt{3}}{2}$
$=20\sqrt{3}$ (cm²)
(3) 오른쪽 그림과 같이 $\overline{AC}$를 그으면

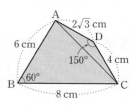

$\square ABCD$
$=\triangle ABC+\triangle ACD$
$=\dfrac{1}{2}\times6\times8\times\sin 60°$
$+\dfrac{1}{2}\times2\sqrt{3}\times4\times\sin(180°-150°)$
$=\dfrac{1}{2}\times6\times8\times\dfrac{\sqrt{3}}{2}+\dfrac{1}{2}\times2\sqrt{3}\times4\times\dfrac{1}{2}$
$=12\sqrt{3}+2\sqrt{3}=14\sqrt{3}$ (cm²)

(4) $\square ABCD = 8 \times 8\sqrt{3} \times \sin 60°$

$\qquad = 8 \times 8\sqrt{3} \times \dfrac{\sqrt{3}}{2} = 96 \ (\text{cm}^2)$

06 (1) $\overline{BM} = \overline{AM} = 7 \ \text{cm}$ $\quad \therefore x = 7$

(2) $\overline{AM} = \overline{BM}$이므로

$\overline{AM} = \dfrac{1}{2}\overline{AB} = \dfrac{1}{2} \times 12 = 6 \ (\text{cm})$ $\quad \therefore x = 6$

(3) $\overline{AB} = 2\overline{AM} = 2 \times 8 = 16 \ (\text{cm})$

이때 $\overline{OM} = \overline{ON}$이므로 $\overline{CD} = \overline{AB} = 16 \ \text{cm}$

$\therefore x = 16$

(4) $\overline{CD} = 2\overline{CN} = 2 \times 10 = 20 \ (\text{cm})$

이때 $\overline{AB} = \overline{CD}$이므로 $\overline{OM} = \overline{ON} = 11 \ \text{cm}$

$\therefore x = 11$

07 (1) $\triangle OAM$에서 $\overline{AM} = \sqrt{12^2 - 8^2} = \sqrt{80} = 4\sqrt{5} \ (\text{cm})$

$\overline{AB} = 2\overline{AM} = 2 \times 4\sqrt{5} = 8\sqrt{5} \ (\text{cm})$ $\quad \therefore x = 8\sqrt{5}$

(2) $\overline{BM} = \dfrac{1}{2}\overline{AB} = \dfrac{1}{2} \times 8 = 4 \ (\text{cm})$

따라서 $\triangle OBM$에서

$\overline{OB} = \sqrt{6^2 + 4^2} = \sqrt{52} = 2\sqrt{13} \ (\text{cm})$

$\therefore x = 2\sqrt{13}$

08 $\overline{OB} = x \ \text{cm}$라고 하면

$\overline{OC} = \overline{OB} = x \ \text{cm}$이므로 $\overline{OM} = (x-2) \ \text{cm}$

$\overline{BM} = \overline{AM} = 4 \ \text{cm}$

$\triangle OBM$에서 $x^2 = (x-2)^2 + 4^2$

$x^2 = x^2 - 4x + 4 + 16, \ 4x = 20$ $\quad \therefore x = 5$

따라서 $\overline{OB}$의 길이는 $5 \ \text{cm}$이다.

09 (1) $\triangle OAM$에서 $\overline{AM} = \sqrt{6^2 - 3^2} = \sqrt{27} = 3\sqrt{3} \ (\text{cm})$

$\therefore \overline{AB} = 2\overline{AM} = 2 \times 3\sqrt{3} = 6\sqrt{3} \ (\text{cm})$

이때 $\overline{OM} = \overline{ON}$이므로 $\overline{CD} = \overline{AB} = 6\sqrt{3} \ \text{cm}$

$\therefore x = 6\sqrt{3}$

(2) $\triangle OAM$에서 $\overline{OM} = \sqrt{9^2 - 7^2} = \sqrt{32} = 4\sqrt{2} \ (\text{cm})$

$\overline{AB} = 2\overline{AM} = 2 \times 7 = 14 \ (\text{cm})$

이때 $\overline{AB} = \overline{CD}$이므로 $\overline{ON} = \overline{OM} = 4\sqrt{2} \ \text{cm}$

$\therefore x = 4\sqrt{2}$

10 $\overline{OM} = \overline{ON}$이므로 $\overline{AB} = \overline{AC}$

즉 $\triangle ABC$는 이등변삼각형이므로

$\angle x = 180° - 2 \times 65° = 50°$

특강 창의, 융합, 코딩 p84 ~ p89

1 $90° - \angle B, \ 90° - \angle C, \ 90° - \angle B \ / \ 180° - B \ /$

중심, 이등분 / 길이, 현

2 (1) 풀이 참조 (2) $\overline{BH} = 6\sqrt{3} \ \text{km}, \ \overline{CH} = 6 \ \text{km}$

(3) $45°$ (4) $6\sqrt{3} \ \text{km}$ (5) $(6\sqrt{3} + 6) \ \text{km}$

3 (1) 풀이 참조 (2) $1.6h \ \text{m}$ (3) $0.4h \ \text{m}$ (4) $50 \ \text{m}$

4 관포지교

5 (1) ⓒ (2) $15 \ \text{cm}$

6 경아

2 (1)

(2) $\triangle BCH$에서

$\overline{BH} = 12 \sin 60° = 12 \times \dfrac{\sqrt{3}}{2} = 6\sqrt{3} \ (\text{km})$

$\overline{CH} = 12 \cos 60° = 12 \times \dfrac{1}{2} = 6 \ (\text{km})$

(3) $\angle A = 180° - (75° + 60°) = 45°$

(4) $\triangle ABH$에서 $\overline{AH} = \dfrac{6\sqrt{3}}{\tan 45°} = \dfrac{6\sqrt{3}}{1} = 6\sqrt{3} \ (\text{km})$

(5) $\overline{AC} = \overline{AH} + \overline{CH} = 6\sqrt{3} + 6 \ (\text{km})$

따라서 절과 탑 사이의 거리는 $(6\sqrt{3} + 6) \ \text{km}$이다.

3 (1)

(2) $\triangle ABH$에서 $\angle BAH = 90° - 32° = 58°$이므로

$\overline{BH} = h \tan 58° = 1.6h \ (\text{m})$

(3) $\triangle AHC$에서 $\angle CAH = 90° - 68° = 22°$이므로

$\overline{CH} = h \tan 22° = 0.4h \ (\text{m})$

(4) $\overline{BH} + \overline{CH} = \overline{BC}$에서 $1.6h + 0.4h = 100$

$2h = 100$ $\quad \therefore h = 50$

따라서 지면에서 드론까지의 높이는 $50 \ \text{m}$이다.

4 (1) $\triangle ABC = \dfrac{1}{2} \times 7 \times 8 \times \sin 30°$

$\qquad = \dfrac{1}{2} \times 7 \times 8 \times \dfrac{1}{2} = 14 \ (\text{cm}^2)$ ➡ 관

(2) $\triangle ABC = \dfrac{1}{2} \times 10 \times 6 \times \sin(180° - 135°)$

$\qquad\quad = \dfrac{1}{2} \times 10 \times 6 \times \dfrac{\sqrt{2}}{2} = 15\sqrt{2}$ (cm²) ➡ 포

(3) □ABCD는 네 변의 길이가 모두 같으므로 마름모이다. 이때 마름모는 평행사변형이므로

$\quad$ □ABCD $= 4 \times 4 \times \sin 45°$

$\qquad\qquad\quad = 4 \times 4 \times \dfrac{\sqrt{2}}{2} = 8\sqrt{2}$ (cm²) ➡ 지

(4)
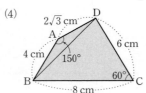

위의 그림과 같이 $\overline{BD}$를 그으면

$\quad$ □ABCD $= \triangle ABD + \triangle BCD$

$\qquad\qquad\quad = \dfrac{1}{2} \times 4 \times 2\sqrt{3} \times \sin(180° - 150°)$

$\qquad\qquad\qquad\quad + \dfrac{1}{2} \times 8 \times 6 \times \sin 60°$

$\qquad\qquad\quad = \dfrac{1}{2} \times 4 \times 2\sqrt{3} \times \dfrac{1}{2} + \dfrac{1}{2} \times 8 \times 6 \times \dfrac{\sqrt{3}}{2}$

$\qquad\qquad\quad = 2\sqrt{3} + 12\sqrt{3} = 14\sqrt{3}$ (cm²) ➡ 교

따라서 구하는 사자성어는 '관포지교'이다.

5 (2) 오른쪽 그림과 같이 원의 중심을 O라고 하면 $\overline{CD}$가 현 AB의 수직이등분선이므로 $\overline{CD}$의 연장선은 원의 중심 O를 지난다.

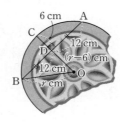

원의 반지름의 길이를 r cm라고 하면

$\overline{OB} = \overline{OC} = r$ cm이므로 $\overline{OD} = (r-6)$ cm

$\triangle OBD$에서 $r^2 = 12^2 + (r-6)^2$

$r^2 = 144 + r^2 - 12r + 36$

$12r = 180$ $\quad \therefore r = 15$

따라서 원래 수막새의 반지름의 길이는 15 cm이다.

6 (1) $\overline{AM} = \overline{BM}$이므로 $\overline{AB} = 2\overline{BM} = 2 \times 7 = 14$

$\quad \therefore x = 14$

(2) $\overline{OM} = \overline{ON}$이므로 $\overline{AB} = \overline{CD} = 8$

$\quad \overline{AM} = \dfrac{1}{2}\overline{AB} = \dfrac{1}{2} \times 8 = 4$

$\quad \therefore x = 4$

(3) $\overline{BM} = \dfrac{1}{2}\overline{AB} = \dfrac{1}{2} \times 8 = 4$

$\quad$ 따라서 $\triangle OBM$에서 $\overline{OM} = \sqrt{5^2 - 4^2} = \sqrt{9} = 3$

$\quad \therefore x = 3$

(4) $\overline{AM} = \dfrac{1}{2}\overline{AB} = \dfrac{1}{2} \times 16 = 8$

$\quad \triangle OAM$에서 $\overline{OM} = \sqrt{10^2 - 8^2} = \sqrt{36} = 6$

$\quad$ 이때 $\overline{AB} = \overline{CD}$이므로 $\overline{ON} = \overline{OM} = 6$

$\quad \therefore x = 6$

(5) $\overline{OC} = \overline{OB} = x$이므로 $\overline{OM} = x - 2$

$\quad \overline{BM} = \overline{AM} = 6$

$\quad \triangle OBM$에서 $x^2 = (x-2)^2 + 6^2$

$\quad x^2 = x^2 - 4x + 4 + 36,\ 4x = 40$

$\quad \therefore x = 10$

(6) $\overline{OM} = \overline{ON}$이므로 $\overline{AB} = \overline{AC}$

$\quad$ 즉 $\triangle ABC$는 이등변삼각형이므로

$\quad x° = \dfrac{1}{2} \times (180° - 70°) = 55°$

$\quad \therefore x = 55$

따라서 x의 값이 작은 학생부터 차례대로 줄을 세우면 호연, 지영, 유준, 경아, 승봉, 근희이므로 네 번째에 서는 학생은 경아이다.

3주

3주에는 무엇을 공부할까? ❷

p92 ~ p93

1-1 50°

1-2 (1) 55° (2) 25°

2-1 4, 3, 7

2-2 (1) 9 (2) 4

3-1 (1) 9 (2) 45

3-2 (1) 2 (2) 25

4-1 (1) 65° (2) 80°

4-2 (1) 35° (2) 40°

1-1 $\angle x = 180° - (40° + 90°) = 50°$

1-2 (1) $\angle x = 180° - (90° + 35°) = 55°$

(2) $\angle x = 180° - (90° + 65°) = 25°$

2-1 $\overline{AF} = \overline{AD} = 4$

$\overline{BD} = \overline{BE} = 3$

$\overline{CE} = \overline{CF} = 7$

2-2 (1) $\overline{AF} = \overline{AD} = 3$, $\overline{CF} = \overline{CE} = 6$이므로

$x = \overline{AF} + \overline{CF} = 3 + 6 = 9$

(2) $\overline{BD} = \overline{BE} = 6$이므로

$\overline{AD} = \overline{AB} - \overline{BD} = 10 - 6 = 4$

$\therefore x = \overline{AD} = 4$

3-1 (1) $20° : 60° = 3 : x$이므로 $1 : 3 = 3 : x$

$\therefore x = 9$

(2) $135° : x° = 15 : 5$이므로 $135 : x = 3 : 1$

$3x = 135$ $\therefore x = 45$

3-2 (1) $70° : 20° = (x+5) : x$이므로 $7 : 2 = (x+5) : x$

$7x = 2x + 10$, $5x = 10$ $\therefore x = 2$

(2) $x° : 40° = 10 : 16$이므로 $x : 40 = 5 : 8$

$8x = 200$ $\therefore x = 25$

4-1 (1) $\angle x = 180° - (60° + 55°) = 65°$

(2) $\angle x = 30° + 50° = 80°$

4-2 (1) $\angle x = 180° - (55° + 90°) = 35°$

(2) $\angle x = 85° - 45° = 40°$

1일

1. 원의 접선의 성질

개념 원리 확인

p95

1-1 6

1-2 11

2-1 (1) 12 (2) $2\sqrt{10}$

2-2 (1) 15 (2) $2\sqrt{21}$

3-1 50°

3-2 (1) 28° (2) 64°

1-1 $\overline{PA} = \overline{PB} = 6$ cm이므로 $x = 6$

1-2 $\overline{PA} = \overline{PB} = 11$ cm이므로 $x = 11$

2-1 (1) △APO에서

$\overline{PA} = \sqrt{13^2 - 5^2} = \sqrt{144} = 12$

$\therefore x = \overline{PA} = 12$

(2) $\overline{OC} = \overline{OB} = 3$이므로

$\overline{PO} = 4 + 3 = 7$

△PBO에서

$\overline{PB} = \sqrt{7^2 - 3^2} = \sqrt{40} = 2\sqrt{10}$

$\therefore x = \overline{PB} = 2\sqrt{10}$

2-2 (1) $\overline{PA} = \overline{PB} = 12$이므로

△APO에서

$x = \sqrt{12^2 + 9^2} = \sqrt{225} = 15$

(2) $\overline{OC} = \overline{OA} = 4$이므로

$\overline{PO} = 6 + 4 = 10$

△APO에서

$\overline{PA} = \sqrt{10^2 - 4^2} = \sqrt{84} = 2\sqrt{21}$

$\therefore x = \overline{PA} = 2\sqrt{21}$

3-1 △PAB는 $\overline{PA} = \overline{PB}$인 이등변삼각형이므로

$\angle x = 180° - 2 \times 65° = 50°$

3-2 (1) △PAB는 $\overline{PA} = \overline{PB}$인 이등변삼각형이므로

$\angle x = 180° - 2 \times 76° = 28°$

(2) △PAB는 $\overline{PA} = \overline{PB}$인 이등변삼각형이므로

$\angle x = \frac{1}{2} \times (180° - 52°) = 64°$

2. 삼각형의 내접원

개념 원리 확인　　　　　　　　　p97

4-1 3, 3, 3, 3, 2, 3, 2, 5

4-2 (1) 8　(2) 7

5-1 18

5-2 42

6-1 $8-x$, $8-x$, $9-x$, $9-x$, $8-x$, $9-x$, 5

6-2 (1) 7　(2) 3

4-2 (1) $\overline{AD}=\overline{AF}=9-6=3$
　　　$\overline{CE}=\overline{CF}=6$이므로
　　　$\overline{BD}=\overline{BE}=11-6=5$
　　　$\therefore x=\overline{AD}+\overline{BD}=3+5=8$
　　(2) $\overline{BE}=\overline{BD}=9-4=5$
　　　$\overline{AF}=\overline{AD}=4$이므로
　　　$\overline{CE}=\overline{CF}=6-4=2$
　　　$\therefore x=\overline{BE}+\overline{CE}=5+2=7$

5-1 (△ABC의 둘레의 길이)
　　$=2\times(3+4+2)$
　　$=2\times9=18$

5-2 (△ABC의 둘레의 길이)
　　$=2\times(8+4+9)$
　　$=2\times21=42$

6-2 (1) $\overline{AF}=\overline{AD}=10-x$
　　　$\overline{BE}=\overline{BD}=x$이므로
　　　$\overline{CF}=\overline{CE}=12-x$
　　　이때 $\overline{AC}=\overline{AF}+\overline{CF}$에서
　　　$8=(10-x)+(12-x)$, $2x=14$
　　　$\therefore x=7$
　　(2) $\overline{BE}=\overline{BD}=9-x$
　　　$\overline{AF}=\overline{AD}=x$이므로
　　　$\overline{CE}=\overline{CF}=7-x$
　　　이때 $\overline{BC}=\overline{BE}+\overline{CE}$에서
　　　$10=(9-x)+(7-x)$, $2x=6$
　　　$\therefore x=3$

1일　기초 집중 연습　　　　p98 ~ p99

1-1 9

1-2 (1) 7 cm　(2) 5 cm　(3) 5 cm

1-3 8 cm　　　　　**1-4** 55°

1-5 6 cm

1-6 (1) 4 cm　(2) 4 cm　(3) 20 cm

2-1 $x=2$, $y=5$, $z=5$　　**2-2** 9 cm

2-3 2 cm　　　　　**2-4** 24

2-5 (1) 정사각형　(2) $\overline{AD}=(4-r)$ cm, $\overline{BD}=(3-r)$ cm
　　(3) 1 cm

1-1 $\overline{PA}=\overline{PB}$이므로 $2x-3=6+x$　　$\therefore x=9$

1-2 (1) $\overline{PB}=\overline{PA}=7$ cm
　　(2) $\overline{QB}=\overline{PQ}-\overline{PB}=12-7=5$ (cm)
　　(3) $\overline{QC}=\overline{QB}=5$ cm

1-3 $\overline{OC}=\overline{OB}=6$ cm이므로 $\overline{PO}=4+6=10$ (cm)
　　△PBO에서 $\overline{PB}=\sqrt{10^2-6^2}=\sqrt{64}=8$ (cm)
　　$\therefore \overline{PA}=\overline{PB}=8$ cm

1-4 △PAB는 $\overline{PA}=\overline{PB}$인 이등변삼각형이므로
　　$\angle x=\dfrac{1}{2}\times(180°-70°)=55°$

1-5 △PAB는 $\overline{PA}=\overline{PB}$인 이등변삼각형이므로
　　$\angle PAB=\angle PBA=\dfrac{1}{2}\times(180°-60°)=60°$
　　따라서 △PAB는 정삼각형이므로
　　$\overline{AB}=\overline{PA}=6$ cm

1-6 (1) $\overline{AE}=\overline{AD}=8+2=10$ (cm)이므로
　　　$\overline{CE}=10-6=4$ (cm)
　　(2) $\overline{CF}=\overline{CE}=4$ cm
　　(3) $\overline{BF}=\overline{BD}=2$ cm이므로 $\overline{BC}=2+4=6$ (cm)
　　　$\therefore$ (△ABC의 둘레의 길이)$=\overline{AB}+\overline{BC}+\overline{AC}$
　　　　　　　　　　　　　$=8+6+6$
　　　　　　　　　　　　　$=20$ (cm)

2-1 $\overline{BE}=\overline{BD}=2$이므로 $x=2$
$\overline{CE}=\overline{BC}-\overline{BE}=7-2=5$이므로 $y=5$
$\overline{CF}=\overline{CE}=5$이므로 $z=5$

2-2 $\overline{BE}=\overline{BD}=8-2=6\,(cm)$
$\overline{AF}=\overline{AD}=2\,cm$이므로
$\overline{CE}=\overline{CF}=5-2=3\,(cm)$
$\therefore \overline{BC}=\overline{BE}+\overline{CE}=6+3=9\,(cm)$

2-3 $\overline{AD}=x\,cm$라고 하면
$\overline{BE}=\overline{BD}=(6-x)\,cm$
$\overline{AF}=\overline{AD}=x\,cm$이므로
$\overline{CE}=\overline{CF}=(5-x)\,cm$
이때 $\overline{BC}=\overline{BE}+\overline{CE}$에서
$7=(6-x)+(5-x),\ 2x=4$ $\therefore x=2$
따라서 $\overline{AD}$의 길이는 2 cm이다.

2-4 $(\triangle ABC$의 둘레의 길이$)=2\times(2+6+4)$
$=2\times12=24$

2-5 (1) 오른쪽 그림과 같이 $\overline{OE}$, $\overline{OF}$를 그으면 $\square OECF$는 내각의 크기가 모두 90°이고 $\overline{CE}=\overline{CF}$이므로 정사각형이다.

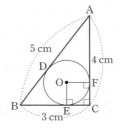

5 cm, 4 cm, 3 cm

(2) $\overline{CE}=\overline{CF}=r\,cm$이므로
$\overline{AD}=\overline{AF}=(4-r)\,cm$
$\overline{BD}=\overline{BE}=(3-r)\,cm$
(3) $5=(4-r)+(3-r),\ 2r=2$ $\therefore r=1$
따라서 원 O의 반지름의 길이는 1 cm이다.

2일

3. 원에 외접하는 사각형의 성질

개념 원리 확인 p101

1-1 (1) 9 (2) 8   **1-2** (1) 6 (2) 5
2-1 (1) 3 (2) 12   **2-2** (1) 2 (2) 6
3-1 34   **3-2** 26

1-1 (1) $7+6=4+x$ $\therefore x=9$
(2) $6+x=5+9$ $\therefore x=8$

1-2 (1) $7+8=x+9$ $\therefore x=6$
(2) $x+5=4+6$ $\therefore x=5$

2-1 (1) $(x+5)+9=7+10$ $\therefore x=3$
(2) $9+14=6+(5+x)$ $\therefore x=12$

2-2 (1) $(x+8)+10=5+15$ $\therefore x=2$
(2) $7+10=(3+x)+8$ $\therefore x=6$

3-1 $\overline{AS}=\overline{AP}=4,\ \overline{BP}=\overline{BQ}=5,$
$\overline{CQ}=\overline{CR}=5,\ \overline{DR}=\overline{DS}=3$이므로
$(\square ABCD$의 둘레의 길이$)$
$=2\times(4+5+5+3)$
$=2\times17=34$

3-2 $\overline{AP}=\overline{AS}=3,\ \overline{BQ}=\overline{BP}=4,$
$\overline{CR}=\overline{CQ}=4,\ \overline{DR}=\overline{DS}=2$이므로
$(\square ABCD$의 둘레의 길이$)$
$=2\times(3+4+4+2)$
$=2\times13=26$

4. 원주각과 중심각의 크기

개념 원리 확인 p103

4-1 (1) 70° (2) 60° (3) 110° (4) 130°
4-2 (1) 64° (2) 30° (3) 190° (4) 60°
5-1 2, 40, 2, 70, 40, 70, 110
5-2 (1) 110° (2) 124°

4-1 (1) $\angle x=\dfrac{1}{2}\times140°=70°$

(2) $\angle x=2\times30°=60°$

(3) $\angle x=\dfrac{1}{2}\times220°=110°$

(4) $\angle x=360°-2\times115°=130°$

4-2 (1) $\angle x = 2 \times 32° = 64°$

(2) $\angle x = \dfrac{1}{2} \times 60° = 30°$

(3) $\angle x = 2 \times 95° = 190°$

(4) $\angle x = \dfrac{1}{2} \times (360° - 240°) = 60°$

5-2 (1) 오른쪽 그림과 같이 $\overline{OE}$를 그으면

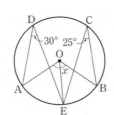

$\angle AOE = 2\angle ADE$
$\qquad = 2 \times 30° = 60°$
$\angle EOB = 2\angle ECB$
$\qquad = 2 \times 25° = 50°$
$\therefore \angle x = \angle AOE + \angle EOB$
$\qquad = 60° + 50° = 110°$

(2) 오른쪽 그림과 같이 $\overline{OE}$를 그으면

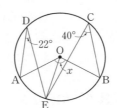

$\angle AOE = 2\angle ADE$
$\qquad = 2 \times 22° = 44°$
$\angle EOB = 2\angle ECB$
$\qquad = 2 \times 40° = 80°$
$\therefore \angle x = \angle AOE + \angle EOB$
$\qquad = 44° + 80° = 124°$

2일 기초 집중 연습	p104 ~ p105

1-1 6 cm   **1-2** 3

1-3 3

1-4 (1) 12 cm (2) 9 cm (3) 162 cm²

1-5 (1) 9 cm (2) $(x+9)$ cm (3) 12 cm (4) 9

2-1 (1) 40° (2) 100° (3) 120° (4) 220°

2-2 $\angle x = 160°$, $\angle y = 100°$ **2-3** 50°

2-4 25°   **2-5** $\angle x = 144°$, $\angle y = 36°$

1-1 $5 + \overline{CD} = 4 + 7$
$\therefore \overline{CD} = 6$ (cm)

1-2 $\overline{BP} = \overline{BQ} = 9$ cm이므로
$(x+9) + 11 = 7 + 16$ $\therefore x = 3$

1-3 $\overline{AS} = \overline{AP} = 2$, $\overline{BP} = \overline{BQ} = 4$, $\overline{CQ} = \overline{CR} = 5$,
$\overline{DR} = \overline{DS} = x$이고
□ABCD의 둘레의 길이가 28이므로
$2(2 + 4 + 5 + x) = 28$, $11 + x = 14$ $\therefore x = 3$

1-4 (1) $\overline{CD}$의 길이는 원 O의 지름의 길이와 같으므로
$\overline{CD} = 2 \times 6 = 12$ (cm)

(2) $15 + 12 = \overline{AD} + 18$ $\therefore \overline{AD} = 9$ (cm)

(3) $\dfrac{1}{2} \times (9 + 18) \times 12 = 162$ (cm²)

1-5 (1) △DEC에서
$\overline{EC} = \sqrt{15^2 - 12^2} = \sqrt{81} = 9$ (cm)

(2) $\overline{AD} = \overline{BC} = (x+9)$ cm

(3) $\overline{AB} = \overline{DC} = 12$ cm

(4) $\overline{AB} + \overline{DE} = \overline{AD} + \overline{BE}$이므로
$12 + 15 = (x+9) + x$
$2x = 18$ $\therefore x = 9$

2-1 (1) $\angle x = \dfrac{1}{2} \times 80° = 40°$

(2) $\angle x = 2 \times 50° = 100°$

(3) $\angle x = \dfrac{1}{2} \times 240° = 120°$

(4) $\angle x = 360° - 2 \times 70° = 220°$

2-2 $\angle x = 2\angle BAD = 2 \times 80° = 160°$
$\angle y = \dfrac{1}{2} \times (360° - 160°) = 100°$

2-3 $\angle AOB = 2\angle APB = 2 \times 40° = 80°$
이때 △OAB는 $\overline{OA} = \overline{OB}$인 이등변삼각형이므로
$\angle x = \dfrac{1}{2} \times (180° - 80°) = 50°$

2-4 오른쪽 그림과 같이 $\overline{OB}$를 그으면

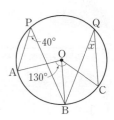

$\angle AOB = 2\angle APB$
$\qquad = 2 \times 40° = 80°$
$\angle BOC = 130° - 80° = 50°$
$\therefore \angle x = \dfrac{1}{2} \angle BOC$
$\qquad = \dfrac{1}{2} \times 50° = 25°$

2-5 $\angle x = 2\angle \text{ACB} = 2 \times 72° = 144°$

$\angle \text{PAO} = \angle \text{PBO} = 90°$이므로

$\angle y = 180° - \angle x = 180° - 144° = 36°$

3일

5. 원주각의 성질(1)

개념 원리 확인   p107

1-1 (1) 25° (2) 50°	**1-2** (1) 50° (2) 32°
2-1 30, 20, 30, 20, 50	**2-2** (1) 65° (2) 70°

1-1 (1) $\angle x = \angle \text{BAC} = 25°$

(2) $\angle x = \angle \text{ABD} = 50°$

1-2 (1) $\angle x = \angle \text{BAC} = 50°$

(2) $\angle x = \angle \text{ACD} = 32°$

2-2 (1) 오른쪽 그림과 같이
$\overline{\text{FC}}$를 그으면

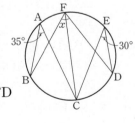

$\angle \text{BFC} = \angle \text{BAC} = 35°$

$\angle \text{CFD} = \angle \text{CED} = 30°$

∴ $\angle x = \angle \text{BFC} + \angle \text{CFD}$

$= 35° + 30°$

$= 65°$

(2) 오른쪽 그림과 같이
$\overline{\text{FC}}$를 그으면

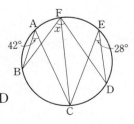

$\angle \text{BFC} = \angle \text{BAC} = 42°$

$\angle \text{CFD} = \angle \text{CED} = 28°$

∴ $\angle x = \angle \text{BFC} + \angle \text{CFD}$

$= 42° + 28°$

$= 70°$

6. 원주각의 성질(2)

개념 원리 확인   p109

3-1 (1) 56° (2) 35°

3-2 (1) 60° (2) 20°

4-1 90, 50, 90, 50, 40

4-2 (1) 20° (2) 34°

3-1 (1) $\overline{\text{AB}}$가 원 O의 지름이므로

$\angle \text{ACB} = 90°$

∴ $\angle x = 180° - (34° + 90°) = 56°$

(2) $\triangle \text{OCA}$는 $\overline{\text{OC}} = \overline{\text{OA}}$인 이등변삼각형이므로

$\angle \text{OCA} = \angle \text{OAC} = 55°$

이때 $\overline{\text{AB}}$가 원 O의 지름이므로

$\angle \text{ACB} = 90°$

∴ $\angle x = 90° - 55° = 35°$

3-2 (1) $\overline{\text{AB}}$가 원 O의 지름이므로

$\angle \text{ACB} = 90°$

∴ $\angle x = 180° - (30° + 90°) = 60°$

(2) $\overline{\text{AB}}$가 원 O의 지름이므로

$\angle \text{ACB} = 90°$

∴ $\angle \text{OCB} = 90° - 70° = 20°$

이때 $\triangle \text{OCB}$는 $\overline{\text{OC}} = \overline{\text{OB}}$인 이등변삼각형이므로

$\angle x = \angle \text{OCB} = 20°$

4-2 (1) 오른쪽 그림과 같이 $\overline{\text{AE}}$를
그으면 $\overline{\text{AB}}$가 원 O의 지름
이므로

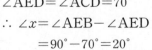

$\angle \text{AEB} = 90°$

$\angle \text{AED} = \angle \text{ACD} = 70°$

∴ $\angle x = \angle \text{AEB} - \angle \text{AED}$

$= 90° - 70° = 20°$

(2) 오른쪽 그림과 같이 $\overline{\text{AE}}$를
그으면 $\overline{\text{AB}}$가 원 O의 지름
이므로

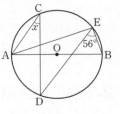

$\angle \text{AEB} = 90°$

$\angle \text{AED} = 90° - 56° = 34°$

∴ $\angle x = \angle \text{AED} = 34°$

1-1 $107°$ **1-2** $\angle x=34°,\ \angle y=68°$

1-3 $48°$ **1-4** ④

1-5 $38°$ **1-6** $18°$

2-1 $65°$ **2-2** $53°$

2-3 $\angle x=70°,\ \angle y=20°$ **2-4** $52°$

2-5 $35°$ **2-6** (1) $90°$ (2) $20°$ (3) $70°$

1-1 $\angle x=\angle \mathrm{ABD}=65°$

$\angle y=\angle \mathrm{BAC}=42°$

$\therefore \angle x+\angle y=65°+42°=107°$

1-2 $\angle x=\angle \mathrm{APB}=34°$

$\angle y=2\angle x=2\times34°=68°$

1-3 $\triangle \mathrm{PAB}$에서

$\angle \mathrm{APB}=180°-(87°+45°)=48°$

$\therefore \angle x=\angle \mathrm{APB}=48°$

1-4 $\angle \mathrm{DAC}=\angle \mathrm{DBC}=25°$

$\triangle \mathrm{APD}$에서 $\angle x=25°+50°=75°$

1-5 오른쪽 그림과 같이 $\overline{\mathrm{FC}}$를 그
으면

$\angle \mathrm{BFC}=\angle \mathrm{BAC}=47°$

$\angle \mathrm{CFD}=85°-47°=38°$

$\therefore \angle x=\angle \mathrm{CFD}=38°$

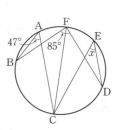

1-6 오른쪽 그림과 같이 $\overline{\mathrm{PB}}$를 그
으면

$\angle \mathrm{APB}=\dfrac{1}{2}\angle \mathrm{AOB}$

$=\dfrac{1}{2}\times114°=57°$

$\angle \mathrm{BPC}=75°-57°=18°$

$\therefore \angle x=\angle \mathrm{BPC}=18°$

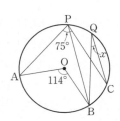

2-1 $\overline{\mathrm{AC}}$가 원 O의 지름이므로

$\angle \mathrm{ADC}=90°$

$\angle \mathrm{BDC}=\angle \mathrm{BAC}=25°$이므로

$\angle x=90°-25°=65°$

2-2 $\overline{\mathrm{AC}}$가 원 O의 지름이므로

$\angle \mathrm{ABC}=90°$

$\angle \mathrm{BAC}=\angle \mathrm{BDC}=37°$이므로

$\triangle \mathrm{ABC}$에서

$\angle x=180°-(37°+90°)=53°$

2-3 $\overline{\mathrm{AB}}$가 원 O의 지름이므로

$\angle \mathrm{APB}=90°$

$\therefore \angle x=90°-20°=70°$

$\overline{\mathrm{CD}}$가 원 O의 지름이므로

$\angle \mathrm{CPD}=90°$

$\therefore \angle y=90°-\angle x=90°-70°=20°$

2-4 오른쪽 그림과 같이 $\overline{\mathrm{AD}}$를
그으면 $\overline{\mathrm{AC}}$가 원 O의 지름
이므로

$\angle \mathrm{ADC}=90°$

$\angle \mathrm{ADB}=90°-38°=52°$

$\therefore \angle x=\angle \mathrm{ADB}=52°$

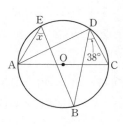

2-5 오른쪽 그림과 같이 $\overline{\mathrm{AB}}$를
그으면 $\overline{\mathrm{BD}}$가 원 O의 지름
이므로

$\angle \mathrm{BAD}=90°$

$\angle \mathrm{ABD}=\angle \mathrm{ACD}=55°$
이므로

$\triangle \mathrm{ABD}$에서

$\angle x=180°-(90°+55°)=35°$

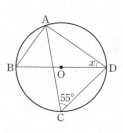

2-6 (1) $\overline{\mathrm{AB}}$가 반원 O의 지름이므로

$\angle \mathrm{ADB}=90°$

$\therefore \angle \mathrm{ADP}=180°-90°=90°$

(2) $\angle \mathrm{CAD}=\dfrac{1}{2}\angle \mathrm{COD}=\dfrac{1}{2}\times40°=20°$

(3) $\triangle \mathrm{PAD}$에서 $\angle x=180°-(20°+90°)=70°$

7. 원주각의 크기와 호의 길이

개념 원리 확인	p113

1-1 (1) 42　(2) 3　　**1-2** (1) 6　(2) 24
2-1 (1) 3　(2) 14　　**2-2** (1) 48　(2) 15
3-1 30, 30, 30, 30, 60　**3-2** (1) 70°　(2) 64°

1-1 (1) $\overparen{AB}=\overparen{CD}$이므로 ∠APB=∠CQD
　　　∴ $x=42$
　(2) ∠APB=∠CQD이므로 $\overparen{AB}=\overparen{CD}$
　　　∴ $x=3$

1-2 (1) ∠APB=∠CQD이므로 $\overparen{AB}=\overparen{CD}$
　　　∴ $x=6$
　(2) $\overparen{BC}=8-4=4$, 즉 $\overparen{AB}=\overparen{BC}$이므로
　　　∠APB=∠BPC　　∴ $x=24$

2-1 (1) ∠APB : ∠BPC=$\overparen{AB}$: $\overparen{BC}$에서
　　　63° : 21°=9 : x이므로
　　　3 : 1=9 : x, $3x=9$　　∴ $x=3$
　(2) ∠APB : ∠BPC=$\overparen{AB}$: $\overparen{BC}$에서
　　　$x°$: 42°=4 : 12이므로
　　　x : 42=1 : 3, $3x=42$　　∴ $x=14$

2-2 (1) ∠APB : ∠BPC=$\overparen{AB}$: $\overparen{BC}$에서
　　　$x°$: 24°=8 : 4이므로
　　　x : 24=2 : 1　　∴ $x=48$
　(2) ∠APB : ∠CQD=$\overparen{AB}$: $\overparen{CD}$에서
　　　18° : 54°=5 : x이므로
　　　1 : 3=5 : x　　∴ $x=15$

3-2 (1) 오른쪽 그림과 같이 $\overline{QB}$를
　　　그으면
　　　∠AQB=∠APB=35°
　　　$\overparen{AB}=\overparen{BC}$이므로
　　　∠BQC=∠AQB=35°
　　　∴ ∠x=∠AQB+∠BQC
　　　　　　=35°+35°=70°

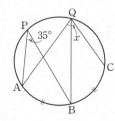

(2) 오른쪽 그림과 같이 $\overline{BP}$를
　그으면
　∠BPC=$\dfrac{1}{2}$∠BOC
　　　　=$\dfrac{1}{2}×64°=32°$
　$\overparen{AB}=\overparen{BC}$이므로
　∠APB=∠BPC=32°
　∴ ∠x=∠APB+∠BPC
　　　　=32°+32°=64°

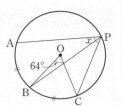

8. 네 점이 한 원 위에 있을 조건

개념 원리 확인	p115

4-1 (1) ×　(2) ○　(3) ○　(4) ×　(5) ○
4-2 (1) 75°　(2) 45°　(3) 30°　(4) 50°　(5) 65°

4-1 (1) ∠BAC≠∠BDC이므로 네 점 A, B, C, D는 한 원 위에 있지 않다.
　(2) ∠ADB=∠ACB이므로 네 점 A, B, C, D는 한 원 위에 있다.
　(3) ∠BAC=∠BDC이므로 네 점 A, B, C, D는 한 원 위에 있다.
　(4) ∠DAC≠∠DBC이므로 네 점 A, B, C, D는 한 원 위에 있지 않다.
　(5) ∠ABD=80°−50°=30°
　　　즉 ∠ABD=∠ACD이므로 네 점 A, B, C, D는 한 원 위에 있다.

4-2 (1) ∠BAC=∠BDC이어야 하므로 ∠x=75°
　(2) ∠ADB=∠ACB이어야 하므로 ∠x=45°
　(3) ∠BDC=100°−70°=30°
　　　이때 ∠BAC=∠BDC이어야 하므로 ∠x=30°
　(4) ∠ADB=180°−(40°+90°)=50°
　　　이때 ∠ADB=∠ACB이어야 하므로 ∠x=50°
　(5) ∠BAC=180°−(85°+30°)=65°
　　　이때 ∠BAC=∠BDC이어야 하므로 ∠x=65°

정답과 풀이

4일 기초 집중 연습

p116~p117

1-1 $21°$　　　　**1-2** ③

1-3 $\angle x=56°$, $\angle y=56°$　　**1-4** $80°$

1-5 (1) $30°$ (2) $45°$　　**1-6** (1) $45°$ (2) 18 cm

1-7 (1) 180 (2) $5, 4, 3$ (3) $4, 60$ (4) $3, 45$ (5) $5, 75$

2-1 ③, ⑤　　　　**2-2** $35°$

1-1 $\overarc{AB}=\overarc{CD}$이므로 $\angle x=\angle DBC=21°$

1-2 $\angle BAC=\angle BDC=43°$
$\overarc{AB}=\overarc{BC}$이므로 $\angle ADB=\angle BDC=43°$
따라서 $\triangle ABD$에서
$\angle x=180°-(43°+40°+43°)=54°$

1-3 오른쪽 그림과 같이 $\overline{QB}$를 그으면
$\angle AQB=\angle APB=28°$
$\overarc{AB}=\overarc{BC}$이므로
$\angle BQC=\angle AQB=28°$
$\therefore \angle x=\angle AQB+\angle BQC$
$\qquad =28°+28°=56°$
$\angle y=2\angle BQC=2\times28°=56°$

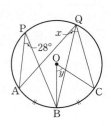

1-4 $\angle APC : \angle BQC=\overarc{AC} : \overarc{BC}$에서
$\angle x : 60°=(3+9) : 9$이므로
$\angle x : 60°=4 : 3$, $3\angle x=240°$　　$\therefore \angle x=80°$

1-5 (1) 오른쪽 그림과 같이 $\overline{AP}$,
$\overline{BP}$를 그으면
$\angle APB=\dfrac{1}{2}\angle AOB$
$\qquad =\dfrac{1}{2}\times60°$
$\qquad =30°$
(2) $30° : \angle x=4 : 6$이므로
$30° : \angle x=2 : 3$, $2\angle x=90°$　　$\therefore \angle x=45°$

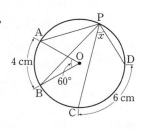

1-6 (1) $\triangle ABP$에서 $\angle ABD=80°-35°=45°$
(2) $45° : 35°=\overarc{AD} : 14$이므로
$9 : 7=\overarc{AD} : 14$, $7\overarc{AD}=126$
$\therefore \overarc{AD}=18$ (cm)

2-1 ① $\angle BAC\ne\angle BDC$이므로 네 점 A, B, C, D는 한 원 위에 있지 않다.
② $\angle DAC\ne\angle DBC$이므로 네 점 A, B, C, D는 한 원 위에 있지 않다.
③ $\angle ACB=180°-(50°+90°)=40°$
즉 $\angle ADB=\angle ACB$이므로 네 점 A, B, C, D는 한 원 위에 있다.
④ $\angle BAC=180°-(25°+70°+25°)=60°$
즉 $\angle BAC\ne\angle BDC$이므로 네 점 A, B, C, D는 한 원 위에 있지 않다.
⑤ $\angle BDC=90°-25°=65°$
즉 $\angle BAC=\angle BDC$이므로 네 점 A, B, C, D는 한 원 위에 있다.

2-2 네 점 A, B, C, D가 한 원 위에 있으므로
$\angle ABD=\angle ACD=57°$
$\angle ACB=\angle ADB=43°$
따라서 $\triangle ABC$에서
$\angle x=180°-(45°+57°+43°)=35°$

5일

9. 원에 내접하는 사각형의 성질 (1)

개념 원리 확인　　**p119**

1-1 (1) $\angle x=105°$, $\angle y=95°$
(2) $\angle x=110°$, $\angle y=70°$
(3) $\angle x=78°$, $\angle y=86°$

1-2 (1) $\angle x=114°$, $\angle y=77°$
(2) $\angle x=65°$, $\angle y=100°$
(3) $\angle x=108°$, $\angle y=55°$

2-1 $45°$　　　　**2-2** $65°$

1-1 (1) $\angle x+75°=180°$　　$\therefore \angle x=105°$
$85°+\angle y=180°$　　$\therefore \angle y=95°$
(2) $\angle x+70°=180°$　　$\therefore \angle x=110°$
$\angle y+110°=180°$　　$\therefore \angle y=70°$
(3) $102°+\angle x=180°$　　$\therefore \angle x=78°$
$94°+\angle y=180°$　　$\therefore \angle y=86°$

1-2 (1) $66° + ∠x = 180°$ $∴ ∠x = 114°$

        $103° + ∠y = 180°$ $∴ ∠y = 77°$

    (2) $∠x + 115° = 180°$ $∴ ∠x = 65°$

        $80° + ∠y = 180°$ $∴ ∠y = 100°$

    (3) $∠x + 72° = 180°$ $∴ ∠x = 108°$

        $∠y + 125° = 180°$ $∴ ∠y = 55°$

2-1 □ABCD가 원에 내접하므로

    $∠BAD + 80° = 180°$ $∴ ∠BAD = 100°$

    △ABD에서

    $∠x = 180° - (100° + 35°) = 45°$

2-2 △ABC에서

    $∠ABC = 180° - (45° + 20°) = 115°$

    □ABCD가 원에 내접하므로

    $115° + ∠x = 180°$ $∴ ∠x = 65°$

---

10. 원에 내접하는 사각형의 성질(2)

개념 원리 확인   **p121**

3-1 (1) $80°$ (2) $70°$ **3-2** (1) $130°$ (2) $105°$

4-1 (1) $45°$ (2) $35°$ **4-2** (1) $65°$ (2) $70°$

3-1 (1) $∠x = ∠DCE = 80°$

    (2) $∠x = ∠BAD = 70°$

3-2 (1) $∠x = ∠ABE = 130°$

    (2) $∠x = ∠BAD = 105°$

4-1 (1) □ABCD가 원에 내접하므로

        $∠BAD = ∠DCE = 65°$

        $20° + ∠x = 65°$ $∴ ∠x = 45°$

    (2) □ABCD가 원에 내접하므로

        $∠BAD = ∠DCE = 105°$

        △ABD에서

        $∠x = 180° - (105° + 40°) = 35°$

4-2 (1) □ABCD가 원에 내접하므로

        $∠BAD = ∠DCE = 115°$

        $∠x + 50° = 115°$ $∴ ∠x = 65°$

    (2) △ABD에서

        $∠BAD = 180° - (45° + 65°) = 70°$

        이때 □ABCD가 원에 내접하므로

        $∠x = ∠BAD = 70°$

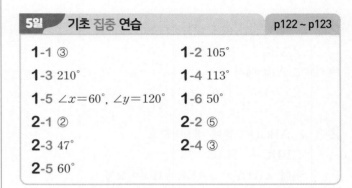

5일 기초 집중 연습   **p122 ~ p123**

1-1 ③   **1-2** $105°$

1-3 $210°$ **1-4** $113°$

1-5 $∠x = 60°, ∠y = 120°$ **1-6** $50°$

2-1 ②   **2-2** ⑤

2-3 $47°$ **2-4** ③

2-5 $60°$

1-1 $(x - 40) + x = 180$, $2x = 220$ $∴ x = 110$

1-2 △ABC에서

    $∠ABC = 180° - (60° + 45°) = 75°$

    □ABCD가 원에 내접하므로

    $75° + ∠x = 180°$ $∴ ∠x = 105°$

1-3 □ABCD가 원에 내접하므로

    $∠x + 110° = 180°$ $∴ ∠x = 70°$

    $∠y = 2∠x = 2 × 70° = 140°$

    $∴ ∠x + ∠y = 70° + 140° = 210°$

1-4 △ACD는 $\overline{AC} = \overline{AD}$인 이등변삼각형이므로

    $∠ADC = \frac{1}{2} × (180° - 46°) = 67°$

    □ABCD가 원에 내접하므로

    $∠x + 67° = 180°$ $∴ ∠x = 113°$

1-5 $\overline{BC}$가 원 O의 지름이므로 $∠BDC = 90°$

    따라서 △DBC에서

    $∠x = 180° - (90° + 30°) = 60°$

    □ABCD가 원 O에 내접하므로

    $∠y + 60° = 180°$ $∴ ∠y = 120°$

1-6 ∠BAC=∠BDC이므로 □ABCD는 원에 내접한다.
□ABCD가 원에 내접하므로
$(\angle x+58°)+(42°+30°)=180°$ ∴ $\angle x=50°$

2-1 □ABCD가 원에 내접하므로
$97°+\angle x=180°$ ∴ $\angle x=83°$
∠BAD=$180°-73°=107°$이므로
$\angle y=\angle BAD=107°$
∴ $\angle y-\angle x=107°-83°=24°$

2-2 □ABCD가 원에 내접하므로
∠ABC=∠EDC=$80°$
△ABC에서
$\angle x=180°-(80°+65°)=35°$

2-3 □ABCD가 원에 내접하므로
∠BDC=∠BAC=$53°$
이때 ∠ADC=∠ABE=$100°$이므로
$\angle x+53°=100°$ ∴ $\angle x=47°$

2-4 $\angle BAD=\dfrac{1}{2}\angle BOD=\dfrac{1}{2}\times130°=65°$
이때 □ABCD가 원 O에 내접하므로
$\angle x=\angle BAD=65°$

2-5 □ABCD가 원에 내접하므로
∠EAB=∠BCD=$88°$
따라서 △AEB에서
$\angle x=180°-(88°+32°)=60°$

누구나 100점 테스트 p124 ~ p125

01 15 cm   **02** 8 cm   **03** 8
04 (1) 75° (2) 86° (3) 72° (4) 55°
05 (1) 28 (2) 7   **06** 30°   **07** 53°
08 33°   **09** ㉡, ㉢
10 (1) $\angle x=54°$, $\angle y=108°$ (2) $\angle x=96°$, $\angle y=108°$

---

01 △OPB에서
$\overline{PB}=\sqrt{17^2-8^2}=\sqrt{225}=15\,(cm)$
∴ $\overline{PA}=\overline{PB}=15\,cm$

02 $\overline{CE}=x$ cm라고 하면
$\overline{BD}=\overline{BE}=(14-x)$ cm
$\overline{CF}=\overline{CE}=x$ cm이므로
$\overline{AD}=\overline{AF}=(13-x)$ cm
이때 $\overline{AB}=\overline{AD}+\overline{BD}$에서
$11=(13-x)+(14-x)$, $2x=16$ ∴ $x=8$
따라서 $\overline{CE}$의 길이는 8 cm이다.

03 $12+10=7+(x+7)$ ∴ $x=8$

04 (1) $\angle x=\dfrac{1}{2}\times150°=75°$
(2) $\angle x=2\times43°=86°$
(3) $\angle x=\angle AQB=72°$
(4) $\overline{AB}$가 원 O의 지름이므로 ∠ACB=$90°$
∴ $\angle x=180°-(35°+90°)=55°$

05 (1) $\overparen{AB}=\overparen{CD}$이므로 ∠APB=∠CQD
∴ $x=28$
(2) ∠AQB=∠CPD이므로 $\overparen{AB}=\overparen{CD}$
∴ $x=7$

06 오른쪽 그림과 같이 $\overline{QB}$를 그으면
$\angle BQC=\dfrac{1}{2}\angle BOC$
$=\dfrac{1}{2}\times80°=40°$
∠AQB=$70°-40°=30°$
∴ $\angle x=\angle AQB=30°$

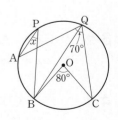

07 $\overline{BC}$가 원 O의 지름이므로 ∠BAC=$90°$
∠CAD=∠CBD=$37°$이므로
$\angle x=90°-37°=53°$

08 오른쪽 그림과 같이 $\overline{AP}$를 그으면

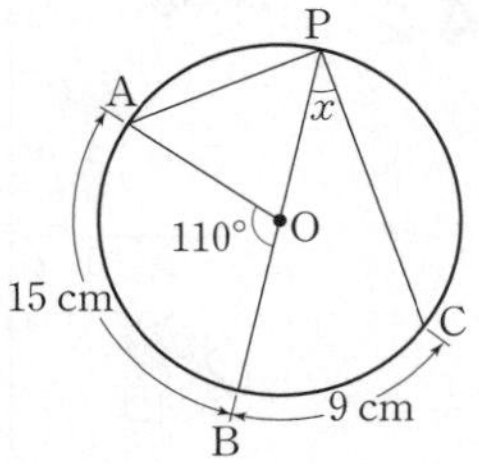

$$\angle APB = \frac{1}{2}\angle AOB$$
$$= \frac{1}{2} \times 110^\circ = 55^\circ$$

$\angle APB : \angle BPC = \widehat{AB} : \widehat{BC}$
에서 $55^\circ : \angle x = 15 : 9$이므로
$55^\circ : \angle x = 5 : 3$, $5\angle x = 165^\circ$ ∴ $\angle x = 33^\circ$

09 ㉠ $\angle DAC \neq \angle DBC$이므로 네 점 A, B, C, D는 한 원 위에 있지 않다.

ㄴ $\angle BAC = \angle BDC$이므로 네 점 A, B, C, D는 한 원 위에 있다.

ㄷ $\angle BAC = 180^\circ - (75^\circ + 50^\circ) = 55^\circ$
즉 $\angle BAC = \angle BDC$이므로 네 점 A, B, C, D는 한 원 위에 있다.

ㄹ $\angle BDC = 90^\circ - 50^\circ = 40^\circ$
즉 $\angle BAC \neq \angle BDC$이므로 네 점 A, B, C, D는 한 원 위에 있지 않다.

10 (1) □ABCD가 원 O에 내접하므로
$126^\circ + \angle x = 180^\circ$ ∴ $\angle x = 54^\circ$
$\angle y = 2\angle x = 2 \times 54^\circ = 108^\circ$

(2) □ABCD가 원 O에 내접하므로
$84^\circ + \angle x = 180^\circ$ ∴ $\angle x = 96^\circ$
$\angle y = \angle BAD = 108^\circ$

특강 | 창의, 융합, 코딩　　　　　p126 ~ p131

1 $\overline{PB}$ / $\overline{CE}$ / $\overline{BC}$ / $\frac{1}{2}$ / 정비례 / 180°, $\angle BAD$

2 (1) 60° (2) 정삼각형 (3) 80 m

3 (1) 정우 (2) 10 cm　　　**4** 8742

5 널 항상 응원해

6 (1) ㉢ (2) ㉣ (3) ㉠ (4) ㉡

---

2 (1) $\angle AOB = 2\angle ACB = 2 \times 30^\circ = 60^\circ$

(2) $\triangle AOB$는 $\overline{OA} = \overline{OB}$인 이등변삼각형이므로
$\angle OAB = \angle OBA = \frac{1}{2} \times (180^\circ - 60^\circ) = 60^\circ$
따라서 $\triangle AOB$는 정삼각형이다.

---

(3) $\triangle AOB$는 정삼각형이고 $\overline{AB} = 40$ m이므로
$\overline{OA} = \overline{AB} = 40$ m
따라서 이 잔디밭의 지름의 길이는
$2\overline{OA} = 2 \times 40 = 80$ (m)

3 (2) $\overline{PC} = \overline{PB} = \overline{PA} = 10$ cm

4 (1) $\triangle APO$에서 $\overline{PA} = \sqrt{10^2 - 6^2} = \sqrt{64} = 8$
∴ $x = \overline{PA} = 8$

(2) $\overline{BE} = \overline{BD} = 8 - 5 = 3$
$\overline{AF} = \overline{AD} = 5$이므로
$\overline{CE} = \overline{CF} = 6 - 5 = 1$
∴ $x = \overline{BE} + \overline{CE} = 3 + 1 = 4$

(3) $7 + 5 = 5 + x$ ∴ $x = 7$

(4) $(x + 8) + 10 = 5 + 15$ ∴ $x = 2$

(1)~(4)에서 구한 x의 값 8, 4, 7, 2로 만들 수 있는 가장 큰 네 자리의 자연수는 8742이므로 사물함의 비밀번호는 8742이다.

5 (1) $\angle APB = \frac{1}{2}\angle AOB = \frac{1}{2} \times 42^\circ = 21^\circ$
∴ $x = 21$

(2) $\angle PBQ = \angle PAQ = 30^\circ$ ∴ $x = 30$

(3) $\overline{AB}$가 원 O의 지름이므로 $\angle ACB = 90^\circ$
$\angle ABC = 180^\circ - (24^\circ + 90^\circ) = 66^\circ$
∴ $x = 66$

(4) $\widehat{AB} = \widehat{CD}$이므로 $\angle APB = \angle CQD$
∴ $x = 25$

(5) $\angle APB : \angle BPC = \widehat{AB} : \widehat{BC}$에서
$40^\circ : 60^\circ = 10 : x$이므로
$2 : 3 = 10 : x$, $2x = 30$ ∴ $x = 15$

(6) $\angle APB : \angle AQC = \widehat{AB} : \widehat{AC}$에서
$29^\circ : x^\circ = 5 : (5 + 10)$이므로
$29 : x = 1 : 3$ ∴ $x = 87$

6 (1) $\angle x + 65^\circ = 180^\circ$ ∴ $\angle x = 115^\circ$

(2) $\triangle ACD$에서 $\angle ADC = 180^\circ - (45^\circ + 55^\circ) = 80^\circ$
□ABCD가 원에 내접하므로
$\angle x + 80^\circ = 180^\circ$ ∴ $\angle x = 100^\circ$

(3) $\angle x = \angle BAD = 85^\circ$

(4) □ABCD가 원에 내접하므로
$\angle BAD = \angle DCE = 107^\circ$
$\angle x + 42^\circ = 107^\circ$ ∴ $\angle x = 65^\circ$

4주

4주에는 무엇을 공부할까? ❷　　　p134 ~ p135

1-1 (1) 120° (2) 85°　　**1**-2 (1) 75° (2) 100°

2-1 (1) 6 (2) 10　　**2**-2 (1) 5 (2) 9 (3) 16

3-1 55점　　　　　**3**-2 33회

4-1 (1) A(-3, 2) (2) 풀이 참조

4-2 (1) (-2, -1) (2) 풀이 참조

1-1 (1) $\angle x+60°=180°$ ∴ $\angle x=120°$
　　(2) $\angle x=\angle BAD=85°$

1-2 (1) $\angle x+105°=180°$ ∴ $\angle x=75°$
　　(2) $\angle x=\angle ABE=100°$

2-1 (1) (평균)$=\dfrac{3+9+4+8}{4}=\dfrac{24}{4}=6$
　　(2) (평균)$=\dfrac{7+15+8+9+11}{5}=\dfrac{50}{5}=10$

2-2 (1) (평균)$=\dfrac{6+5+8+1}{4}=\dfrac{20}{4}=5$
　　(2) (평균)$=\dfrac{11+6+5+14+9}{5}=\dfrac{45}{5}=9$
　　(3) (평균)$=\dfrac{22+17+5+27+9}{5}=\dfrac{80}{5}=16$

3-2 줄넘기 기록이 좋은 쪽부터 순서대로 나열하면 57회, 50회, 49회, 44회, 43회, …이므로 줄넘기 기록이 10번째로 좋은 학생의 줄넘기 기록은 33회이다.

4-1 (2)

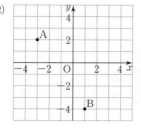

4-2 (2)

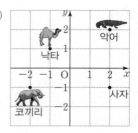

1일

1. 사각형이 원에 내접하기 위한 조건

개념 원리 확인　　　　　　　　p137

1-1 (1) ○ (2) × (3) × (4) ○ (5) ○

1-2 (1) 70° (2) 120° (3) 85° (4) 80° (5) 100°

1-1 (1) $\angle A+\angle C=180°$이므로 □ABCD는 원에 내접한다.
　　(2) △ACD에서 $\angle D=180°-(55°+55°)=70°$
　　　이때 $\angle B+\angle D\neq180°$이므로 □ABCD는 원에 내접하지 않는다.
　　(3) $\angle ABE\neq\angle ADC$이므로 □ABCD는 원에 내접하지 않는다.
　　(4) △ABD에서 $\angle BAD=180°-(45°+55°)=80°$
　　　이때 $\angle DCE=\angle BAD$이므로 □ABCD는 원에 내접한다.
　　(5) $\overline{AD}\parallel\overline{BC}$이므로 $\angle A+\angle B=180°$에서
　　　$\angle A+80°=180°$ ∴ $\angle A=100°$
　　　이때 $\angle A+\angle C=180°$이므로 □ABCD는 원에 내접한다.

1-2 (1) $110°+\angle x=180°$ ∴ $\angle x=70°$
　　(2) $\angle x=\angle DCE=120°$
　　(3) △BCD에서 $\angle BCD=180°-(35°+50°)=95°$
　　　이므로 $\angle x+95°=180°$ ∴ $\angle x=85°$
　　(4) △ABC에서 $\angle ABC=180°-(65°+35°)=80°$
　　　∴ $\angle x=\angle ABC=80°$
　　(5) $\angle BCD=180°-80°=100°$
　　　∴ $\angle x=\angle BCD=100°$

개념 원리 확인 p139

2-1 (1) $49°$ (2) $65°$ **2-2** (1) $68°$ (2) $60°$

3-1 (1) $28°$ (2) $96°$ **3-2** (1) $63°$ (2) $65°$

2-1 (1) $\angle x = \angle BCA = 49°$

(2) $\angle BAT = 180° - (45° + 70°) = 65°$

$\therefore \angle x = \angle BAT = 65°$

2-2 (1) $\angle x = \angle BAT = 68°$

(2) $\angle BCA = \angle BAT = 80°$이므로

$\triangle ABC$에서 $\angle x = 180° - (40° + 80°) = 60°$

3-1 (1) $\overline{BC}$는 원 O의 지름이므로 $\angle CAB = 90°$

$\triangle ABC$에서 $\angle BCA = 180° - (90° + 62°) = 28°$

$\therefore \angle x = \angle BCA = 28°$

(2) $\angle CBA = \angle CAT = 48°$

$\therefore \angle x = 2\angle CBA = 2 \times 48° = 96°$

3-2 (1) $\overline{BC}$는 원 O의 지름이므로 $\angle BAC = 90°$

$\triangle ABC$에서 $\angle BCA = 180° - (90° + 27°) = 63°$

$\therefore \angle x = \angle BCA = 63°$

(2) $\angle CBA = \dfrac{1}{2}\angle COA = \dfrac{1}{2} \times 130° = 65°$

$\therefore \angle x = \angle CBA = 65°$

1일 기초 집중 연습 p140 ~ p141

1-1 ⑤   **1-2** $102°$

1-3 $60°$ **1-4** ④

1-5 ㉠, ㉣, ㉺   **2-1** $75°$

2-2 $45°$ **2-3** $75°$

2-4 $62°$ **2-5** $20°$

2-6 (1) $\angle ACB = 90°$, $\angle ACP = 26°$ (2) $38°$

1-1 ① $\angle B + \angle D \neq 180°$이므로 □ABCD는 원에 내접하지 않는다.

② $\angle DCE \neq \angle BAD$이므로 □ABCD는 원에 내접하지 않는다.

③ $\angle BAC \neq \angle BDC$이므로 □ABCD는 원에 내접하지 않는다.

④ $\angle ADC = 180° - 110° = 70°$

이때 $\angle ABE \neq \angle ADC$이므로 □ABCD는 원에 내접하지 않는다.

⑤ $\triangle ABC$에서 $\angle B = 180° - (60° + 45°) = 75°$

이때 $\angle B + \angle D = 180°$이므로 □ABCD는 원에 내접한다.

1-2 □ABCD가 원에 내접하려면

$78° + \angle x = 180°$ $\therefore \angle x = 102°$

1-3 $\triangle CPD$에서 $\angle ADC = \angle x + 32°$

□ABCD가 원에 내접하려면

$88° + (\angle x + 32°) = 180°$ $\therefore \angle x = 60°$

1-5 ㉠, ㉣ 직사각형과 정사각형은 네 내각의 크기가 모두 $90°$이므로 대각의 크기의 합이 $180°$이다. 따라서 항상 원에 내접한다.

㉺ 등변사다리꼴은 아랫변의 양 끝 각의 크기가 서로 같고 윗변의 양 끝 각의 크기가 서로 같으므로 대각의 크기의 합이 $180°$이다. 따라서 항상 원에 내접한다.

2-1 $\triangle ABC$에서 $\angle ABC = 180° - (43° + 62°) = 75°$

$\therefore \angle x = \angle ABC = 75°$

2-2 $\triangle BPC$에서 $\angle CBP = 85° - 40° = 45°$

$\therefore \angle x = \angle CBP = 45°$

2-3 $\triangle APT$에서 $\overline{AP} = \overline{AT}$이므로

$\angle ATP = \angle APT = 35°$

$\therefore \angle BAT = 35° + 35° = 70°$

이때 $\angle ABT = \angle ATP = 35°$이므로 $\triangle ATB$에서

$\angle x = 180° - (70° + 35°) = 75°$

2-4 □ABCD에서 $100°+∠BCD=180°$이므로

$∠BCD=80°$

△BCD에서 $∠DBC=180°-(80°+38°)=62°$

∴ $∠x=∠DBC=62°$

2-5 $\overline{AB}$는 원 O의 지름이므로 $∠ACB=90°$

△ACB에서 $∠BAC=180°-(90°+35°)=55°$

이때 $∠ACP=∠ABC=35°$이므로 △APC에서

$∠x=55°-35°=20°$

2-6 (1) 오른쪽 그림과 같이 $\overline{AC}$를 그으면 $\overline{AB}$는 원 O의 지름 이므로 $∠ACB=90°$

$∠ACP$

$=180°-(90°+64°)$

$=26°$

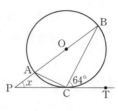

(2) $∠BAC=∠BCT=64°$이므로 △APC에서

$∠x=64°-26°=38°$

2일

3. 대푯값과 평균

개념 원리 확인   p143

1-1 (1) 9 (2) 25 (3) 3 (4) 16

1-2 (1) 11 (2) 16 (3) 6 (4) 13

2-1 (1) 10 (2) 5 (3) 23 (4) 77

2-2 (1) 8 (2) 7 (3) 9 (4) 84

1-1 (1) (평균)$=\dfrac{9+8+12+7}{4}$

$=\dfrac{36}{4}=9$

(2) (평균)$=\dfrac{18+28+30+22+27}{5}$

$=\dfrac{125}{5}=25$

(3) (평균)$=\dfrac{4+2+3+1+5+3}{6}$

$=\dfrac{18}{6}=3$

(4) (평균)$=\dfrac{10+17+19+16+18+16}{6}$

$=\dfrac{96}{6}=16$

1-2 (1) (평균)$=\dfrac{8+10+17+9}{4}$

$=\dfrac{44}{4}=11$

(2) (평균)$=\dfrac{15+18+20+17+10}{5}$

$=\dfrac{80}{5}=16$

(3) (평균)$=\dfrac{2+4+8+9+7+6}{6}$

$=\dfrac{36}{6}=6$

(4) (평균)$=\dfrac{9+10+39+4+5+11}{6}$

$=\dfrac{78}{6}=13$

2-1 (1) $\dfrac{8+x+17+5}{4}=10$

$30+x=40$ ∴ $x=10$

(2) $\dfrac{4+8+x+12+16}{5}=9$

$40+x=45$ ∴ $x=5$

(3) $\dfrac{19+1+11+3+x+9}{6}=11$

$43+x=66$ ∴ $x=23$

(4) $\dfrac{75+x+82+86+80}{5}=80$

$323+x=400$ ∴ $x=77$

2-2 (1) $\dfrac{4+2+x+6}{4}=5$

$12+x=20$ ∴ $x=8$

(2) $\dfrac{8+3+6+x+11}{5}=7$

$28+x=35$ ∴ $x=7$

(3) $\dfrac{15+11+21+6+10+x}{6}=12$

$63+x=72$ ∴ $x=9$

(4) $\dfrac{x+94+91+89+92}{5}=90$

$x+366=450$ ∴ $x=84$

개념 원리 확인
p145

3-1 (1) 9 (2) 18 (3) 12 (4) 10

3-2 (1) 10 (2) 17 (3) 11 (4) 18

4-1 (1) 6 (2) 7 (3) 8 (4) 7

4-2 (1) 10 (2) 12 (3) 10 (4) 7

3-1 (1) 변량을 작은 값부터 크기순으로 나열하면 7, 8, 9, 10, 27이고 변량의 개수가 5이므로 중앙값은 3번째 값인 9이다.

(2) 변량을 작은 값부터 크기순으로 나열하면 6, 11, 14, 18, 20, 20, 23이고 변량의 개수가 7이므로 중앙값은 4번째 값인 18이다.

(3) 변량을 작은 값부터 크기순으로 나열하면 6, 9, 9, 15, 17, 19이고 변량의 개수가 6이므로

$$(중앙값) = \frac{9+15}{2} = 12$$

(4) 변량을 작은 값부터 크기순으로 나열하면 5, 5, 8, 12, 19, 22이고 변량의 개수가 6이므로

$$(중앙값) = \frac{8+12}{2} = 10$$

3-2 (1) 변량을 작은 값부터 크기순으로 나열하면 7, 8, 10, 11, 13이고 변량의 개수가 5이므로 중앙값은 3번째 값인 10이다.

(2) 변량을 작은 값부터 크기순으로 나열하면 5, 11, 14, 17, 21, 21, 23이고 변량의 개수가 7이므로 중앙값은 4번째 값인 17이다.

(3) 변량을 작은 값부터 크기순으로 나열하면 4, 6, 9, 13, 15, 25이고 변량의 개수가 6이므로

$$(중앙값) = \frac{9+13}{2} = 11$$

(4) 변량을 작은 값부터 크기순으로 나열하면 12, 13, 16, 20, 23, 29이고 변량의 개수가 6이므로

$$(중앙값) = \frac{16+20}{2} = 18$$

4-1 (1) 중앙값이 6이고 변량의 개수가 5이므로
$$x = 6$$

(2) 중앙값이 7이고 변량의 개수가 5이므로
$$x = 7$$

(3) 중앙값이 9이고 변량의 개수가 4이므로
$$\frac{x+10}{2} = 9, \ x+10 = 18 \qquad \therefore x = 8$$

(4) 중앙값이 6.5이고 변량의 개수가 6이므로
$$\frac{6+x}{2} = 6.5, \ 6+x = 13 \qquad \therefore x = 7$$

4-2 (1) 중앙값이 10이고 변량의 개수가 5이므로
$$x = 10$$

(2) 중앙값이 12이고 변량의 개수가 5이므로
$$x = 12$$

(3) 중앙값이 8이고 변량의 개수가 4이므로
$$\frac{6+x}{2} = 8, \ 6+x = 16 \qquad \therefore x = 10$$

(4) 중앙값이 7.5이고 변량의 개수가 6이므로
$$\frac{x+8}{2} = 7.5, \ x+8 = 15 \qquad \therefore x = 7$$

2일 기초 집중 연습
p146 ~ p147

1-1 (1) 7 (2) 6 (3) 9 (4) 22

1-2 18회　　　　　**1-3** (1) 10 (2) 17

1-4 42 kg　　　　**2-1** (1) 5 (2) 16

2-2 (1) 8 (2) 11　　**2-3** 13

2-4 (1) 40 (2) 25 (3) 중앙값

2-5 (1) 166 (2) 164 cm

1-1 (1) $(평균) = \dfrac{2+9+7+8+9}{5}$
$$= \frac{35}{5} = 7$$

(2) $(평균) = \dfrac{8+4+1+11+6}{5}$
$$= \frac{30}{5} = 6$$

(3) $(평균) = \dfrac{9+8+6+10+13+8}{6}$
$$= \frac{54}{6} = 9$$

(4) $(평균) = \dfrac{15+16+20+15+10+56}{6}$
$$= \frac{132}{6} = 22$$

1-2 (평균)

$$= \frac{6+8+11+13+15+18+22+26+27+34}{10}$$

$$= \frac{180}{10} = 18(\text{회})$$

1-3 (1) $\dfrac{2+4+5+x+9}{5} = 6$

$20+x=30$ ∴ $x=10$

(2) $\dfrac{8+9+14+x+11+13}{6} = 12$

$55+x=72$ ∴ $x=17$

1-4 학생 C의 몸무게를 x kg이라고 하면

평균이 50 kg이므로

$$\frac{44+55+x+56+53}{5} = 50$$

$208+x=250$ ∴ $x=42$

따라서 학생 C의 몸무게는 42 kg이다.

2-1 (1) 변량을 작은 값부터 크기순으로 나열하면 2, 4, 5, 7, 7이고 변량의 개수가 5이므로 중앙값은 3번째 값인 5이다.

(2) 변량을 작은 값부터 크기순으로 나열하면 12, 13, 15, 17, 18, 19이고 변량의 개수가 6이므로

(중앙값) $= \dfrac{15+17}{2} = 16$

2-2 (1) 중앙값이 8이고 변량의 개수가 5이므로

$x=8$

(2) 중앙값이 12이고 변량의 개수가 6이므로

$\dfrac{x+13}{2} = 12$, $x+13=24$ ∴ $x=11$

2-3 변량 6, 9, 15, x의 중앙값이 11이므로 $9 < x < 15$임을 알 수 있다.

따라서 변량을 작은 값부터 크기순으로 나열하면 6, 9, x, 15이고 중앙값이 11이므로

$\dfrac{9+x}{2} = 11$, $9+x=22$ ∴ $x=13$

2-4 (1) (평균) $= \dfrac{20+25+28+26+140+19+22}{7}$

$= \dfrac{280}{7} = 40$

(2) 변량을 작은 값부터 크기순으로 나열하면 19, 20, 22, 25, 26, 28, 140이고 변량의 개수가 7이므로 중앙값은 4번째 값인 25이다.

(3) 자료에 극단적인 값인 140이 있으므로 중앙값이 대푯값으로 적당하다.

2-5 (1) 평균이 165 cm이므로

$$\frac{162+159+x+173}{4} = 165$$

$494+x=660$ ∴ $x=166$

(2) 변량을 작은 값부터 크기순으로 나열하면 159, 162, 166, 173이고 변량의 개수가 4이므로

(중앙값) $= \dfrac{162+166}{2} = 164$ (cm)

3일

5. 최빈값

개념 원리 확인   p149

1-1 (1) 3 (2) 4, 8 (3) 21, 25 (4) 29

1-2 (1) 1, 4 (2) 8 (3) 9, 10 (4) 23

2-1 (1) 평균 : 55 cm, 중앙값 : 55.5 cm, 최빈값 : 56 cm

(2) 56 cm

2-2 (1) 평균 : 26 GB, 중앙값 : 24 GB, 최빈값 : 32 GB

(2) 최빈값

1-1 (1) 자료에서 3이 네 번으로 가장 많이 나왔으므로 최빈값은 3이다.

(2) 자료에서 4, 8이 각각 두 번으로 가장 많이 나왔으므로 최빈값은 4, 8이다.

(3) 자료에서 21, 25가 각각 두 번으로 가장 많이 나왔으므로 최빈값은 21, 25이다.

(4) 자료에서 29가 세 번으로 가장 많이 나왔으므로 최빈값은 29이다.

1-2 (1) 자료에서 1, 4가 각각 두 번으로 가장 많이 나왔으므로 최빈값은 1, 4이다.

(2) 자료에서 8이 세 번으로 가장 많이 나왔으므로 최빈값은 8이다.

(3) 자료에서 9, 10이 각각 두 번으로 가장 많이 나왔으므로 최빈값은 9, 10이다.

(4) 자료에서 23이 세 번으로 가장 많이 나왔으므로 최빈값은 23이다.

2-1 (1) $(평균) = \dfrac{51+52+53+55\times2+56\times4+60}{10}$

$= \dfrac{550}{10} = 55\,(cm)$

변량을 작은 값부터 크기순으로 나열하면 51, 52, 53, 55, 55, 56, 56, 56, 56, 60이고 변량의 개수가 10이므로

$(중앙값) = \dfrac{55+56}{2} = 55.5\,(cm)$

자료에서 56이 네 번으로 가장 많이 나왔으므로 최빈값은 56 cm이다.

(2) 가장 많이 판매한 크기의 모자를 가장 많이 주문해야 하므로 최빈값인 56 cm의 모자를 가장 많이 주문해야 한다.

2-2 (1) $(평균) = \dfrac{8\times2+16\times2+32\times3+64}{8}$

$= \dfrac{208}{8} = 26\,(GB)$

변량을 작은 값부터 크기순으로 나열하면 8, 18, 16, 16, 32, 32, 32, 64이고 변량의 개수가 8이므로

$(중앙값) = \dfrac{16+32}{2} = 24\,(GB)$

자료에서 32가 세 번으로 가장 많이 나왔으므로 최빈값은 32 GB이다.

(2) 선호도를 조사하는 자료에서는 최빈값이 대푯값으로 적당하다.

6. 산포도

개념 원리 확인 p151

3-1 (1) 풀이 참조 (2) A 영화 : 3점, B 영화 : 3점

(3) A 영화

3-2 (1) 풀이 참조 (2) A 선수 : 8점, B 선수 : 8점

(3) A 선수

4-1 (1) ○ (2) ×   **4-2** (1) × (2) ○

3-1 (1)

[A 영화]   [B 영화]

(2) (A 영화의 평점의 평균)

$= \dfrac{1\times1+2\times1+3\times5+4\times3}{10} = \dfrac{30}{10} = 3(점)$

(B 영화의 평점의 평균)

$= \dfrac{1\times3+2\times2+4\times2+5\times3}{10} = \dfrac{30}{10} = 3(점)$

(3) A 영화의 평점이 B 영화의 평점보다 평균 3점에 더 가까이 모여 있으므로 A 영화의 평점의 산포도가 더 작다.

3-2 (1)

[A 선수]   [B 선수]

(2) (A 선수의 점수의 평균)

$= \dfrac{6\times2+7\times2+8\times2+9\times2+10\times2}{10}$

$= \dfrac{80}{10} = 8(점)$

(B 선수의 점수의 평균)

$= \dfrac{6\times1+7\times2+8\times4+9\times2+10\times1}{10}$

$= \dfrac{80}{10} = 8(점)$

(3) A 선수의 점수가 B 선수의 점수보다 평균 8점에서 더 멀리 흩어져 있으므로 A 선수의 점수의 산포도가 더 크다.

4-1 (2) 변량이 평균에 가까이 모여 있으면 산포도가 작다.

4-2 (1) 평균의 값과 상관없이 변량이 평균에 가까이 모여 있을수록 산포도가 작아진다.

| 3일 | 기초 집중 연습 | p152 ~ p153 |

1-1 (1) 12 (2) 2, 5

1-2 축구

1-3 최빈값, 95호

1-4 중앙값 : 83.5 %, 최빈값 : 83 %

1-5 7

2-1 (1) A 학생 : 8점, B 학생 : 8점 (2) A 학생 (3) A 학생

2-2 (1) 풀이 참조 (2) 미주 : 7점, 수민 : 7점 (3) 미주

1-1 (1) 자료에서 12가 세 번으로 가장 많이 나왔으므로 최빈값은 12이다.

(2) 자료에서 2, 5가 각각 두 번으로 가장 많이 나왔으므로 최빈값은 2, 5이다.

1-2 자료에서 축구가 10명으로 가장 많이 나왔으므로 최빈값은 축구이다.

1-3 가장 많이 판매한 치수의 티셔츠를 가장 많이 준비해 두어야 하므로 최빈값이 대푯값으로 적당하고, 그 값은 95호이다.

1-4 변량이 20개이므로 중앙값은 변량을 작은 값부터 크기 순으로 나열하였을 때 10번째와 11번째 변량의 평균이다.

$\therefore$ (중앙값)$=\dfrac{83+84}{2}=83.5$ (%)

자료에서 83이 세 번으로 가장 많이 나왔으므로 최빈값은 83 %이다.

1-5 자료에서 6이 세 번으로 가장 많이 나왔으므로 최빈값은 6이다.

이때 평균과 최빈값이 같으므로

$$\dfrac{6+x+5+6+9+3+6}{7}=6$$
$$35+x=42 \qquad \therefore x=7$$

2-1 (1) (A 학생의 점수의 평균)

$$=\dfrac{5\times2+6\times1+8\times1+9\times2+10\times3}{9}$$

$$=\dfrac{72}{9}=8(점)$$

(B 학생의 점수의 평균)

$$=\dfrac{7\times3+8\times3+9\times3}{9}=\dfrac{72}{9}=8(점)$$

(3) A 학생의 점수가 B 학생의 점수보다 평균 8점에서 더 멀리 흩어져 있으므로 A 학생의 점수의 산포도가 더 크다.

2-2 (1)

[미주]　　　[수민]

(2) (미주의 점수의 평균)

$$=\dfrac{6\times1+7\times3+8\times1}{5}=\dfrac{35}{5}=7(점)$$

(수민이의 점수의 평균)

$$=\dfrac{6\times3+7\times1+10\times1}{5}=\dfrac{35}{5}=7(점)$$

(3) 미주의 점수가 수민이의 점수보다 평균 7점에 더 가까이 모여 있으므로 미주의 점수의 산포도가 더 작다.

4일

7. 편차

| 개념 원리 확인 | p155 |

1-1 (1) 3, -1, 0, -2 (2) -4, 3, 2, -2, 1

1-2 (1) -2, 3, -3, 2 (2) -3, 2, 0, 3, -2

2-1 -6　　　　**2-2** -3

3-1 (1) × (2) ○　　　**3-2** (1) ○ (2) ×

2-1 편차의 총합은 0이므로

$0+(-3)+6+(-1)+4+x=0$ ∴ $x=-6$

2-2 편차의 총합은 0이므로

$4+x+0+(-2)+1=0$ ∴ $x=-3$

3-1 ⑴ 편차는 변량에서 평균을 뺀 값이다.

3-2 ⑵ 평균보다 큰 변량의 편차는 양수이다.

8. 분산과 표준편차

| 개념 원리 확인 | p157 |

4-1 ⑴ 14점 ⑵ 4, -5, 1 / 4, -5, 1, 60

⑶ 12 ⑷ $2\sqrt{3}$점

4-2 ⑴ 평균 : 8, 분산 : 2, 표준편차 : $\sqrt{2}$

⑵ 평균 : 6, 분산 : 8, 표준편차 : $2\sqrt{2}$

5-1 ⑴ × ⑵ × ⑶ ○

5-2 ⑴ A반 ⑵ B반 ⑶ C반

4-1 ⑴ (평균)$=\dfrac{17+18+9+11+15}{5}$

$=\dfrac{70}{5}=14$(점)

⑶ (분산)$=\dfrac{60}{5}=12$

⑷ (표준편차)$=\sqrt{12}=2\sqrt{3}$(점)

4-2 ⑴ (평균)$=\dfrac{6+8+9+10+7}{5}$

$=\dfrac{40}{5}=8$

(분산)$=\dfrac{(-2)^2+0^2+1^2+2^2+(-1)^2}{5}$

$=\dfrac{10}{5}=2$

(표준편차)$=\sqrt{2}$

⑵ (평균)$=\dfrac{4+6+2+10+8}{5}$

$=\dfrac{30}{5}=6$

(분산)$=\dfrac{(-2)^2+0^2+(-4)^2+4^2+2^2}{5}$

$=\dfrac{40}{5}=8$

(표준편차)$=\sqrt{8}=2\sqrt{2}$

5-1 ⑴ B반의 평균이 A반의 평균보다 높으므로 B반의 미술 성적이 A반의 미술 성적보다 우수하다.

⑵ 미술 성적이 가장 좋은 학생이 어느 반에 있는지 알 수 없다.

⑶ A반의 표준편차가 B반의 표준편차보다 작으므로 A반의 미술 성적이 B반의 미술 성적보다 더 고르다.

5-2 ⑴ A반의 평균이 가장 높으므로 A반의 수학 성적이 가장 우수하다.

⑵ B반의 표준편차가 가장 작으므로 B반의 수학 성적이 가장 고르다.

⑶ C반의 표준편차가 가장 크므로 C반의 수학 성적이 가장 고르지 않다.

4일 기초 집중 연습 | p158~p159 |

1-1 ⑴ 20 ⑵ -2, 5, 2, -1, -4

1-2 2 **1-3** ㉠, ㉣

1-4 8, 5, 6, 6, 10 **1-5** ⑴ -7 ⑵ 155 cm

2-1 ⑴ 20 ⑵ 4 ⑶ 2 cm

2-2 ⑴ 74점 ⑵ 54 ⑶ $3\sqrt{6}$점

2-3 ⑴ -1 ⑵ 8 **2-4** ⑴ 9 ⑵ 3

2-5 ③, ⑤

1-1 ⑴ (평균)$=\dfrac{18+25+22+19+16}{5}$

$=\dfrac{100}{5}=20$

1-2 편차의 총합은 0이므로

$-3+x+2+(-1)=0$ ∴ $x=2$

1-3 ㉡ 편차의 총합은 0이므로 편차의 평균도 0이다. 따라서 편차의 평균으로 변량이 흩어져 있는 정도를 알 수 없다.

㉢ 편차의 절댓값이 작을수록 그 변량은 평균에 가까이 있다.

1-4 (변량)=(평균)+(편차)이므로 5명의 수면 시간을 각각 구하면

$7+1=8$, $7+(-2)=5$, $7+(-1)=6$,

$7+(-1)=6$, $7+3=10$

1-5 (1) 편차의 총합은 0이므로

$-5+1+8+6+x+(-3)=0$ $\therefore x=-7$

(2) (변량)=(평균)+(편차)이므로

(은주의 키)$=162+(-7)=155$ (cm)

2-1 (1) $\{(편차)^2의\ 총합\}=1^2+(-3)^2+(-1)^2+3^2=20$

(2) (분산)$=\dfrac{20}{5}=4$

(3) (표준편차)$=\sqrt{4}=2$ (cm)

2-2 (1) (평균)$=\dfrac{70+70+65+80+85}{5}$

$=\dfrac{370}{5}=74$(점)

(2) (분산)$=\dfrac{(-4)^2+(-4)^2+(-9)^2+6^2+11^2}{5}$

$=\dfrac{270}{5}=54$

(3) (표준편차)$=\sqrt{54}=3\sqrt{6}$(점)

2-3 (1) 편차의 총합은 0이므로

$-3+5+(-2)+1+x=0$ $\therefore x=-1$

(2) (분산)$=\dfrac{(-3)^2+5^2+(-2)^2+1^2+(-1)^2}{5}$

$=\dfrac{40}{5}=8$

2-4 (1) 평균이 10이므로

$\dfrac{9+x+15+7}{4}=10$

$31+x=40$ $\therefore x=9$

(2) (분산)$=\dfrac{(-1)^2+(-1)^2+5^2+(-3)^2}{4}$

$=\dfrac{36}{4}=9$

$\therefore$ (표준편차)$=\sqrt{9}=3$

2-5 ① 수학 성적이 가장 높은 학생이 어느 반에 있는지 알 수 없다.

② A반의 평균이 가장 높으므로 수학 성적이 가장 우수한 반은 A반이다.

③ B반의 표준편차가 가장 크므로 B반의 성적이 평균에서 가장 멀리 떨어져 있다.

④ 표준편차가 클수록 산포도가 크므로 표준편차만으로 산포도가 가장 큰 학급을 알 수 있다.

⑤ C반의 표준편차가 가장 작으므로 수학 성적이 가장 고른 반은 C반이다.

따라서 옳은 것은 ③, ⑤이다.

5일

9. 산점도

개념 원리 확인 p161

1-1 (1) $(165, 55)$, $(155, 50)$, $(170, 60)$, $(160, 45)$, $(150, 40)$, $(145, 40)$

(2) 풀이 참조 (3) 많이

1-2 (1) $(12, 4)$, $(5, 10)$, $(10, 5)$, $(7, 6)$, $(8, 8)$, $(4, 12)$

(2) 풀이 참조 (3) 짧은

2-1 (1) 5명 (2) 4명 (3) 7명

2-2 (1) 4명 (2) 3명 (3) 5명

1-1 (2)

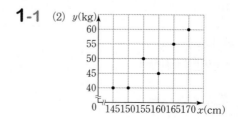

1-2 (2)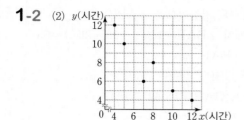

2-1 (1) 사회 성적이 90점 이상인 학생 수는 직선 ㉠을 포함하고 직선 ㉠의 오른쪽에 있는 점의 개수와 같으므로 5명이다.

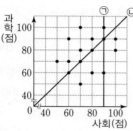

(2) 사회 성적과 과학 성적이 같은 학생 수는 직선 ㉡ 위에 있는 점의 개수와 같으므로 4명이다.

(3) 과학 성적이 사회 성적보다 높은 학생 수는 직선 ㉡을 제외하고 직선 ㉡의 위쪽에 있는 점의 개수와 같으므로 7명이다.

2-2 (1) 영어 성적이 90점 이상인 학생 수는 직선 ㉠을 포함하고 직선 ㉠의 위쪽에 있는 점의 개수와 같으므로 4명이다.

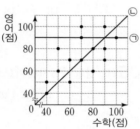

(2) 수학 성적과 영어 성적이 같은 학생 수는 직선 ㉡ 위에 있는 점의 개수와 같으므로 3명이다.

(3) 수학 성적이 영어 성적보다 높은 학생 수는 직선 ㉡을 제외하고 직선 ㉡의 아래쪽에 있는 점의 개수와 같으므로 5명이다.

---

10. 상관관계

개념 원리 확인   p163

3-1 (1) ㉠, ㉣ (2) ㉡ (3) ㉢, ㉤

3-2 (1) ㉠, ㉢ (2) ㉣ (3) ㉢, ㉤

4-1 (1) 양 (2) 음 (3) 무

4-2 (1) 음 (2) 무 (3) 양

5일 기초 집중 연습   p164~p165

1-1 (1) $(2, 5)$, $(3, 4)$, $(4, 6)$, $(6, 7)$, $(7, 9)$, $(9, 10)$

(2) 풀이 참조

1-2 (1) 2명 (2) 3명 (3) 3명 (4) 4명

1-3 (1) 30점 (2) 7명

2-1 (1) ㉡, ㉤ (2) ㉠, ㉥ (3) ㉢, ㉣

2-2 ②   **2-3** ③

2-4 B

1-1 (2)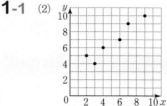

1-2 (1) 수학 성적이 90점 이상인 학생 수는 직선 ㉠을 포함하고 직선 ㉠의 오른쪽에 있는 점의 개수와 같으므로 2명이다.

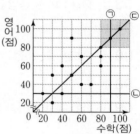

(2) 영어 성적이 30점 이하인 학생 수는 직선 ㉡을 포함하고 직선 ㉡의 아래쪽에 있는 점의 개수와 같으므로 3명이다.

(3) 수학 성적과 영어 성적이 모두 80점 이상인 학생 수는 색칠한 부분(경계선 포함)에 있는 점의 개수와 같으므로 3명이다.

(4) 수학 성적과 영어 성적이 같은 학생 수는 직선 ㉢ 위에 있는 점의 개수와 같으므로 4명이다.

1-3 (1) 과학 성적이 가장 낮은 학생은 A이고 A의 수학 성적은 30점이다.

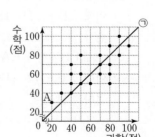

(2) 과학 성적이 수학 성적보다 높은 학생 수는 직선 ㉠을 제외하고 직선 ㉠의 아래쪽에 있는 점의 개수와 같으므로 7명이다.

2-2 주어진 산점도의 두 변량 사이에는 상관관계가 없으므로 상관관계가 없는 것을 고르면 ②이다.
① 양의 상관관계
③, ④, ⑤ 음의 상관관계

2-3 겨울철 기온과 감기 환자 수 사이에는 음의 상관관계가 있으므로 음의 상관관계를 나타내는 것은 ③이다.

2-4 던지기 기록에 비해 멀리뛰기 기록이 좋은 학생은 주어진 산점도에서 오른쪽 위로 향하는 대각선의 아래쪽에 있는 학생이므로 B이다.

누구나 100점 테스트   p166 ~ p167

01 ④

02 (1) $65°$ (2) $68°$ (3) $55°$ (4) $104°$

03 (1) 평균 : 10권, 중앙값 : 6권, 최빈값 : 5권 (2) 중앙값

04 14   **05** (1) 7 (2) 4시간

06 (1) -5점 (2) 70점   **07** $\dfrac{14}{5}$

08 ③

09 (1) 9명 (2) 10명 (3) 5명 (4) 7명 (5) 3명

10 ㉠, ㉢

---

01 ① $\angle B + \angle D \neq 180°$이므로 □ABCD는 원에 내접하지 않는다.
② $\angle DCE \neq \angle BAD$이므로 □ABCD는 원에 내접하지 않는다.
③ $\angle BAC \neq \angle BDC$이므로 □ABCD는 원에 내접하지 않는다.
④ △ABC에서 $\angle B = 180° - (60° + 50°) = 70°$
이때 $\angle B + \angle D = 180°$이므로 □ABCD는 원에 내접한다.
⑤ △AEB에서 $\angle EAB = 100° - 40° = 60°$
이때 $\angle EAB \neq \angle BCD$이므로 □ABCD는 원에 내접하지 않는다.

02 (1) $\angle x = \angle BPT = 65°$
(2) △APB에서 $\angle ABP = 180° - (72° + 40°) = 68°$
$\therefore \angle x = \angle ABP = 68°$

(3) $\overline{AB}$는 원 O의 지름이므로 $\angle APB = 90°$
△APB에서 $\angle BAP = 180° - (90° + 35°) = 55°$
$\therefore \angle x = \angle BAP = 55°$
(4) $\angle BAP = \angle BPT = 52°$
$\therefore \angle x = 2\angle BAP = 2 \times 52° = 104°$

03 (1) (평균) $= \dfrac{6+5+9+8+33+4+5}{7}$
$= \dfrac{70}{7} = 10$(권)
변량을 작은 값부터 크기순으로 나열하면 4, 5, 5, 6, 8, 9, 33이고 변량의 개수가 7이므로 중앙값은 4번째 값인 6권이다.
자료에서 5가 두 번으로 가장 많이 나왔으므로 최빈값은 5권이다.
(2) 자료에 극단적인 값인 33권이 있으므로 중앙값이 대푯값으로 적당하다.

04 중앙값이 16이고 변량의 개수가 6이므로
$\dfrac{x+18}{2} = 16$, $x + 18 = 32$ $\therefore x = 14$

05 (1) 평균이 6시간이므로
$\dfrac{3+4+10+4+x+9+5}{7} = 6$
$35 + x = 42$ $\therefore x = 7$
(2) 자료에서 4가 두 번으로 가장 많이 나왔으므로 최빈값은 4시간이다.

06 (1) 학생 B의 편차를 x점이라고 하면
편차의 총합은 0이므로
$-1 + x + 3 + (-2) + 5 = 0$ $\therefore x = -5$
따라서 학생 B의 편차는 -5점이다.
(2) (변량) = (평균) + (편차)이므로
(학생 B의 영어 성적) $= 75 + (-5) = 70$(점)

07 (평균) $= \dfrac{8+10+9+8+5}{5} = \dfrac{40}{5} = 8$(점)
$\therefore$ (분산) $= \dfrac{0^2 + 2^2 + 1^2 + 0^2 + (-3)^2}{5} = \dfrac{14}{5}$

08 ① A반의 평균이 B반의 평균보다 높으므로 A반의 성적이 B반의 성적보다 우수하다.

② A반의 분산이 B반의 분산보다 작으므로 A반의 성적이 B반의 성적보다 고르다.

③ (표준편차)$=\sqrt{(분산)}$이고 A반의 분산이 B반의 분산보다 작으므로 A반의 표준편차가 B반의 표준편차보다 작다.

④ 점수가 가장 높은 학생이 어느 반에 있는지 알 수 없다.

⑤ 분산이 클수록 산포도가 크므로 A, B 두 반의 성적의 산포도를 비교할 수 있다.

따라서 옳은 것은 ③이다.

09 (1) 사회 성적이 80점 이상인 학생 수는 직선 ㉠을 포함하고 직선 ㉠의 오른쪽에 있는 점의 개수와 같으므로 9명이다.

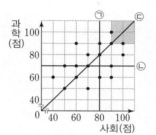

(2) 과학 성적이 70점 이하인 학생 수는 직선 ㉡을 포함하고 직선 ㉡의 아래쪽에 있는 점의 개수와 같으므로 10명이다.

(3) 사회 성적과 과학 성적이 같은 학생 수는 직선 ㉢ 위에 있는 점의 개수와 같으므로 5명이다.

(4) 과학 성적이 사회 성적보다 높은 학생 수는 직선 ㉢을 제외하고 직선 ㉢의 위쪽에 있는 점의 개수와 같으므로 7명이다.

(5) 사회 성적과 과학 성적이 모두 90점 이상인 학생 수는 색칠한 부분(경계선 포함)에 있는 점의 개수와 같으므로 3명이다.

10 ㉡ 두 변량 사이에는 양의 상관관계가 있다.

특강 | 창의, 융합, 코딩   p168~p173

1 BDC / 180 / BAD / BCA

2 유클리드

3 개수 / 크기순, 중앙 / 많이 / 평균, 편차, 분산 / 양, 음, 없다

4 (1) 2, 5, 10, 3, 7 (2) 미

5 (1) ㉡ (2) ㉢ (3) ㉣ (4) ㉠

6 (1) 풀이 참조 (2) 음의 상관관계

2 (1) $\angle x = \angle BCA = 62°$ ➡ 유

(2) $\angle BAT = 180° - (40° + 60°) = 80°$

∴ $\angle x = \angle BAT = 80°$ ➡ 클

(3) $\angle BCA = \angle BAT = 50°$

∴ $\angle x = 2\angle BCA = 2 \times 50° = 100°$ ➡ 리

(4) $\angle DBA = \angle DAT = 30°$이므로

△DAB에서 $\angle DAB = 180° - (40° + 30°) = 110°$

이때 □ABCD가 원에 내접하므로

$110° + \angle x = 180°$ ∴ $\angle x = 70°$ ➡ 드

따라서 수학자의 이름은 유클리드이다.

4 (2) 미가 10번으로 가장 많이 나왔으므로 최빈값은 미이다.

5 (1) (평균)$= \dfrac{3+3+4+11+12+6+8+9+13+11}{10}$

$= \dfrac{80}{10} = 8$ ➡ ㉡

(2) {(편차)²의 총합}

$= (-5)^2 + (-5)^2 + (-4)^2 + 3^2 + 4^2$
$\qquad\qquad + (-2)^2 + 0^2 + 1^2 + 5^2 + 3^2$

$= 130$ ➡ ㉢

(3) (분산)$= \dfrac{130}{10} = 13$ ➡ ㉣

(4) (표준편차)$= \sqrt{13}$ ➡ ㉠

6 (1)

(2) 공부 시간이 길수록 친구한테 받은 SNS 메시지 개수가 적으므로 공부 시간과 친구한테 받은 SNS 메시지 개수 사이에는 음의 상관관계가 있다.

피곤한 눈을 맑고 개운하게!
눈 스트레칭

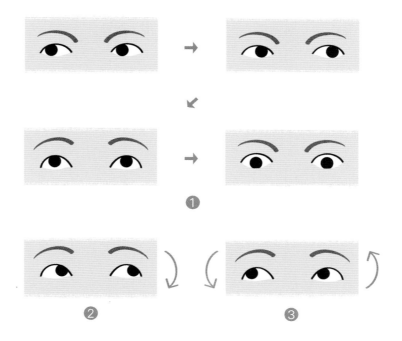

눈이 피곤하면 집중력도 떨어지고, 심한 경우 두통이 생기기도 합니다.
꾸준한 눈 스트레칭으로 눈의 피로를 꼭 풀어주세요. 눈 스트레칭을 할 때 목은
고정하고 눈동자만 움직여야 효과가 좋아진다는 것! 잊지 마세요.

❶ 눈동자를 다음과 같은 순서로 움직여보세요. 한 방향당 10초 간 머물러야 합니다.

   왼쪽 ➡ 오른쪽 ➡ 위쪽 ➡ 아래쪽

❷ 눈동자를 시계 방향으로 한 바퀴 돌려주세요.

❸ 눈동자를 시계 반대 방향으로 한 바퀴 돌려주세요.

   ※ 스트레칭 후에도 눈에 피곤함이 남아 있다면, 2~3회 반복해 주세요.

정답은
이안에
있어!

시작은 하루 중학 영어

- 문법 1, 2, 3
- 어휘 1, 2, 3

이 교재도 추천해요!

- G코치 (Grammar Coach)
- 3초 보카

시작은 하루 중학 사회 / 역사

- 사회 ①, ②
- 역사 ①, ②

시작은 하루 중학 과학

- 1-1, 1-2
- 2-1, 2-2
- 3-1, 3-2

배움으로 행복한 내일을 꿈꾸는
천재교육 커뮤니티 안내 · · · ·

 교재 안내부터 구매까지 한 번에!
천재교육 홈페이지

천재교육 홈페이지에서는 자사가 발행하는 참고서,
교과서에 대한 소개는 물론 도서 구매도 할 수 있습니다.
회원에게 지급되는 별을 모아 다양한 상품 응모에도
도전해 보세요.

 구독, 좋아요는 필수! 핵유용 정보 가득한
천재교육 유튜브 <천재TV>

신간에 대한 자세한 정보가 궁금하세요?
참고서를 어떻게 활용해야 할지 고민인가요?
공부 외 다양한 고민을 해결해 줄 채널이 필요한가요?
학생들에게 꼭 필요한 콘텐츠로 가득한 천재TV로 놀러 오세요!

 다양한 교육 꿀팁에 깜짝 이벤트는 덤!
천재교육 인스타그램

천재교육의 새롭고 중요한 소식을 가장 먼저 접하고 싶다면?
천재교육 인스타그램 팔로우가 필수!
누구보다 빠르고 재미있게 천재교육의 소식을 전달합니다.
깜짝 이벤트도 수시로 진행되니 놓치지 마세요!